L'enfance de
d'opéra. Ses
lui ont transmis le goût des personnages aux destins hauts en couleur et la musique des mots. Très jeune, Françoise Bourdin se met à écrire des nouvelles. Puis, son premier roman est publié chez Julliard avant même sa majorité. L'écriture est alors au cœur de sa vie. Son univers romanesque prend racine dans les histoires de famille, les secrets et les passions qui les traversent. La vingtaine de romans publiés chez Belfond depuis 1994, sont de ce terreau et rassemblent à chaque parution davantage de lecteurs. Trois de ces romans ont été portés à l'écran tandis que, parallèlement, elle continue à écrire des scénarios. Françoise Bourdin vit aujourd'hui dans une grande maison en Normandie.

L'INCONNUE DE PEYROLLES

DU MÊME AUTEUR
CHEZ POCKET

L'HOMME DE LEUR VIE
LA MAISON DES ARAVIS
LE SECRET DE CLARA
L'HÉRITAGE DE CLARA
UN MARIAGE D'AMOUR
UN ÉTÉ DE CANICULE
LES ANNÉES PASSION
LE CHOIX D'UNE FEMME LIBRE
RENDEZ-VOUS À KERLOC'H
OBJET DE TOUTES LES CONVOITISES
UNE PASSION FAUVE
BERILL OU LA PASSION EN HÉRITAGE
L'INCONNUE DE PEYROLLES
LES BOIS DE BATTANDIÈRE (octobre 2008)

FRANÇOISE BOURDIN

L'INCONNUE DE PEYROLLES

BELFOND

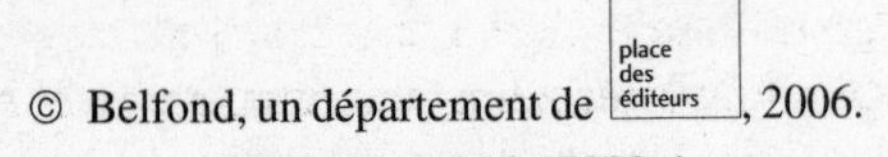

ISBN 978-2-266-17200-4

1

Le moteur tournait à trois mille cent tours, rotor synchronisé. Avant de se mettre en vol stationnaire au-dessus de la piste, Samuel vérifia que toutes les aiguilles étaient dans le vert, et tous les voyants éteints. Il chercha d'abord la verticale avec le cyclique puis, en douceur, laissa s'élever l'hélicoptère. À un petit mètre du sol, il fit imperceptiblement basculer la machine sur l'avant, attendit l'accrochage et accéléra jusqu'à la bonne vitesse pour monter.

— C'est parti, ma belle..., dit-il dans son micro. Je te confie les commandes quand tu veux !

Pascale esquissa un sourire, sachant très bien qu'il ne la laisserait pas piloter dans l'état de fatigue où elle se trouvait.

— Où aimerais-tu aller ?

Transmise par les écouteurs du casque, la voix de Samuel était chaleureuse, rassurante. Comme chaque fois qu'elle volait avec lui, Pascale pensa qu'il pourrait bien l'emmener au bout du monde sans qu'elle proteste.

— Choisis pour moi, répondit-elle en calant sa nuque contre l'appui-tête.

Les hangars de l'aéroclub étaient maintenant réduits à la taille de jouets sous leurs pieds. Samuel appela la tour de contrôle et vira à gauche tandis que Pascale fermait les yeux. Se promener dans le ciel était exactement ce dont elle avait envie après ces journées atroces. Son père et son frère, aussi effondrés qu'elle, étaient repartis en voiture juste après l'enterrement, incapables de comprendre pourquoi elle tenait tant à rester.

Elle-même n'aurait su le dire. Depuis combien d'années n'était-elle pas revenue dans la région ? Vingt ans, au moins.

— Je vais t'emmener vers Gaillac, annonça Samuel. Tu verras des vignobles et les berges du Tarn…

Sa gentillesse était assez émouvante pour que Pascale sente une boule se former dans sa gorge. Elle déglutit plusieurs fois, rouvrit les yeux, essuya le plus discrètement possible une larme qui commençait à rouler sur sa joue.

— Ne pleure pas maintenant, ça va t'empêcher de regarder le paysage !

Il la consolait mieux que personne, l'entourait de tendresse, l'avait laissée sangloter une partie de la nuit sur son épaule, et pourtant ils avaient divorcé trois ans plus tôt.

— Tu es un fantastique ex-mari, dit-elle en reniflant.

Le rire de Samuel éclata dans le casque. Bien que la plaisanterie ne soit pas neuve, il semblait l'apprécier encore. Une seconde, il baissa les yeux sur la carte étalée en travers de ses genoux, puis les releva pour identifier ses points de repère au sol.

— Tu ne liquideras pas ton chagrin en deux jours, ajouta-t-il, gardes-en pour plus tard.

Elle le savait, résignée d'avance à la lenteur du deuil et soulagée d'avoir passé le cap de cet enterrement qui lui avait paru insurmontable. Perdre sa mère était la pire chose qui lui soit arrivée ; à trente-deux ans elle n'avait pas connu de vrai drame, sauf peut-être cette douloureuse séparation d'avec Samuel, qui les avait meurtris autant l'un que l'autre. Pour tout le reste, son caractère tenace s'était révélé un atout précieux et non un handicap, au contraire de ce qu'on lui prédisait lorsqu'elle était enfant. Gamine têtue, trop perfectionniste, trop exigeante, elle piquait des crises de rage si elle n'arrivait pas à atteindre les buts qu'elle se fixait. Or elle mettait souvent la barre trop haut, du moins ses parents l'affirmaient-ils en riant.

Ses parents… Un mot qu'elle ne prononcerait plus, sinon au passé. Sa mère avait-elle vraiment, dans la confusion mentale où elle se trouvait ces derniers temps, ingurgité tous ces médicaments par distraction ? Ou bien était-ce consciemment qu'elle avait renoncé à se battre contre la maladie qui la minait ? Condamnée, avait-elle hâté la fin ? Elle parlait peu d'elle-même, trop pudique pour se confier, opposant à chacun, depuis toujours, une expression affectueuse et énigmatique. Quelques semaines avant sa mort, elle avait fêté son soixantième anniversaire, mais personne n'aurait pu lui donner son âge, seuls ses cheveux blancs la trahissaient. Née d'une mère vietnamienne et d'un père français, elle arborait un type asiatique assez marqué, et Pascale avait hérité d'elle ses grands yeux noirs étirés vers les tempes, des pommettes hautes, une peau mate, un petit nez ravissant.

— Si ça te fait plaisir, on peut monter à Albi, proposa Samuel.

Il devait projeter de la conduire jusqu'à la maison de son enfance, dont elle lui avait rebattu les oreilles, mais elle n'y tenait pas, pas aujourd'hui.

— Non, garde le cap sur Gaillac, c'est très bien…

À quoi bon remuer ces lointains souvenirs, dont

chacun était lié à sa mère et à ce temps béni où elle courait dans l'immense jardin de Peyrolles ? Il y avait des fleurs partout, un gros chien jaune qui gambadait, une pelouse en pente douce jusqu'au mur d'enceinte. Dès les beaux jours, sa mère portait une sorte de canotier posé de biais sur son chignon, un panier d'osier à son bras et un sécateur à la main. En se mettant de dos à la grille où, chaque soir, Pascale attendait son père, on pouvait voir la maison blanche s'embraser au soleil couchant. Partir avait été un déchirement pour la petite fille.

La main de Samuel vint effleurer son genou et, de nouveau, elle eut les larmes aux yeux.

— Excuse-moi, murmura-t-elle.

Si bas qu'elle ait parlé, le micro était assez sensible pour que Samuel l'entende. Il lui passa la carte tout en déclarant :

— Allez, vas-y, repère-toi là-dessus et montre-moi ce que tu sais faire !

Étonnée qu'il lui confie la machine, elle lui jeta un rapide coup d'œil.

— Au moins, tu penseras à autre chose…

Elle volait aussi souvent que possible, mais son emploi du temps à l'hôpital Necker ne lui laissait guère de loisirs et il y avait bien trois mois qu'elle n'avait pas piloté un hélicoptère.

— Tu m'aides, hein ? dit-elle entre ses dents.

Il se remit à rire avant de lâcher les commandes et de croiser les bras.

Henry Fontanel ouvrit la porte de l'appartement et s'arrêta net, dérouté par l'obscurité. Il lui fallut une ou deux secondes pour réaliser que, désormais, sa femme ne l'attendrait plus. Ces derniers temps, c'était plutôt la garde-malade qui l'accueillait, mais enfin il y avait du monde, un semblant de vie.

Avec un soupir résigné, il alluma le lustre de l'entrée, jeta son imperméable sur un fauteuil médaillon. Parquet blond, laque bordeaux au mur, mobilier d'époque : son cadre de vie était exactement tel qu'il l'aimait. Seulement il risquait de s'y sentir très seul désormais. Même si Camille, malade depuis deux ans, avait été de plus en plus silencieuse au fil des jours, au moins elle était là et il pouvait s'occuper d'elle. La regarder, aussi, et à force de la regarder voir en elle la jeune fille qu'elle était trente-cinq ans plus tôt, irrésistible petit tanagra oriental dont il était fou.

Il traversa le salon, la salle à manger, poussa la porte de son bureau. Le voyant du répondeur clignotait et il écouta le message de son fils, qui lui proposait de le retrouver au restaurant pour dîner. Une idée généreuse, bien dans la façon d'Adrien. Au moins, il restait à Henry ses deux grands enfants, devenus des adultes dont il était très fier. Adrien, aussi brillant qu'il l'avait souhaité, et Pascale, qui ne cessait de l'émerveiller, même s'il ne la comprenait pas toujours. Entre autres, pourquoi avait-elle décidé de s'attarder à Albi ? Pour rester quelques jours auprès de Samuel ? Jamais ils n'auraient dû se séparer, ces deux-là, ils formaient un couple extraordinaire et Sam avait été stupide de se braquer pour cette histoire d'enfants. Le devenir et l'épanouissement d'une femme passaient par la maternité, Henry en était persuadé ; aussi donnait-il raison à sa fille malgré toute son affection pour Samuel. Un garçon bourré de qualités, au demeurant, et Pascale n'était pas près de retrouver un mari comme lui. Ah, le jour où Sam était venu trouver Henry pour faire sa demande ! Ou ce qui en tenait lieu, parce que pour une fois Sam avait bafouillé, lui qui ne se laissait impressionner par personne. Sa manière d'annoncer qu'il était amoureux de Pascale et espérait l'épouser avait mis Henry en joie. Pour un peu, il aurait béni cette appendicite qui avait donné aux deux jeunes gens l'occasion de se rencontrer. Rien de plus banal qu'une appendicite sans complication, mais, en tant que fille du grand patron, Pascale avait eu droit à tous les égards, y compris une longue visite de l'anesthésiste-réanimateur, en l'occurrence Samuel Hoffmann, qui était tombé sous le charme dans l'instant. Un an plus tard, les tourtereaux convolaient, Henry leur offrant un somptueux mariage. Une photo prise à la sortie de l'église trônait toujours sur son bureau. Pascale y était sublime dans sa robe de soie blanche, Samuel irrésistiblement séduisant en jaquette ; derrière eux, Henry et Camille souriaient d'un air béat en se tenant par la main… Un temps heureux, aujourd'hui révolu.

Le seul bénéfice, plutôt inattendu, de ce ridicule divorce avait été le retour de Pascale chez ses parents. Une solution *provisoire* qui durait depuis trois ans, à la grande satisfaction de Henry. « Tu fais des économies de loyer et, comme ça, tu peux t'offrir toutes les heures de vol que tu veux ! » C'était ce qu'il lui avait dit en l'accueillant à bras ouverts. De toute façon, elle était à ramasser à la petite cuillère après avoir quitté Sam ; se réfugier au bercail ne pouvait que l'aider à franchir le cap. Ce qu'elle avait fini par faire, bien entendu, avec cette sacrée volonté dont elle était pourvue. Elle s'était investie à fond dans son travail ; Henry le déplorait car elle y gâchait sa jeunesse et semblait plus préoccupée de ses malades que de sa propre existence. Quand il la voyait partir le matin pour aller prendre son RER, en jean, tennis et pull à col roulé, il se disait qu'elle ferait mieux d'être coquette – ou même futile, pourquoi pas ? Vivre du matin au soir, sans compter les gardes de nuit, dans un service de pneumologie de l'Assistance publique n'était pas un but en soi pour une femme de trente ans. D'ailleurs, selon Henry, les femmes n'étaient pas faites pour le carriérisme, l'ambition professionnelle. Une vision rétrograde, peut-être, mais c'était la sienne et il regrettait que sa fille fasse passer son métier avant sa féminité. Pourtant, quand elle s'en donnait la peine, Pascale était vraiment belle. À deux ou trois reprises, il l'avait emmenée dans des cocktails réunissant la fine fleur de la médecine, et elle l'avait chaque fois époustouflé. En robe ou tailleur, avec un soupçon de maquillage, de hauts talons et un chignon sophistiqué, elle n'était plus la même. Silhouette idéale, profil parfait, mystère de son origine métisse à peine discernable : elle charmait tous les hommes et, dans ces occasions, Henry était assez content de pouvoir préciser, en la présentant, qu'elle possédait *aussi* le titre de pneumologue.

Au début, il n'avait pas cru qu'elle irait au bout de ses études de médecine, persuadé qu'elle voulait juste faire comme papa, comme Adrien, et que la route serait trop longue pour elle. En outre, ayant obtenu son bac à seize ans, elle était dérisoirement jeune pour cette première année de fac, bouclée non sans mal. Mais elle s'était accrochée, avec son âpreté coutumière, et, une fois son doctorat de médecine en poche, elle avait poursuivi par une spécialité de pneumo. Toujours un peu incrédule quant à ses motivations, mais plutôt flatté de sa réussite, Henry lui avait alors offert d'entrer dans sa clinique de Saint-Germain, ce qu'elle avait refusé. Elle préférait le secteur public, l'ambiance d'un grand hôpital, elle voulait se « confronter à la réalité », selon son expression. Et peut-être n'avait-elle pas eu tort, Henry ne disposant pas vraiment d'un poste de pneumologue à plein temps dans sa polyclinique.

Une affaire en or, cet établissement situé en plein cœur de Saint-Germain-en-Laye. Il avait eu le nez creux en investissant là vingt ans plus tôt. À l'époque, il voulait désespérément quitter Albi pour monter à Paris. L'état mental de Camille commençait à se dégrader, elle frôlait la dépression, il devait l'arracher à son obsession, et cet impératif familial correspondait tout à fait à ses ambitions professionnelles. Sans hésiter, il avait consacré l'essentiel de sa fortune à acquérir des parts de la clinique et s'était endetté pour s'offrir cet appartement de grand standing dont les fenêtres donnaient sur un somptueux parc. Camille avait apprécié l'endroit, leur nouvelle vie l'avait apaisée un temps.

La sonnerie du téléphone le fit sursauter, et il rajusta machinalement ses petites lunettes sur son nez avant de décrocher.

— Papa ? Tu as eu mon message ?

— Oui, Adrien… Je te retrouve à la brasserie du Théâtre dans une demi-heure, si ça te va.

— D'accord. J'y serai.

Henry raccrocha en souriant. Adrien était ponctuel, attentif, responsable. Sans doute avait-il d'autres chats à fouetter que s'occuper du chagrin de son père, mais bien sûr il s'en faisait un devoir. D'autant que, Pascale étant restée dans le Sud, il le savait seul. Et, indiscutablement, Henry n'avait aucune envie d'errer de pièce en pièce dans le silence de ce trop grand appartement.

Il quitta son bureau, éteignit toutes les lumières au passage et sortit. Le restaurant se trouvant en face du château, il pouvait s'y rendre à pied malgré la fraîcheur de la soirée. Il profita de la promenade pour méditer sur la manière dont il allait réorganiser sa vie. Bientôt, il serait à l'âge de la retraite même si, en tant que médecin, rien ne l'obligeait à la prendre. Avait-il envie de poursuivre sa carrière ? Pour qui et pour quoi, dorénavant, se battrait-il ? Adrien n'aurait aucun mal à diriger la clinique, il était rompu à cet exercice depuis un moment déjà. Mais si Henry faisait le choix de ne plus exercer, son existence risquait de sombrer dans le désœuvrement. Quelques parties de golf, le dimanche, ou quelques voyages occasionnels ne suffiraient pas à remplir les semaines, les mois, les années qui s'étendaient devant lui. Une maîtresse ? Pourquoi pas, après tout... Il avait déjà fait quelques tentatives, très discrètes bien entendu, mais sans conviction ni bonheur. Pendant toute leur union, il s'était senti amoureux de sa femme et n'avait pu s'intéresser à personne d'autre. Pourtant, à mots couverts, avec sa réserve et sa pudeur habituelles, Camille l'encourageait à se distraire puisqu'elle se refusait presque systématiquement à lui depuis près de dix ans. En vieillissant, elle s'était mise à lui en vouloir, ou peut-être lui avait-elle toujours caché sa rancœur, comment savoir ?

Il poussa la porte de la brasserie et vit tout de suite Adrien, déjà attablé devant un verre de chablis.

— Des nouvelles de Pascale ? demanda Adrien en prenant la bouteille dans le seau.

Après avoir servi son père, il alluma une cigarette, tira une profonde bouffée puis dispersa le nuage de fumée avec sa main.

— Tu devrais arrêter de fumer, Adrien...

— Rassure-toi, je ne fume quasiment plus, c'est interdit partout.

— Dieu merci ! Ta sœur rentre demain soir ou

dimanche matin. Mais je suis tranquille, Sam s'occupe d'elle.

— Le contraire m'aurait beaucoup étonné. Pour une fois qu'elle a besoin de lui, il ne va pas lui lâcher la main.

Henry avait bien vu avec quelle tendresse Samuel s'était comporté, l'avant-veille, au cimetière. Son bras passé autour des épaules de Pascale, son regard sur elle, la douceur avec laquelle il l'avait entraînée loin de la tombe.

— Tu crois qu'il l'aime encore ?

— En tout cas, il n'a jamais digéré leur échec.

— Sacré gâchis, murmura Henry d'une voix éteinte.

Une bouffée de tristesse venait de le submerger et il dut faire un effort pour se reprendre. Levant les yeux sur son fils, il le considéra rêveusement. À quarante ans, Adrien était seul, menant une vie de joyeux célibataire à laquelle il ne semblait pas vouloir mettre un terme. Blond aux yeux bleus, il ne ressemblait à personne, ou alors à sa mère, dont Henry avait oublié les traits depuis longtemps. Adrien ne devait pas se souvenir d'elle non plus. Élevé depuis l'âge de deux ans par Camille, qu'il adorait et qui le lui rendait bien, il avait été un petit garçon sans problèmes, heureux, épanoui.

— Dans quelque temps, tu y penseras moins, papa, dit Adrien avec un sourire navré.

C'était sûrement vrai, si pénible que ce soit à admettre. Henry ne serait pas inconsolable, nul ne l'est, néanmoins il approchait de la vieillesse et la perte de Camille le laissait pour l'instant sans force. Allait-il commencer à avoir des remords maintenant qu'elle n'était plus là ? Non, il avait fait ce qu'il devait, pour le bien de tous les siens, Camille comprise, et il ne voulait toujours pas s'en souvenir, aujourd'hui moins que jamais.

— Tu as des projets pour le week-end ? s'enquit Adrien avec sollicitude.

— Je dois ranger l'appartement, trier les affaires de ta mère…

— Attends Pascale.

— Pas question de lui infliger ça. Je m'en occuperai demain, le plus tôt sera le mieux.

— Alors, je viendrai t'aider.

Henry le remercia d'un simple hochement de tête. Ils avaient toujours été proches l'un de l'autre, père et fils complices jusque dans leur travail à la clinique, mais il ne voulait pas le mêler à certaines choses.

— Le mieux serait de vendre Peyrolles, déclara-t-il soudain. Il n'y a pas de locataire pour l'instant, autant en profiter. Je sais par l'agence que la maison est en bon état, je vais leur demander une estimation.

— Aucun de nous n'y mettra jamais les pieds, c'est trop loin, approuva Adrien.

En réalité, par avion ou en TGV, et à condition de louer une voiture à Toulouse, Albi n'avait rien d'inaccessible. Néanmoins, Henry avait tiré un trait sur le passé, la propriété de Peyrolles où il était né, où ses enfants étaient nés, où trois générations de Fontanel l'avaient précédé, ne signifiait plus rien pour lui. En la quittant vingt ans plus tôt, il n'avait pas pu se résoudre à la vendre, mais à présent il le souhaitait. Des inconnus s'étaient succédé là, tandis qu'il engloutissait leurs loyers dans les réparations annuelles lui incombant, et au bout du compte il s'en était totalement désintéressé. Habiter la région parisienne lui semblait bien préférable à une vie de province, plus stimulant et plus gratifiant.

Un serveur déposa devant eux le plateau de fruits de mer commandé d'office par Adrien. Nul besoin d'avoir de l'appétit pour avaler quelques huîtres.

— Si je voulais prendre ma retraite, Adrien, te sentirais-tu prêt à me succéder ?

Son fils leva la tête et le regarda droit dans les yeux.

— Tu n'y penses pas vraiment, papa. C'est juste un moment difficile.

Henry s'autorisa un sourire, amusé par la perspicacité d'Adrien.

— Peut-être…, reconnut-il. Mais un jour viendra où tu devras le faire.

— Le plus tard possible, alors.

Soit il s'agissait de pure gentillesse, soit il ne tenait pas à crouler sous les responsabilités. Voulait-il à tout prix sauvegarder sa vie de jeune homme ? Y trouvait-il encore de telles satisfactions, à quarante ans ? Il avait fait une fête à tout casser lorsqu'il avait changé de décennie, invitant une foule de copains chez Cazaudehore, en pleine forêt de Saint-Germain, où ils avaient dansé jusqu'à l'aube comme des adolescents. On le voyait souvent en compagnie de jolies femmes, mais il s'était toujours abstenu de chasser parmi le personnel de la clinique et Henry ne connaissait ni ses amis ni ses maîtresses.

— Adrien, demanda-t-il abruptement, tu n'as jamais eu envie de te marier ?

Le regard bleu clair de son fils parut s'assombrir puis se déroba.

— Tu sais, le mariage… Quand je vois ce que ça a donné pour Pascale, merci bien !

Henry faillit répliquer que, pour sa part, Camille l'avait rendu follement heureux à certains moments, mais il s'en abstint. Prononcer le prénom de sa femme risquait de faire resurgir toute la tristesse qu'il refoulait laborieusement depuis quelques jours, aussi se contenta-t-il de soupirer.

À son réveil, Pascale eut beaucoup de mal à se souvenir de l'endroit où elle se trouvait. La chambre était spacieuse, moderne, anonyme, et par la fenêtre entrebâillée elle pouvait entendre les eaux tumultueuses du Tarn qui s'écoulaient à quelques mètres de l'hôtel.

L'employé avait déposé le plateau du petit déjeuner au pied de son lit et elle se redressa, remontant les couvertures sur ses épaules. La veille, Samuel était resté avec elle jusqu'à la fermeture du bar, puis il l'avait quittée au pied de l'escalier après lui avoir souhaité une bonne nuit. À mi-étage, elle s'était retournée pour lui sourire une dernière fois, mélancolique à l'idée de ne plus le revoir avant longtemps. Il semblait triste, lui aussi, cependant il avait une femme dans sa vie. À plusieurs reprises, il avait répondu sur son portable à des appels qui ne laissaient aucun doute. Une certaine Marianne, au sujet de laquelle il s'était montré très discret.

Pascale se versa une tasse de café puis fendit un petit pain au lait qu'elle couvrit de confiture. Les soucis ou les chagrins ne lui faisaient jamais perdre l'appétit, c'était sûrement l'une des raisons de son inépuisable énergie. Même lors de gardes éprouvantes, à l'hôpital, elle mangeait à longueur de nuit blanche tout ce qui lui tombait sous la main. Pourtant, elle restait très mince, hanches étroites et ventre plat, conservant sa silhouette longiligne d'adolescente. À l'époque où elle désirait tant avoir un bébé, Samuel lui avait recommandé de faire une radiopelvimétrie, certain que sa morphologie ne lui permettrait pas un accouchement normal.

Ils en avaient tellement parlé, de cet enfant qu'ils essayaient de mettre en route ! Mais chaque mois la déception était là, de plus en plus amère pour Pascale tandis que Samuel semblait indifférent. Avec ou sans bébé, il était fou de sa femme et jugeait que rien ne pressait. N'avaient-ils pas la vie devant eux ? Pascale s'insurgeait, se mettait en colère, ne pensait plus qu'à ça. Elle voulait être une jeune mère et se désespérait, sourde aux arguments de Samuel, exaspérée de l'entendre répéter avec insouciance que tout s'arrangerait. Le gynécologue était d'accord avec lui, à l'évidence Pascale avait tort d'en faire une obsession. D'ailleurs, elle terminait ses études, rédigeait sa thèse tout en préparant d'arrache-pied le concours de l'internat, une période peu propice pour concevoir sereinement. Mais Pascale ne les avait écoutés ni l'un ni l'autre, elle avait commencé une série d'examens, s'imaginant déjà stérile, et elle avait voulu que Samuel s'y soumette de son côté. Il s'y était refusé tout net. De là venait le malentendu qui, s'envenimant peu à peu, les avait conduits au divorce.

Beaucoup plus tard, Pascale avait regretté sa propre intransigeance, mais sur le coup elle s'était sincèrement vue comme une victime. Dans le bureau du juge, lors de l'ultime conciliation, Samuel avait pourtant bien failli la faire craquer avec son air malheureux et son regard suppliant, mais à ce moment-là elle lui en voulait encore, elle s'était détournée pour ne plus le voir. Quelques jours plus tard, il quittait Paris pour Toulouse, où il avait obtenu un poste d'anesthésiste à l'hôpital Purpan. Sans doute désirait-il mettre un maximum de distance entre lui et Pascale, cependant il avait conservé l'habitude de lui téléphoner souvent. Il se prétendait son ami, son meilleur ami, sans lui poser aucune question sur sa vie privée, se cantonnant à des sujets moins personnels, et dans sa voix perçait toujours cette infinie tendresse. Lorsqu'elle lui avait annoncé la mort de sa mère, il s'était aussitôt libéré de toutes ses obligations, prêt à s'occuper d'elle et à la consoler comme lui seul savait le faire.

Samuel… Qui était donc cette Marianne qui le poursuivait au téléphone ? Une copine, une maîtresse, sa future femme ? Il finirait par refaire sa vie un jour ou l'autre, c'était déjà incroyable que, depuis trois ans, aucune femme ne lui ait passé la corde au cou. Haussant les épaules, Pascale termina sa dernière brioche et constata qu'elle avait vidé toute la corbeille de viennoiseries. Repue, elle prit une douche avant d'enfiler un jean et un pull noirs. Son train ne partant qu'en fin d'après-midi, elle disposait de la journée pour se balader dans les rues d'Albi à la poursuite de ses souvenirs d'enfance. Revoir la cour de son école, la porte cochère du cabinet dentaire où elle se rendait tous les mercredis, se promener devant la cathédrale Sainte-Cécile et jeter un coup d'œil au marché sur la place, acheter à la pâtisserie Galy des gimblettes au cédrat, des briques albigeoises au pralin ou encore des jeannots, délicieux biscuits à l'anis.

Elle quitta l'hôtel vers onze heures, laissant son sac de voyage à la réception, puis elle entreprit ce qui ressemblait davantage à un pèlerinage qu'à une flânerie. À chaque pas dans la vieille ville, elle se rappelait une anecdote, un détail, un moment particulier, étonnée d'avoir si bonne mémoire et d'éprouver un tel plaisir. Jamais, à Saint-Germain-en-Laye puis à Paris, elle ne s'était sentie chez elle. Étudiant et travaillant sans états d'âme, elle avait occulté les images du passé, s'était crue détachée de ses racines. Mais là, sur les berges du Tarn, elle éprouvait peu à peu un étrange bien-être, proche de l'apaisement, qui lui donnait l'impression d'avoir retrouvé quelque chose d'important.

Lorsqu'elle fut fatiguée de marcher et de songer à sa

mère, elle s'installa au Robinson, une ancienne guinguette des années 1920 transformée en restaurant. Il lui restait du temps et, à condition de trouver un taxi, elle pourrait achever son périple en allant jeter un coup d'œil à Peyrolles. La veille, quand Sam le lui avait proposé, elle n'en avait pas eu le courage, mais à présent elle était prête.

Peyrolles… Reconnaîtrait-elle le décor de son enfance ? Peut-être l'avait-elle magnifié dans ses souvenirs de petite fille, peut-être allait-elle au-devant d'une déception, néanmoins elle ne partirait pas sans l'avoir vu. Elle termina sa salade de radis au foie de porc salé, spécialité introuvable ailleurs que dans la région albigeoise, puis demanda au patron du restaurant de lui commander un taxi. En s'installant sur la banquette arrière, elle précisa au chauffeur qu'elle le garderait tout l'après-midi avant de lui expliquer son projet de gagner Peyrolles. Alors qu'ils sortaient de la ville, le nez collé à la fenêtre elle songea à la phrase de Chateaubriand à propos d'Albi : « Ce matin, je me suis cru en Italie… » Et, effectivement, la couleur ocre rouge des maisons, les cyprès ou les pins parasols dans les jardins, la luminosité particulière évoquaient bien l'indolence et la douceur de la Toscane. Samuel l'y avait emmenée en voyage de noces, et elle avait adoré Sienne, Florence et Pise parce qu'elle s'était sentie dans une atmosphère familière.

— Après Castelnau, je continue sur la D1, ça vous convient ? s'enquit le chauffeur.

— Oui, très bien. On trouvera la 18 sur la gauche, un peu plus loin…

Cette route, elle l'avait si souvent parcourue qu'elle aurait pu la suivre les yeux fermés. Retour de l'école chaque jour à cinq heures, et elle se revoyait babillant gaiement, accrochée au dossier du siège de sa mère. Celle-ci n'aimait pas conduire, elle roulait très doucement, n'écoutait sa fille que d'une oreille distraite et restait concentrée sur ses virages. Mais de toute façon elle n'était pas bavarde. Ses phrases, comme ses rires, étaient toujours mesurées, brèves, retenues.

De nouveau, Pascale appuya son front à la vitre. Le Tarn n'était pas loin, dans une de ses parties les plus sauvages, avec des rives escarpées et des déferlements d'eau se brisant sur des lames de schiste.

— Arrêtez-vous là ! s'écria-t-elle soudain.

Le mur d'enceinte de Peyrolles venait d'apparaître au bord de la route, un amoncellement de pierres plates qu'elle aurait reconnu entre mille. Le cœur battant, elle prit une profonde inspiration avant de demander au chauffeur d'avancer jusqu'à la grille, cent mètres plus loin.

— Si vous voulez m'attendre ici, je n'en ai pas pour longtemps.

Elle le laissa se garer à l'ombre des châtaigniers qui bordaient la propriété et descendit. La première chose qu'elle vit fut le panneau « À louer » accroché aux barreaux. Le précédent locataire était parti deux mois plus tôt, elle se rappelait vaguement avoir entendu son père le mentionner. Depuis vingt ans, ceux qui s'étaient succédé là étaient généralement des gens ayant une bonne situation et une famille nombreuse, des cadres supérieurs pour la plupart, mais qui s'en allaient au gré de leurs mutations.

Déçue de ne pouvoir entrer, elle réalisa trop tard qu'elle aurait dû passer à l'agence pour demander les clefs. De la route, la maison était invisible et la haute grille, impossible à franchir. Sans même y réfléchir, Pascale se mit à longer le mur, s'éloignant du taxi. Au bout, elle tourna à angle droit dans un chemin de terre où la végétation proliférait de manière anarchique. Après s'être griffée aux ronciers, elle trouva la petite porte qu'elle cherchait et qu'elle avait si souvent escaladée, par jeu, quand elle avait dix ans. S'aidant du lierre qui recouvrait le fer forgé rouillé, elle se hissa tant bien que mal et passa par-dessus, puis se laissa tomber de l'autre côté. À sa grande surprise, le parc ne lui parut pas trop mal entretenu. L'herbe de la pelouse était haute, toutefois les arbres avaient été récemment élagués, ainsi qu'en attestaient des tas de bois bien rangés, et certains massifs regorgeaient de fleurs malgré les liserons.

Remontant l'allée de gravier, elle se souvint du jardinier qui, à l'époque, aidait sa mère. Il s'appelait Lucien Lestrade et il lui avait appris comment égrener les groseilles, dénicher les fraises sauvages ou encore calmer les piqûres d'orties. Il lui paraissait vieux, comme tous les adultes, pourtant il devait avoir trente ans à peine. Travaillait-il toujours ici ?

Au bout de l'allée, elle ralentit, ferma les yeux une seconde, juste le temps de franchir les deux derniers mètres afin de dépasser le tilleul bicentenaire qui masquait la vue. Puis, avec un frisson d'excitation, elle rouvrit les yeux : devant elle, à une trentaine de mètres, la maison blanche lui apparut enfin.

Pascale s'attendait à la trouver moins imposante que dans son souvenir, mais non, elle était identique, exactement semblable à l'image précise qu'en avait conservée sa mémoire. Large, solide, élégante, presque orgueilleuse avec ses colonnes accouplées autour des fenêtres, son perron surélevé et sa terrasse fermée par une balustrade en poire. De style néoclassique, elle était couronnée d'un toit de tuiles roses presque plat.

— Peyrolles…, soupira Pascale.

Elle eut envie de courir jusqu'à la façade, mais elle n'avait pas la clef et personne ne lui ouvrirait. Contrairement à ce qu'elle avait pu craindre, elle éprouvait un plaisir proche de l'extase à contempler cette maison. Sa maison. Un endroit où elle avait été si insouciante et si heureuse qu'il était pour toujours associé à l'idée du bonheur.

Un coup de Klaxon lointain la ramena brutalement à la réalité : son chauffeur devait se demander où elle était passée. Elle jeta un dernier regard circulaire, notant çà et là quelques signes d'abandon. Les carreaux de la serre où on rangeait les outils de jardin étaient presque tous cassés, de la mousse verdissait les rambardes de pierre, et les volets avaient besoin d'un coup de peinture. Néanmoins, dans l'ensemble, la propriété présentait bien et trouverait sûrement un locataire d'ici peu. Cette perspective avait quelque chose de si désagréable que Pascale ébaucha une grimace. Celui ou ceux qui viendraient s'installer ici avaient une chance folle, elle les enviait d'avance.

À pas lents, elle repartit par la même allée, soudain oppressée par un sentiment de regret. Rentrer à Saint-Germain-en-Laye, reprendre son travail à l'hôpital Necker, affronter le RER et la grisaille, oublier Peyrolles… Elle se hissa maladroitement au-dessus de la petite porte rouillée et retourna au taxi. Le chauffeur avait mis sa radio, mais il la coupa en la voyant arriver.

— Où aviez-vous disparu comme ça, ma petite dame ?

— Je faisais le tour de cette propriété.

— Le numéro de l'agence immobilière est sur la grille, fit-il remarquer d'un ton soupçonneux.

— Je ne veux pas la louer, expliqua Pascale, j'avais juste envie de la revoir, j'ai vécu là quand j'étais enfant.

— Ah, comme ça, d'accord, je comprends mieux ! J'aurais pu vous faire la courte échelle, vous savez…

Amusée, Pascale croisa son regard dans le rétroviseur et lui sourit.

— L'endroit appartient à un certain Fontanel, mais il y a des lustres qu'il loue, précisa le chauffeur avec un air de conspirateur. Une vieille famille du coin, des toubibs de père en fils, je crois bien. Pas très aimés par ici.

Ces derniers mots firent à Pascale l'effet d'une gifle. Pas aimés ? Pourquoi donc ? Son grand-père – qu'elle n'avait pas connu – tout comme son arrière-grand-père étaient effectivement médecins à Albi. Une petite rue portait même leur nom, et la jeune femme avait toujours été persuadée que les gens les appréciaient beaucoup.

— Vraiment ? fit-elle avec une désinvolture très étudiée.

— Je suis de Marssac, répliqua le chauffeur, je connais tout le monde ! Des histoires, on en entend des vertes et des pas mûres, faut trier… Mais comme on dit, il n'y a pas de fumée sans feu, n'est-ce pas ? Et les Fontanel n'ont pas laissé un bon souvenir, ça, c'est sûr.

Médusée, Pascale détourna la tête tandis que le taxi démarrait. Ce type devait confondre avec un autre nom, une autre famille. À l'époque où ils habitaient encore Peyrolles, son père travaillait avec succès dans une clinique d'Albi dont il possédait des parts, et Adrien était un excellent élève au lycée. Ses parents recevaient assez peu, toutefois ils organisaient quelques grands dîners, ainsi qu'une traditionnelle garden-party début juin, qui réunissait tous les notables de la région. Pourquoi n'auraient-ils pas été aimés ?

Le retour à Albi s'effectua dans le silence, le chauffeur respectant ce qu'il prenait sans doute pour de la nostalgie. Pascale lui demanda de s'arrêter cinq minutes au cimetière, où elle alla dire une ultime prière sur la tombe de sa mère, puis elle récupéra son sac de voyage à l'hôtel et se fit conduire à la gare. Elle avait une bonne demi-heure d'avance, qu'elle passa à faire les cent pas le long du quai, perdue dans ses pensées. Sa visite à Peyrolles lui laissait une impression étrange et pleine de regrets. Elle aurait aimé voir l'intérieur de la maison, sa chambre d'enfant, le jardin d'hiver où elle regardait la télévision avec Adrien. De huit ans son aîné, il faisait semblant d'oublier sa présence quand l'heure du coucher arrivait pour elle, et elle se faisait toute petite dans son fauteuil de rotin, jusqu'à la fin du film. Ensuite, Adrien la portait dans son lit, lui lisait une histoire, attendait qu'elle s'endorme.

Cinq minutes avant l'arrivée du train, elle sortit son portable de son sac et appela son père. Comme prévu, il proposa d'aller la chercher à la gare mais elle lui assura qu'elle se débrouillerait, soucieuse de lui épargner les encombrements du samedi soir à Paris.

— Je suis allée faire un tour à Peyrolles, ajouta-t-elle.

— Ah, bon ? Drôle d'idée ! Dans quel état est la maison ?

— Je n'ai pas pu entrer, je n'ai vu que l'extérieur. Le parc est correctement entretenu.

— Encore heureux ! Tu sais, je paye toujours Lestrade, le jardinier, parce que, avec les locataires, ce serait vite devenu la forêt vierge…

Dans les haut-parleurs du quai, une voix désincarnée annonça l'entrée du train en gare et empêcha Pascale d'entendre la suite de la phrase.

— Tu disais quoi, papa ?

— Je disais que je vais mettre Peyrolles en vente, répéta-t-il. Allez, ma puce, bon voyage et à tout à l'heure.

Contrariée, elle coupa la communication tandis que les wagons défilaient devant elle. Une fois installée à sa place, voiture 13, elle faillit rappeler son père mais y renonça. Elle aurait tout le temps, ce soir ou demain, de lui demander pour quelle raison il avait pris cette décision. Vendre Peyrolles était une très mauvaise idée, elle en était certaine, même si elle ne savait pas pourquoi. Bien sûr, la propriété ne devait rien rapporter, les loyers étant sans doute engloutis dans les frais d'entretien et les impôts, pourtant il n'avait jamais été question de s'en séparer. Comme toutes les maisons de famille, elle représentait une somme de précieux souvenirs, et Pascale avait toujours cru que ses parents finiraient par y retourner au moment de leur retraite. Peut-être son père ne s'y voyait-il pas tout seul ? Il avait désormais ses habitudes et ses amis à Saint-Germain ou à Paris, d'ailleurs il adorait son appartement et n'avait pas une seule fois regretté d'avoir quitté la région d'Albi.

Comme le wagon était presque vide, elle s'installa confortablement, prête à somnoler jusqu'à la gare d'Austerlitz. Sans la présence de Samuel à ses côtés, ces quelques jours auraient été encore plus sinistres. À présent, elle et son frère allaient devoir soutenir leur père, l'entourer d'affection. Au cimetière, lors de la descente du cercueil, il avait été sur le point de craquer, les yeux pleins de larmes, l'air tellement perdu que Pascale avait pleuré sur lui presque autant que sur sa mère.

Mais elle ne voulait plus penser à ces images d'enterrement, ni au bras de Sam autour de ses épaules. En sortant de l'église, écrasée de chagrin, elle s'était appuyée contre lui, et soudain une question lui avait traversé la tête : pourquoi l'avait-elle quitté ? Aucun des hommes qu'elle avait connus depuis son divorce n'arrivait à la cheville de Sam, et aucun ne l'avait retenue au-delà de quelques semaines.

Elle s'enfonça davantage dans son siège, essayant désespérément de s'endormir. Songer à Sam ne la mènerait nulle part, elle était fragilisée par le deuil de sa mère, voilà tout. Et souffler sur les braises d'un amour passé ne servait à rien, elle le savait très bien. Sam avait sa vie, elle la sienne, leurs chemins s'étaient définitivement séparés.

La vision de Peyrolles s'imposa de nouveau à elle. La pierre blanche, les volets clos, l'herbe trop haute… Une fois la maison vendue, il serait impossible d'y retourner, ne resteraient que quelques photos dans les albums de famille.

Incapable de trouver le sommeil, Pascale finit par se redresser et appuya son front contre la vitre. Le ciel s'était couvert, le jour baissait, la remontée vers Paris s'annonçait morne. Pour éviter le changement à Toulouse, elle avait choisi un train corail, qui mettait un temps fou et arriverait très tard à la gare d'Austerlitz. D'ici là, elle pouvait essayer de trouver des arguments pour convaincre son père de conserver la propriété. Continuer à la louer ou, beaucoup plus intéressant, en faire une maison de vacances. Le jour où elle aurait enfin des enfants, ce serait l'endroit idéal où les emmener pour l'été…

De manière paradoxale, son besoin d'enfants lui semblait moins impérieux que quelques années plus tôt. Sans doute parce qu'elle était seule. À l'époque de son mariage avec Samuel, elle voyait en lui le père idéal et, à ce moment-là, elle croyait pouvoir conjuguer ses études avec la maternité. Qu'en serait-il, aujourd'hui, avec un métier aussi prenant que le sien ? Elle avait perdu ses illusions de jeune fille, tout comme elle avait perdu Sam, et à présent sa mère. N'était-il pas temps pour elle de prendre son existence à bras-le-corps et de lui donner un sens ? Trop préservée, trop intransigeante, elle s'était contentée de foncer sans jamais se demander si ce qu'elle faisait était réellement ce qu'elle *désirait* faire. En choisissant la médecine, elle avait voulu se prouver qu'elle était digne de son père et de son frère, peu disposée à devenir une femme au foyer, mais elle aurait pu opter pour mille autres carrières auxquelles elle n'avait même pas songé.

Bercée par le bruit des roues sur les rails, elle réussit à s'endormir et sombra dans un sommeil agité, entrecoupé de réveils en sursaut. Plus elle s'éloignait d'Albi, plus l'image de Peyrolles revenait la hanter, la poursuivant jusque dans ses rêves. Elle se revoyait petite fille, vêtue d'une de ces robes de soie aux motifs chinois que sa mère lui achetait et qu'elle déchirait en grimpant aux arbres. Chaque fois qu'elle invitait d'autres enfants de sa classe pour un goûter ou un pique-nique, leur réaction était toujours la même, Peyrolles les fascinait. Elle était fière d'habiter là, fière de ses parents et surtout d'Adrien, ce formidable grand frère que lui enviaient toutes ses amies.

À la fin du voyage, qui lui parut interminable, elle n'avait plus qu'une hâte : se retrouver dans son lit. Malgré l'heure tardive, elle persuada un chauffeur de taxi de la conduire à Saint-Germain, où elle arriva à une heure du matin, épuisée.

L'appartement était silencieux, mais son père avait laissé de la lumière dans l'entrée. Depuis que Pascale était revenue habiter chez ses parents, il veillait à ce genre de détails : une lampe allumée, un petit mot affectueux posé sur le comptoir de la cuisine, ou encore un article découpé à son intention dans l'une des nombreuses publications scientifiques auxquelles il était abonné.

Elle alla chercher une bouteille d'eau et trouva la cuisine impeccablement rangée, à croire que Henry n'avait pas pris un seul repas ici. Sans doute fuyait-il la solitude et s'était-il réfugié au restaurant, avec Adrien ou des amis. Alors qu'elle allait sortir, sa bouteille sous le bras, son regard tomba sur le bloc-notes près du téléphone. Elle prit le stylo, hésita une seconde puis écrivit quelques mots avant d'arracher la page. Ensuite, elle parcourut le couloir sur la pointe des pieds, s'arrêta devant la chambre de son père dont elle ouvrit la porte sans bruit. Approchant du lit à pas de loup, elle constata qu'il dormait profondément. Elle tendit la main, lui effleura la tempe. Du plus loin qu'elle se souvienne, il avait été pour elle un père attentif, affectueux, et elle espéra de toutes ses forces qu'il parviendrait à surmonter son chagrin. À côté de la lampe de chevet, elle vit une plaquette de somnifères à laquelle il manquait deux cachets. Raisonnable, il avait préféré leur aide plutôt qu'une nuit blanche, ce qui prouvait qu'il n'était pas décidé à se laisser aller.

Délicatement, elle déposa la feuille du bloc-notes contre le réveil, de manière qu'il la voie en se réveillant. De son écriture nerveuse, elle n'avait inscrit que deux petites phrases : *Je suis là, papa. S'il te plaît, ne vends pas Peyrolles, je crois que j'aimerais m'y installer.*

2

— C'est l'idée la plus idiote de l'année ! renchérit Adrien en adressant un sourire narquois à sa sœur.

Appelé en renfort par leur père, il était venu partager le dîner du dimanche soir à l'appartement.

— Si tu travailles à Toulouse, poursuivit Henry, tu auras soixante-dix kilomètres à faire chaque matin et chaque soir ! Le meilleur moyen de finir par se tuer en voiture, non ?

— Papa, protesta Pascale, il y a un hôpital à Albi, je n'ai aucune intention de postuler à Purpan ou à Rangueil !

— Ah bon ? Ce n'est même pas pour te rapprocher de Samuel que tu envisageais de…

— Que *j'envisage*, corrigea-t-elle. Quant à Sam, je te rappelle que nous avons divorcé. Nous sommes de bons amis, rien d'autre.

— Et qui te dit qu'ils ont besoin d'un pneumologue à Albi ? lança Adrien.

Il traversa la cuisine et vint jeter un coup d'œil par-dessus l'épaule de Pascale, qui préparait des spaghettis carbonara.

— Même si tu trouves un poste là-bas, tu mourras d'ennui dans un petit hôpital de province, probablement sans moyens et sans plateau technique. Ensuite, tu mourras de peur le soir en rentrant à Peyrolles. Tu t'imagines seule dans cette baraque ? C'est une caserne !

— J'aime cette maison, j'ai envie d'y vivre, répéta-t-elle, agacée d'être mise sur la sellette depuis le début de la journée.

Sitôt levé, son père avait déboulé dans la cuisine en robe de chambre, agitant d'un air horrifié le petit mot laissé par Pascale.

— De toute façon, ajouta Adrien, tu choisirais mal ton moment pour partir…

Une manière de lui rappeler qu'ils étaient censés, elle comme lui, veiller sur leur père et l'entourer.

— Je n'ai pas dit que j'allais le faire cette semaine ! Ce genre de bouleversement nécessitera un certain temps, je ne suis pas pressée.

Elle lui prit des mains le sachet de parmesan pour l'ajouter aux jaunes d'œufs, aux lardons grillés et à la crème fraîche. Derrière eux, leur père se racla la gorge.

— Bien entendu, ma chérie, je ne te demande pas de rester ici. Tu n'es pas ma dame de compagnie, je comprends très bien que tu veuilles te faire une vie à toi, mais pourquoi à l'autre bout de la France ?

— Parce que j'en viens. Je veux dire, je suis née là-bas et…

Elle lâcha la cuillère de bois et se retourna vers eux, les englobant tous deux dans le même regard aigu.

— J'ai eu un véritable éblouissement devant Peyrolles. Je croyais avoir oublié la maison, le parc, et au contraire tout ça m'était tellement familier, jusqu'au moindre détail ! Habiter là, ce serait comme rentrer chez moi. J'y ai pensé pendant tout le voyage, hier…

À voir leurs visages fermés, ils n'étaient pas décidés à approuver son choix, mais elle s'entêta.

— Je ne me plais pas à Paris. Je veux voir autre chose, rencontrer d'autres gens, avoir de l'espace et du soleil. Déjà, avec Sam, je détestais notre appartement de la rue de Vaugirard. On projetait toujours de s'acheter une maison quelque part, de partir. Et je vous en avais parlé, à l'époque, vous savez très bien que ce n'est pas une idée neuve ni un coup de tête.

Son frère haussa les épaules sans répondre, occupé à chercher d'autres arguments, tandis que son père continuait à la considérer d'un air sombre.

— Je sais, chérie... Mais je connais Peyrolles mieux que toi, l'entretien est très lourd, même avec une belle situation. Et personne ne te fera un pont d'or à Albi, en admettant qu'on t'offre un poste. Une jeune femme seule, dans cette grande baraque...

— Je ne serai pas toujours seule, papa.

— Bien sûr. Seulement, en attendant, il te faudra assumer tous les frais, et je ne vois pas comment. Si nous vendons la propriété, je peux répartir le produit de la vente entre ton frère et toi, ensuite vous en ferez ce que bon vous semble. Ce serait plus équitable, non ?

Elle réalisa immédiatement toutes les implications de ces paroles. Pourquoi s'était-elle imaginé qu'il la laisserait habiter Peyrolles sans contrepartie ? Parce qu'il ne parlait jamais d'argent ? Elle ignorait tout de sa situation matérielle, le supposant très à l'aise à en croire la rentabilité de sa clinique, mais peut-être avait-il des problèmes qu'il préférait ne pas évoquer devant ses enfants. À moins que, tout simplement, il ne veuille mettre de l'ordre dans ses affaires.

— Je ne pensais pas me l'approprier, murmura-t-elle. C'est juste que… Après tout, puisque tu loues, je pourrais être ta locataire, non ?

— Je ne loue plus, je vends ! trancha Henry. Je ne l'ai pas fait jusqu'ici parce que ta mère n'aurait pas compris. Elle avait beaucoup aimé cette maison, elle préférait que nous la gardions.

— Moi aussi ! s'insurgea Pascale. Mais tu as raison, vis-à-vis d'Adrien ce serait très égoïste. Mieux vaut que je me porte acquéreur, comme ça les choses seront claires.

— Tu es folle, ma parole ! explosa Henry.

Sa réaction, excessive, étonna Pascale. Pourquoi était-il si contrarié à l'idée de la voir s'installer à Peyrolles ? En général, il cherchait à la comprendre, à l'aider, et c'était un homme très posé, qui adorait argumenter calmement.

— J'ai trente-deux ans, poursuivit-elle sans se laisser démonter, un bon métier, j'obtiendrai un crédit sans problème. Tu m'as toujours dit qu'un investissement immobilier est la meilleure façon d'épargner, je suis décidée à me lancer.

Elle le prenait à son propre piège, il ne pouvait tout de même pas prétendre qu'il allait vendre à n'importe qui sauf à elle. Dans le silence qui suivit, l'eau se mit à déborder du faitout et Adrien se précipita pour le retirer du feu. Il égoutta les spaghettis, ajouta la sauce puis déposa le plat sur la table. Pascale en profita pour s'approcher de son père, qu'elle prit affectueusement par l'épaule.

— On est en train de se disputer, là ?

— Non, ma chérie… Mais nous ne sommes pas d'accord, c'est certain.

Il avait soudain l'air fatigué, presque vieux.

— Je comprends tes désirs, tes rêves, hélas ! Peyrolles n'est pas un endroit qui porte bonheur, ajouta-t-il à contrecœur.

Jamais il ne faisait allusion à l'accident qui avait coûté la vie à la mère d'Adrien alors que celui-ci n'avait pas deux ans. Le feu avait pris dans la dépendance où la jeune femme s'était installé un atelier d'aquarelle, et elle avait brûlé vive dans l'incendie. Ce drame épouvantable avait laissé Henry veuf, seul pour élever son petit garçon qui commençait à peine à marcher. Heureusement, il avait rencontré Camille quelques mois plus tard. Rencontrer n'était pas le mot juste puisqu'ils se connaissaient de longue date, mais ils s'étaient perdus de vue pendant toute la période où Camille avait quitté la région pour faire ses études à Paris. Douce, sensible, Camille avait consolé Henry et, déjà très maternelle, avait pris Adrien sous son aile, l'aimant comme son propre fils, au point qu'il avait vite oublié sa mère, dont il ne conservait quasiment aucun souvenir.

Que son père rappelle délibérément cet épisode tragique était le signe d'un profond désarroi. Après l'incendie, il avait fait raser les ruines de la dépendance, planter des lilas et des hibiscus à cet emplacement, mais il était resté à Peyrolles, n'éprouvant pas le besoin de quitter l'endroit. Avec Camille, il avait fondé une nouvelle famille, concrétisée par la naissance de Pascale. À l'époque, il n'estimait donc pas que Peyrolles pouvait lui porter malheur. D'ailleurs, ils avaient tous été très heureux là-bas durant bien des années.

— Si je me souviens bien, reprit Adrien, tu voulais faire une carrière hospitalière, non ? Ce n'est pas en t'enterrant à Albi que tu y arriveras !

Lui aussi revenait à la charge, apparemment décidé à poursuivre la discussion jusqu'à ce que Pascale cède.

— Carrière est un bien grand mot, répondit-elle d'un ton mesuré. J'aime ce que je fais, Ad, je ne cours pas après les promotions, soigner des malades me suffit.

À l'hôpital, elle avait découvert des choses que ses études ne lui avaient pas apprises. Soulager la souffrance, redonner de l'espoir, accompagner jusqu'au bout quand c'était nécessaire, et parfois, plus rarement, guérir. Au-delà du diagnostic ou du traitement, elle avait un véritable contact avec ses patients et était capable de se battre à leurs côtés. Certains de ses confrères la jugeaient trop sensible, trop concernée, ce qui la mettait hors d'elle mais ne modifiait en rien son comportement.

— Mange, ça refroidit, murmura son père.

Elle baissa les yeux sur la colline de spaghettis qu'Adrien venait de lui servir. L'appétit coupé, elle songea aux minuscules nouilles sautées que sa mère préparait le dimanche, avec des boulettes de viande à la vapeur, enrobées de feuilles de menthe. Où avait-elle appris l'art de la cuisine vietnamienne ? Arrivée en France à l'âge de trois mois, elle n'était jamais retournée dans son pays d'origine.

— De toute façon, rien ne presse, on en reparlera, dit-elle en se forçant à sourire.

Henry ne répondit pas, mais Adrien leva les yeux au ciel d'un air excédé. Pourquoi son frère semblait-il si farouchement opposé à son projet ? En quoi le fait qu'elle veuille vivre à Peyrolles pouvait-il le contrarier puisqu'il ne serait pas lésé sur le plan financier ?

Sans conviction, elle enroula quelques spaghettis sur sa fourchette. Elle allait devoir s'accrocher à son idée pour l'imposer, mais plus elle y pensait, plus elle se sentait sûre de son choix. Sauf qu'elle ne savait ni à quel moment ni pourquoi elle avait pris cette décision insensée.

Marianne lui tournait le dos, appliquée à terminer le repassage d'une chemise blanche, qu'elle enfila sur un cintre.

— Mon Dieu, c'est un bain de vapeur, ici ! Pourquoi fais-tu ça ? s'exclama Samuel, la faisant sursauter.

Jamais il ne lui avait demandé de s'occuper de son linge. Il supportait d'ailleurs mal cet excès d'attentions dont elle l'entourait. Il alla ouvrir la fenêtre en grand et se pencha pour jeter un coup d'œil au jardin. Une petite pelouse carrée bien entretenue – il faisait ça avec une tondeuse électrique – et des rosiers grimpants le long de la barrière blanche offraient une impression propre, nette, presque désespérante. Mais Samuel n'avait pas le temps de s'occuper des fleurs, il travaillait énormément à l'hôpital et consacrait l'essentiel de ses loisirs aux hélicoptères.

Il entendit Marianne bouger derrière lui. Une seconde plus tard, elle lui passait les bras autour du cou, l'embrassait dans la nuque.

— Samuel, chuchota-t-elle d'une voix tendre.

Comme chaque dimanche, il avait volé toute la matinée avec ses élèves. Le meilleur moyen pour lui de se livrer à sa passion avait été de passer sa qualification d'instructeur sur hélico, puis de trouver un poste dans un club. Rapidement, il s'était découvert des dons pédagogiques et un réel plaisir à former de futurs pilotes.

— Tu ne veux pas faire une petite sieste ? ajouta Marianne, encore plus bas.

Elle se plaqua davantage contre lui et il eut envie d'elle. Seulement, s'il cédait à son désir, il n'aurait pas le cœur de la renvoyer chez elle après, or il mourait d'envie de rejoindre le bar de l'aéroclub pour une soirée entre copains. Marianne était une fille adorable, et de surcroît très jolie avec ses grands yeux bleu porcelaine, ses boucles blondes, son corps tout en rondeurs, mais il n'était pas amoureux d'elle et bien décidé à ne pas le devenir. Il ne voulait plus s'attacher à aucune femme, il en avait trop bavé lors de sa séparation d'avec Pascale, jamais il ne pourrait supporter de revivre ce genre d'épreuve. Heureusement, Marianne ne représentait qu'un risque très limité.

— J'ai une montagne de courrier en retard, plaida-t-il, des coups de fil à passer et…

Il s'interrompit lorsqu'elle glissa ses mains sous son tee-shirt. En général, elle ne prenait pas l'initiative de leurs étreintes, trop réservée pour les provoquer, et il trouva son geste attendrissant. Avait-elle donc tellement envie de faire l'amour ? Ou plutôt envie de rester là jusqu'à demain, de lui préparer un dîner aux chandelles et de s'endormir blottie sur son épaule ? Désespérément romantique, elle s'imaginait vivre un grand amour, refusant d'admettre qu'elle s'était trompée en jetant son dévolu sur lui. Il se retourna, l'obligea à reculer un peu.

— Je ne suis pas libre ce soir, je dîne avec des amis, annonça-t-il le plus gentiment possible.

Devant son air déçu, il se sentit à la fois coupable et soulagé. Parfois, lorsqu'elle s'incrustait chez lui le dimanche, il n'osait rien dire et terminait la journée exaspéré, surtout si elle se mettait à ranger ou à cuisiner. Depuis son divorce, il essayait de préserver son indépendance, mais Marianne semblait croire qu'elle pourrait changer les choses.

— À quelle heure dois-tu partir ? demanda-t-elle d'un ton triste.

— Vers six heures.

— Alors, tu n'es pas pressé ?

Mal à l'aise, il la prit dans ses bras, la souleva du sol.

Ignorer son insistance aurait été blessant pour elle, et de toute façon il la désirait. Il la porta jusqu'à sa chambre, la déposa sur le lit et s'allongea près d'elle. Avec des gestes lents, il lui enleva son chemisier, son soutien-gorge, l'embrassa entre les seins.

— Tu es très belle, Marianne…

Sa peau était douce mais trop pâle, une vraie peau fragile de blonde. Il laissa courir ses doigts sur les hanches rondes, le petit ventre bombé. Rien en elle ne pouvait évoquer Pascale, c'était sûrement pour ça qu'il restait avec elle.

— Tu perds ton temps avec moi, tu mérites autre chose, soupira-t-il.

Il ne lui avait fait aucune déclaration, aucune promesse, dès le début il avait joué cartes sur table avec elle, pourtant elle s'entêtait.

— Ne dis pas de bêtises, souffla-t-elle, c'est toi que je veux.

Elle n'écoutait jamais ce qu'elle n'avait pas envie d'entendre, peut-être était-ce sa force.

— Caresse-moi…

Il ne demandait pas mieux, d'ailleurs le moment était mal choisi pour une mise en garde supplémentaire. Le premier soir, il avait expliqué qu'il sortait d'un divorce douloureux, dont il n'était pas remis, et serait tout à fait incapable de s'investir dans une relation durable. Elle lui avait posé quelques questions sur son ex-femme, auxquelles il avait répondu à contrecœur, jusqu'à ce qu'elle déclare avec une incroyable naïveté : « Oh, je la déteste, je te la ferai oublier ! »

Oublier Pascale ? Il n'y tenait pas. Leurs années de mariage avaient été les plus fantastiques de sa vie, et rien que le souvenir de leur rencontre le faisait encore frémir. Un vrai coup de foudre, une lame de fond, une sensation inouïe qu'il n'avait jamais éprouvée avant, ni depuis. Elle portait un pyjama couleur pêche et semblait effrayée à l'idée de se retrouver au bloc opératoire. Ses grands yeux noirs s'étaient rivés à ceux de Samuel comme si elle attendait de lui toutes les explications que le chirurgien ne lui avait pas données. Assis au bord du lit, intimidé par la violence de ce qu'il ressentait en la regardant, Samuel s'était efforcé de la rassurer, lui avait promis qu'il lui tiendrait la main en l'endormant et qu'il serait là à son réveil. Quelques mois plus tard, il l'épousait, éperdu de bonheur. La fascination qu'elle exerçait sur lui ne s'était jamais émoussée, chaque matin il avait remercié le ciel, jusqu'à leurs premières disputes à propos de cet enfant qu'elle voulait par-dessus tout mais n'arrivait pas à concevoir. La querelle était devenue quotidienne, s'était envenimée, pourtant il n'avait pas mesuré le danger, pas imaginé que cette histoire de bébé les conduirait à se dire des horreurs et, finalement, à se séparer. Le soir où elle était partie pour de bon – il la connaissait assez pour comprendre qu'elle ne reviendrait plus –, il avait eu envie de se tirer une balle dans la tête.

— Samuel, lâcha Marianne dans un souffle.

Pris en flagrant délit d'inattention, il faillit s'excuser mais s'aperçut à temps que la jeune femme ne s'était rendu compte de rien et gémissait de plaisir sous ses mains.

Pendant deux semaines, Pascale s'était efforcée de ne pas penser à Peyrolles, néanmoins elle en rêvait chaque nuit. Pourquoi cet endroit l'obsédait-elle tant ? Enfant, elle l'avait beaucoup regretté, cependant chaque été elle visitait un pays différent avec ses parents et ces voyages lui avaient fait oublier Peyrolles peu à peu. Ensuite, il y avait eu les séjours linguistiques en Angleterre ou en Espagne, puis les virées avec les copains de fac, et le souvenir de la maison familiale s'était tout à fait estompé. Il lui arrivait parfois d'en parler comme d'un paradis perdu – en particulier à Samuel –, mais sans idée de retour.

Et voilà que face à Peyrolles, quinze jours plus tôt, elle avait éprouvé un véritable choc dont la conséquence, sans qu'elle sache comment ni pourquoi, était le besoin impérieux de revenir vivre là. La maison l'appelait, l'attirait, elle aurait presque pu se croire l'héroïne d'un de ces films fantastiques où les murs semblent avoir quelque chose à transmettre. Mais elle était beaucoup trop pragmatique pour ce genre de superstition et interprétait plus sobrement son coup de cœur. En réalité, le décès de sa mère était venu mettre le point final à une période difficile pour elle. Le bébé qu'elle n'avait pas pu avoir, la rupture d'avec Sam, le retour chez papa-maman où elle s'était sentie ramenée en enfance : tout avait concouru à la déstabiliser depuis trois ans. Si elle voulait s'en sortir, elle devait prendre des décisions personnelles et s'y tenir. Peyrolles en était une, tant pis si elle n'obtenait pas l'adhésion des siens.

Elle envoya un dossier de candidature à l'hôpital d'Albi, ainsi qu'aux principaux établissements de Toulouse, à tout hasard. Trouver un poste était la condition nécessaire aux démarches suivantes mais, pour gagner du temps, elle demanda une estimation de la propriété à l'agence immobilière qui s'était occupée de la louer.

Chaque soir, en rentrant à l'appartement de son père, elle ouvrait son courrier avec une impatience fébrile ; et chaque jour, dès qu'elle avait une pause à l'hôpital, elle échafaudait des projets d'avenir. Lors de son divorce d'avec Sam, elle avait expédié tout ce qui lui appartenait – mobilier, livres ou vaisselle – au garde-meuble et ne s'en était plus souciée. Au début, comme il s'agissait d'un retour *provisoire* chez ses parents, elle s'était laissé dorloter sans trop se poser de questions, avec le vague projet de louer un deux-pièces moderne à proximité de Necker. Mais sa mère était tombée malade et elle était restée. Une étrange maladie, délicate à diagnostiquer, quasiment impossible à traiter. Alzheimer précoce ? Dépression chronique ayant tourné à l'instabilité mentale ? Camille allait de plus en plus mal, parlait de moins en moins, serrait convulsivement des mouchoirs humides dans ses mains et s'alimentait à peine. En quelques mois, son état s'était dégradé au point de devenir alarmant, mais ni les confrères appelés à la rescousse ni les innombrables examens n'avaient apporté de solution. À cette époque-là, il était arrivé à Pascale de se dire que sa mère se laissait mourir.

Jusqu'au dernier moment, Pascale, Adrien et Henry avaient lutté, se relayant en vain, impuissants malgré leur formation de médecins et tout leur amour. Vers la fin, Camille semblait ne plus les voir, sauf peut-être Pascale, à qui elle adressait parfois un sourire triste, terriblement lucide.

Quitter l'appartement familial de Saint-Germain et abandonner son poste à Necker permettrait à la jeune femme de faire table rase. Sam avait bien réussi à refaire sa vie ailleurs, pourquoi n'y parviendrait-elle pas, elle aussi ? D'autres gens, un climat plus clément, peut-être de nouveaux amis, et surtout habiter Peyrolles, même en s'endettant pour les dix ou quinze années à venir, voilà tout ce qu'elle souhaitait.

Son père et son frère, malheureusement, ne

désarmaient pas, toujours opposés à ce qu'ils appelaient sa « folie ». À bout de patience, Adrien l'avait même traitée d'écervelée et d'égoïste, et elle s'était fâchée, rappelant vertement que, à trente-deux ans, elle ne recevrait de leçon de personne. D'autant moins qu'elle ne dépendait pas de leur père, ne travaillait pas dans sa clinique et pouvait aller où bon lui semblait. Furieux de cette mise au point qui le visait directement, Adrien ne lui avait plus adressé la parole pendant huit jours.

Henry était plus modéré. Certes, il n'approuvait pas le choix de Pascale, mais il ne voulait pas se disputer avec elle. Fatigué, abattu, il écoutait les éclats de voix entre frère et sœur en donnant raison à Adrien, pourtant il finissait toujours par prendre sa fille dans ses bras. Il l'aimait, il était fier d'elle et il refusait d'être celui qui la retiendrait contre son gré, même s'il restait persuadé qu'elle allait commettre une énorme bêtise.

Lorsqu'elle reçut enfin l'estimation de l'agence, Pascale éprouva un choc à la lecture du chiffre. Peyrolles valait beaucoup d'argent. À cause du développement touristique de la région, de l'architecture séduisante de la maison et de son environnement préservé, la propriété pouvait se négocier cinq cent mille euros, voire davantage si le vendeur n'était pas pressé. La somme, très supérieure aux prévisions de Pascale, avait de quoi lui donner des angoisses. Outre le crédit, dont les mensualités risquaient de peser lourd dans son budget, elle allait devoir trouver un apport personnel. À qui le demander ? Les amis de Pascale s'étaient presque tous installés professionnellement en contractant des emprunts eux aussi, personne ne pourrait l'aider dans l'immédiat.

Sauf… sauf Samuel, peut-être. Mais comment trouver le courage de lui poser la question ? S'adresser à lui pour des histoires d'argent était trop délicat. Elle refusait d'exploiter cette tendresse qu'il lui vouait toujours, de mettre en péril le rapport fragile qu'ils avaient réussi à sauver malgré tout. Au moment de leur divorce, réglé par consentement mutuel, ils ne s'étaient rien demandé l'un à l'autre et n'allaient pas commencer maintenant. Pascale savait que Samuel avait perdu tôt ses parents, dont il était le fils unique et le seul héritier. Les Hoffmann possédaient une entreprise de textile prospère, que Sam avait bien vendue. Sans doute était-il à l'abri du besoin, ainsi qu'il le lui avait répété en l'épousant, mais Pascale ne s'était jamais mêlée de ses affaires.

Après avoir longtemps tergiversé, elle prit rendez-vous à sa banque pour étudier la possibilité d'un financement. Durant plus de deux heures, elle examina diverses propositions et en arriva à la conclusion qu'elle aurait besoin d'aide avant d'y voir clair dans cette jungle de chiffres vertigineux. Au moins, elle pouvait avoir recours à Samuel pour un conseil impartial. Qu'elle veuille acheter Peyrolles ne risquait pas de le faire sauter au plafond, peut-être même trouverait-elle enfin en lui quelqu'un qui l'approuve.

Mais sa conversation téléphonique avec Sam ne se déroula pas tout à fait comme prévu. D'abord, son ex-mari parut atterré à l'idée de la voir s'installer dans la région où il avait choisi de se réfugier. Après plusieurs secondes de silence, il admit néanmoins que l'attachement de Pascale pour Peyrolles remontait à l'enfance et justifiait son choix. Il se montra assez pessimiste sur les possibilités de travail à Albi. Toutefois, en attendant, les hôpitaux de Toulouse offriraient sans doute une chance à Pascale, la pneumo n'étant pas une spécialité très encombrée. Enfin, concernant le plus important, à savoir ce projet d'achat immobilier, il fut catégorique : il allait l'aider.

— Tu ne peux pas te lancer dans un investissement pareil sans un sou, sinon tu seras étranglée par les remboursements.

— Je ne veux pas de ton argent, Sam.

— Je sais, mais je ne te le donne pas, je te le prête.

— Non.

— On fera tous les papiers nécessaires chez un notaire, d'accord ?

— C'est hors de question. Je ne t'ai pas appelé pour ça. Disons que je me sens complètement novice dans ces histoires de crédit et je cherche seulement un conseil d'ami. Mon banquier ne me propose que ce qui l'arrange, j'en ai bien conscience.

— Je discuterai le taux d'intérêt pour toi si tu veux, tout se négocie de nos jours !

— Sam…

Découragée, elle avait prononcé doucement le diminutif pour le faire taire. Elle laissa passer un silence et reprit :

— Donne-moi ton avis, je ne te demande rien d'autre.

— Mon avis sur quoi ? Ton installation à Peyrolles ? Ce sera une bonne chose dans la mesure où tu n'as jamais vécu seule, Pascale. Tes parents, ta colocataire du temps de tes études, ensuite moi, et à nouveau tes parents… Il est grand temps pour toi d'assumer ta propre existence. Dans le fond, tu es une femme plutôt indépendante, accorde-toi les moyens de l'être pour de bon !

La leçon était un peu dure à avaler et Pascale faillit répliquer, mais elle se retint. Samuel la connaissait bien, il n'avait pas tort.

— Tu as toujours adoré cet endroit, Pascale. Tu m'en as tellement parlé ! Alors vas-y, offre-le-toi. C'est beaucoup plus intéressant que si ton père t'en faisait cadeau.

— En tout cas, c'est plus équitable vis-à-vis d'Adrien.

— Aussi. Sauf que ton père aurait pu lui faire une donation équivalente, il n'en est pas à ça près.

Surprise par cette affirmation catégorique, Pascale se demanda pourquoi Samuel était mieux informé qu'elle de la situation financière de son père.

— Revenons-en à ton plan de financement, enchaîna-t-il. Le montant de ton apport personnel déterminera le niveau de risque pour le prêteur, et plus cet apport sera important, meilleur sera le taux d'intérêt accordé.

— Si je comprends bien, l'argent va à l'argent, ironisa-t-elle.

— Malheureusement, oui. Et quoi qu'il en soit, tu n'obtiendrais pas cent pour cent de crédit sur une opération immobilière de cette envergure. D'autant plus que tu dois encore ajouter au prix d'achat les droits de mutation, ce qu'on appelle à tort les frais de notaire. Dans le cas de Peyrolles, ça représente environ trente mille euros de plus.

— Tu es décourageant, soupira-t-elle.

— Au contraire, je te dis de foncer !

— Tout en m'expliquant que c'est impossible.

Elle l'entendit rire et se détendit un peu.

— Accepte mon aide, Pascale. En souvenir du bon vieux temps…

— Pas si vieux, murmura-t-elle.

Était-ce vraiment le « bon temps », ces soirées passées à se disputer ? Il prétendait qu'elle gâchait tout alors qu'elle voulait seulement un bébé. Certaines nuits, quand ils se tournaient le dos et boudaient chacun de leur côté, Sam finissait par prendre sa main et la serrait doucement, dans l'obscurité, tandis qu'elle faisait semblant de dormir. Elle lui en voulait de son indifférence à ce qu'elle considérait comme un problème majeur, de son peu d'empressement à devenir père, elle le soupçonnait même d'être satisfait de son statut d'éternel jeune marié. Sans doute n'avait-il pas envie de voir sa femme se transformer en mère, ni d'être délaissé au profit d'un nouveau-né, et cet égoïsme scandalisait Pascale.

— Tu es toujours là, ma chérie ? J'aimerais te poser une dernière question, par pure curiosité.

— Vas-y.

— Pourquoi Henry te laisse-t-il te débrouiller seule dans cette histoire d'achat ?

— Parce qu'il n'est pas d'accord pour que je m'en aille à l'autre bout de la France. En venant s'installer dans la région parisienne, il a eu l'impression de s'élever, et il trouve que je régresse.

— C'est un raisonnement très provincial, peu digne de lui. J'aime bien ton père…

— Je sais.

Un nouveau silence s'installa sur la ligne. Pascale réfléchissait à l'offre de Sam en se demandant si elle avait raison ou tort de refuser. À qui d'autre pourrait-elle s'adresser ? En qui avait-elle suffisamment confiance, et qui l'aimait assez pour l'aider ?

— Faxe-moi les offres de ta banque et laisse-moi prendre ça en main, reprit Samuel. S'il te plaît.

Avec un petit soupir résigné, elle promit au moins de le tenir au courant, puis elle raccrocha. Tout ce qu'il venait de lui dire n'entamait pas sa décision d'acheter Peyrolles, mais ce serait plus difficile que prévu. Après y avoir réfléchi encore quelques minutes, elle arriva à la conclusion que le jeu en valait la chandelle, et que plus ce serait dur mieux elle savourerait sa nouvelle vie.

Henry signa tous les documents que le comptable avait rangés à son intention dans une chemise en carton. Le taux de remplissage de la polyclinique était excellent, la crise épargnait pour l'instant son établissement. Il avait fait ce qu'il fallait pour ça, ne transigeant jamais sur les qualités professionnelles des gens qu'il employait, ni sur les prestations destinées à séduire une certaine catégorie de patients. Miser sur le luxe se révélait le bon choix, à condition de rester sérieux.

Sur le grand bureau d'acier et de verre, la photo de Camille trônait toujours à la même place depuis près de vingt ans. Dieu qu'elle était jolie, là-dessus ! Les cheveux tirés en arrière, un visage parfait, d'immenses yeux noirs, et ce petit sourire énigmatique qui la caractérisait. Henry avait été littéralement fou d'elle. Au point d'oublier tout ce qui avait précédé l'arrivée de Camille dans sa vie et de ne plus guère s'intéresser à ce qui allait suivre, maintenant qu'elle n'était plus là. Certes, les dernières années avaient été un peu difficiles. Car malgré toute sa réserve, sa pudeur naturelle, Camille montrait des signes de détresse dont Henry ne devinait que trop bien la cause. Mais à quoi bon revenir sur le passé, ainsi qu'il le lui avait expliqué mille fois ? Il ne comprenait pas ces remords tardifs, parfaitement inutiles, qui rongeaient sa femme jusqu'à la démence.

Camille était son premier prénom, ainsi qu'en avait décidé son père lorsqu'il l'avait déclarée et reconnue, mais il était suivi d'autres, tout à fait imprononçables. Née à Hanoi en 1945, elle avait été ramenée en France âgée de quelques semaines à peine. Son histoire était triste, presque banale hélas ! pour cette période de la guerre d'Indochine. Sa mère, une très jeune Vietnamienne de modeste condition, avait succombé au charme d'un officier français dont elle était devenue la maîtresse. Lorsqu'elle avait accouché du bébé de son amant, celui-ci était sur le point de rentrer en France, enfin rappelé par l'armée. Elle avait préféré lui confier l'enfant plutôt que l'élever dans la honte et la misère. Le capitaine Abel Montague possédait le sens de l'honneur et connaissait bien les mœurs du pays : s'il refusait, l'enfant connaîtrait un destin misérable. Alors il avait accepté de s'en charger, bien que déjà marié et déjà père.

Camille ignorait de quelle façon s'était déroulé le retour peu triomphal du capitaine Montague chez lui. Elle était trop petite pour se souvenir de l'accueil réservé au mari infidèle et à sa bâtarde. Bien sûr, Abel possédait des excuses, il était resté en Indochine durant plus de six ans – dont dix-huit mois prisonnier des Japonais –, à s'user dans une guerre de colonie devenue incompréhensible pour tout le monde, y compris pour les militaires. Il en ramenait un caractère ombrageux, une santé minée par le paludisme et un profond dégoût de l'armée. Sa femme avait retrouvé un homme méconnaissable, qui lui faisait presque peur, et elle n'avait pas osé refuser la petite fille métisse qu'il lui imposait. Camille avait donc été élevée avec les trois enfants légitimes des Montague, beaucoup plus âgés qu'elle. Abel était mort quelques années plus tard, et Camille, qui décidément n'avait pas sa place dans la famille, expédiée en pension. Une école de filles plutôt rigide, située près d'Albi, où les Montague l'avaient plus ou moins oubliée.

C'est à cette époque-là que Henry l'avait vue pour la première fois, lors d'une sortie de la classe de seconde en visite à la cathédrale. Elle tranchait au milieu des autres élèves avec sa peau cuivrée, ses grands yeux noirs, sa silhouette fragile. Elle avait seize ans, Henry juste vingt et un, et ils s'étaient regardés… Une ou deux fois, ils avaient réussi à se revoir, à la sauvette, puis Henry était parti effectuer son service militaire et, lui aussi, il l'avait oubliée. Libéré de ses obligations, il s'était marié avec Alexandra, avait eu Adrien.

Alexandra. Comme il se souvenait peu d'elle ! Une blonde froide et hautaine, richement dotée, très éprise de lui. Une bonne épouse, au fond, près de laquelle il aurait pu mener une vie agréable sans cet horrible incendie. Mais le destin en avait décidé autrement et avait remis Camille sur son chemin.

Il tendit la main vers le cadre et l'approcha de ses yeux. Sur cette photo elle était vraiment belle mais, à l'époque où il l'avait revue, elle se trouvait dans un triste état. Malmenée par la vie, aux abois, au bord du gouffre. Il considérait qu'il l'avait sauvée.

Sauvée ? Poussant un long soupir, il reposa le cadre. Sauve-t-on les gens malgré eux ? Camille avait fini par accepter ses conditions, les seules possibles. Il ne regrettait rien, même si parfois…

— Papa ?

Il releva la tête brusquement. Pascale se tenait sur le seuil du bureau, hésitant à entrer.

— Je te dérange ? Tu avais l'air si absorbé…

— Non, pas du tout. Viens t'asseoir.

Elle passait rarement à la clinique et il fut touché qu'elle se soit déplacée jusque-là.

— On dîne ensemble, ajouta-t-elle. Tu t'en souvenais ?

— Naturellement. J'ai fini, d'ailleurs. J'étais sans doute en train de rêver, je ne t'ai pas entendue arriver.

— J'ai frappé.

Amusé, il lui adressa un large sourire. Bien sûr qu'elle avait frappé, elle était parfaitement bien élevée, grâce à Camille et grâce à lui.

— J'ai eu une grande conversation avec Sam, enchaîna-t-elle. Il va m'aider à monter mon dossier, pour Peyrolles.

— Ton dossier ? répéta Henry.

Comme prévu, elle n'abandonnait pas son idée. Quoi d'étonnant ? Il la savait têtue, acharnée, elle ne capitulerait pas. Surtout si Sam s'en mêlait.

— Je pense qu'il sera de bon conseil, dit-il prudemment.

En plus de ses qualités d'anesthésiste, Samuel gérait ses finances avec intelligence, en homme avisé, et il risquait de trouver le projet immobilier de Pascale aussi enthousiasmant sur un plan matériel que réjouissant sur un plan plus personnel.

— Je redescends là-bas la semaine prochaine.

— Tu as raison. Promène-toi donc un moment dans la maison, à la tombée de la nuit, et essaie d'imaginer ce que tu y éprouveras, seule. Regarde le parc, aussi, tu comprendras vite qu'il faut y consacrer un temps fou ou beaucoup d'argent.

— J'apprendrai à jardiner, répondit-elle d'un ton léger. Quant à la maison… je m'achèterai un gros chien de garde ! Tu es rassuré ?

— Pas vraiment.

Et il ne le serait sans doute jamais plus à partir du jour où Pascale s'installerait à Peyrolles, mais qu'y faire ?

— Papa ? Est-ce qu'il y a quelque chose de… je ne sais pas, quelque chose dont tu ne m'as pas parlé et que tu voudrais me dire ? Cet… incendie a dû te laisser un souvenir épouvantable, et peut-être que tu ne…

— Effectivement, coupa-t-il, je préfère ne pas parler du passé. C'est sans importance aujourd'hui. Mais tu ne m'empêcheras pas de penser qu'il y a des endroits plus bénéfiques que d'autres !

Pascale contourna le bureau et vint s'arrêter derrière son fauteuil. Elle lui passa les bras autour du cou, déposa un baiser sur sa tempe.

— Mon petit papa, chuchota-t-elle.

Tout ce qu'il tentait pour la dissuader pouvait passer pour de l'égoïsme, il en eut douloureusement conscience. Certes, il aurait préféré la garder près de lui, néanmoins il savait que c'était impossible et il ne voulait pas qu'elle le prenne pour un père despotique, étroit d'esprit, avant tout préoccupé de lui-même. Au contraire, il désirait la voir s'épanouir, seulement Peyrolles était le dernier endroit du monde où trouver le bonheur.

Elle s'appuyait de tout son poids contre ses épaules et il devina qu'elle regardait la photo de Camille.

— Allons dîner, dit-il en se dégageant.

Céder à l'émotion ne ferait que compliquer les choses. Il se leva, se tourna vers sa fille. Elle avait les yeux pleins de larmes, et ce magnifique regard sombre, voilé de tristesse, était exactement celui de sa mère. Il la prit par la main, trop bouleversé pour parler, et l'entraîna hors du bureau.

— Ce sont d'excellentes références, fit remarquer Laurent Villeneuve.

Samuel lui adressa un sourire reconnaissant. Il s'entendait très bien avec Villeneuve, directeur de l'hôpital Purpan depuis deux ans et passionné comme lui d'aéronautique. Lorsqu'il lui avait transmis le dossier de Pascale, il s'était dit qu'elle obtiendrait le poste vacant sans problème, mais le chef du service pneumo – une femme – semblait réticent.

— Nous avons d'autres candidatures à examiner, fit-elle remarquer du bout des lèvres.

Nadine Clément, ses cheveux gris tirés en arrière et ses imposantes lunettes d'écaille sur le bout du nez, n'avait rien d'avenant. La soixantaine largement dépassée et sans éclat, des traits anguleux et la voix cassante : elle était la terreur de son étage.

— J'aurais préféré engager quelqu'un avec qui j'ai déjà eu l'occasion de travailler, par exemple le Dr Médéric, ajouta-t-elle en plantant son regard dans celui du directeur.

Sans se laisser impressionner, Laurent hocha la tête, dubitatif.

— Il est trop près de la retraite, une jeune recrue serait plus indiquée.

Vexée, Nadine rajusta ses lunettes d'un geste rageur. Elle-même était en fin de carrière et n'appréciait pas qu'on le lui rappelle. Avec un agacement très ostentatoire, elle se tourna vers Samuel.

— Vous nous recommandez si chaudement votre ex-épouse qu'on peut se demander pourquoi vous avez divorcé…

— On se le demande peut-être, trancha le directeur, mais on ne le demande pas à M. Hoffmann, c'est trop personnel, bien entendu ! Et tout à fait hors de propos puisque seules les compétences professionnelles du Dr Pascale Fontanel entrent en ligne de compte dans notre choix, n'est-ce pas ?

Nadine dévisagea Laurent Villeneuve avant de laisser tomber, d'un ton cynique :

— De toute façon, la décision vous appartient, et

cette jeune femme est sûrement plus intéressante à vos yeux que le Dr Médéric.

Une façon de lui rappeler qu'elle n'était pas dupe. À trente-huit ans, Laurent restait célibataire et sans doute le prenait-elle pour un séducteur chevronné. Samuel savait que cette idée toute faite circulait parmi le personnel de l'hôpital, mais la réalité était bien différente. Malgré son charme évident de beau ténébreux, Laurent n'avait rien d'un coureur de jupons. Successivement déçu par deux histoires difficiles, il cherchait toujours la femme avec qui fonder une famille ; il s'interdisait cependant la moindre aventure au sein des établissements qu'il dirigeait. En conséquence, la remarque de Nadine Clément était inutilement acerbe.

— Tenez-moi au courant, dit-elle en se levant.

Laurent la laissa partir avant de sourire.

— Elle est vraiment antipathique. J'espère que ton ex ne se laissera pas tyranniser !

Comme promis, il allait donc offrir le poste à Pascale, et Samuel se sentit heureux de pouvoir lui annoncer la nouvelle.

— Ne t'inquiète pas, elle saura se défendre, répondit-il d'un ton réjoui.

— Préviens-la quand même de se méfier, au moins au début, parce que Nadine est une peau de vache.

Elle en avait la réputation et les plaintes des infirmières ou des internes du service de pneumologie s'entassaient sur le bureau de Laurent.

— Je te verrai au club demain, dit Samuel, je dois remonter au bloc.

Ils échangèrent une vigoureuse poignée de main, ravis l'un de l'autre. Laurent avait pu affirmer son autorité de directeur en contrant l'insupportable Nadine

Clément, tandis que Sam obtenait un poste intéressant pour Pascale.

Il se hâta de quitter le bâtiment administratif, perdu dans ses pensées. Pourquoi se donnait-il tant de mal ? Prêter de l'argent à son ex-femme et lui trouver un travail pouvait à la rigueur se justifier, de là à penser à elle dix fois par jour…

— Cent fois ! marmonna-t-il en traversant l'une des cours.

Le CHU était gigantesque, étendu sur plusieurs hectares, mais Samuel s'y sentait chez lui. Lorsqu'il avait pris la décision de fuir la région parisienne, s'éloignant le plus possible de Pascale et de tous les souvenirs douloureux liés à leur divorce, la ville de Toulouse lui était apparue comme une terre d'accueil, d'oubli. Immédiatement séduit par l'architecture, le climat, l'atmosphère de la cité, il avait compris qu'il ne s'agissait pas d'une simple halte : il était arrivé au port.

Il s'engouffra dans le bâtiment abritant la chirurgie générale et, dédaignant les ascenseurs du personnel, grimpa quatre à quatre jusqu'à l'étage du bloc. Le planning de la journée était très chargé, comme toujours, et il aurait bon nombre de patients à endormir, à surveiller durant l'intervention, puis à contrôler en salle de réveil avant de pouvoir penser à autre chose.

Depuis l'aéroport de Blagnac, Pascale avait pris une navette jusqu'à la place Jeanne-d'Arc, en plein centre-ville, puis un taxi pour la conduire à l'hôtel des Beaux-Arts, où elle avait réservé une chambre. Elle eut le plaisir de découvrir que, selon son désir, ses fenêtres donnaient sur la Garonne. « Sur Garonne », disaient les

Toulousains, le fleuve autour duquel s'organisait la ville étant ainsi magnifié.

Elle changea ses mocassins pour des tennis confortables et descendit à la réception, où on lui remit les clefs de sa voiture de location. Ensuite, il lui fallut plus d'une demi-heure pour s'extraire de la circulation, très dense, et gagner la rocade. Parvenue sur l'autoroute A68, en direction d'Albi, elle se détendit enfin. Cette fois, l'aventure prenait forme, se concrétisait. L'agence immobilière lui avait aimablement envoyé un jeu de clefs qui lui ouvrirait les portes de Peyrolles : elle allait pouvoir en prendre possession.

Tout en conduisant, elle observait le paysage avec une sorte d'avidité, à l'affût d'images familières. Elle quitta l'autoroute à Marssac, franchit le Tarn et se dirigea vers Castelnau. À chaque kilomètre qui la rapprochait de la maison – de *sa* maison –, elle sentait son excitation augmenter. De quelle manière les locataires successifs avaient-ils transformé les pièces ? Vingt ans plus tôt, elle s'en souvenait parfaitement, la plupart des murs étaient blancs ou de couleur pastel. Sa mère avait les papiers peints et les motifs en horreur, elle n'aimait que la clarté, le dépouillement, affichant une prédilection pour les dessus-de-lit et les rideaux en piqué uni. Ici ou là, elle mettait parfois une touche de rouge ou de noir dans la décoration avec un vase ou un meuble laqué, et il y avait toujours d'énormes bouquets de fleurs dans des jarres posées à même le sol.

Les hauts murs de Peyrolles apparurent enfin et Pascale se gara juste à l'endroit où le taxi l'avait attendue un mois plus tôt. Trop pressée pour rentrer la voiture, elle se contenta d'entrouvrir la grille et se glissa dans le parc. Refrénant son envie de courir, elle remonta l'allée à grandes enjambées. Si le gravier était toujours aussi fin, presque blanc, en revanche la pelouse se desséchait et les chardons y proliféraient. Les arbres lui parurent immenses, plus grands que dans son souvenir, mais bien sûr vingt années s'étaient écoulées.

Elle s'élança vers le perron, le cœur battant, et s'énerva sur le trousseau avant de trouver la bonne clef. Enfant, elle se contentait de claquer la porte ! Elle parvint enfin à l'ouvrir, remarqua distraitement qu'elle grinçait sur ses gonds, puis elle pénétra dans le vaste hall d'entrée.

Sous ses pieds, le dallage blanc à cabochons noirs luisait dans la pénombre, patiné par le temps, creusé par les innombrables passages. Elle se rappela avoir essayé là des patins à roulettes reçus un soir de Noël, provoquant ainsi une série de traînées caoutchouteuses que sa mère avait eu un mal fou à effacer.

Une seconde, elle ferma les yeux et visualisa la maison. À droite du hall se trouvaient le salon, immense, et au-delà un couloir desservant la bibliothèque où son père s'isolait volontiers, ainsi qu'un tout petit boudoir où sa mère aimait coudre. À gauche, la salle à manger et l'office, la cuisine, le vestiaire, tous pourvus d'immenses placards. Face à elle, au fond du hall, deux doubles portes vitrées donnaient sur le jardin d'hiver, prolongé d'une véranda. Elle rouvrit les yeux, poussa un profond soupir. Elle adorait l'idée de tout cet espace autour d'elle, mais comment allait-elle l'occuper, seule ? Peyrolles était une maison de famille faite pour abriter des cris d'enfants, des galopades et des rires, de grandes tablées…

D'un pas décidé, elle entreprit le tour du rez-de-chaussée, ouvrant les volets un à un. Les peintures étaient un peu défraîchies et les parquets des pièces de réception abîmés à certains endroits, mais, dans l'ensemble, les derniers occupants avaient été assez soigneux et Pascale pourrait s'installer sans faire de travaux dans l'immédiat.

Au premier étage, elle trouva l'ancienne chambre de ses parents en bon état, malgré l'usure de la moquette. À l'époque, le sol était fait de tomettes et devait être récupérable, à condition que personne n'ait eu la mauvaise idée d'utiliser de la colle ! Plantée au milieu de la pièce, elle se demanda avec quoi elle allait meubler tout ça. Depuis son divorce, le peu qu'elle possédait était stocké dans un garde-meuble de la région parisienne, mais ce serait dérisoire ici.

— Qui êtes-vous ? lança une voix essoufflée derrière elle.

Réprimant un cri d'effroi, Pascale fit volte-face et découvrit un homme d'un certain âge, vêtu d'une combinaison de travail, qui la contemplait avec une expression sévère.

— Vous m'avez fait peur ! protesta-t-elle. De quel droit êtes-vous entré ? Je suis chez moi.

— Vous ? Sûrement pas, la maison n'est plus à louer, elle est à vendre, or je ne vois pas la dame de l'agence…

Suspicieux, il toisa Pascale des pieds à la tête.

— Cette propriété appartient à mon père, Henry Fontanel, répliqua-t-elle.

Elle vit les yeux de l'homme s'agrandir sous le coup de la stupeur. Sans la lâcher du regard, il bredouilla :

— Vous seriez… euh… la petite Pascale ?

— *Docteur* Pascale Fontanel, oui. Et vous ?

— Lucien Lestrade. Vous ne vous souvenez pas de moi ?

Brusquement rassurée, elle se détendit d'un coup, prenant conscience de la frayeur qui l'avait tenaillée durant cet échange.

— Si, bien sûr. Le jardinier. Et vous vous occupez toujours du parc, n'est-ce pas ?

— Je fais ce que je peux. Deux après-midi par mois, ce n'est pas assez. Votre père m'a appelé la semaine dernière pour me demander de mettre tout en ordre. J'ai pensé que c'était pour mieux vendre.

— À vrai dire, je suis en train de lui racheter Peyrolles, je vais m'y installer.

Il recula de deux pas, comme si elle venait de le frapper.

— Ici ? Vous êtes folle !

La réaction de Lestrade était exactement semblable à celle de son père et de son frère. Qu'y avait-il donc de si terrible dans le fait qu'elle veuille habiter Peyrolles ?

— Vous êtes mariée ? Vous avez des enfants ?

— Non, répondit-elle d'un ton sec, mais ça viendra sûrement. Maintenant, si vous n'y voyez pas d'inconvénient, je vais continuer ma visite.

Elle passa devant lui et se dirigea vers la porte, vaguement mal à l'aise. Pourquoi ne ressentait-elle aucune sympathie pour cet homme qu'elle connaissait depuis son enfance ? Combien de fois avait-elle glissé sa petite main dans la grande main calleuse du jardinier tandis qu'il lui nommait une à une les fleurs que plantait sa mère ?

Il lui emboîta le pas pour sortir de la chambre et elle l'entendit se racler la gorge.

— Pascale ? Écoutez-moi… Vous devriez repartir d'où vous venez. C'est plein de mauvais souvenirs pour vous, ici. Pourquoi tenter le diable ?

— Le diable ! répéta-t-elle en haussant les épaules, exaspérée. Et vous, monsieur Lestrade, pourquoi n'avez-vous pas rendu votre tablier de jardinier ?

Comme il ne répondait rien, se contentant de la fixer en silence, elle enchaîna :

— De toute façon, je n'aurai sans doute pas les moyens de vous garder. Je suis désolée.

— Ne le soyez pas, je comprends. D'ailleurs, votre père ne voulait pas me garder non plus, et puis… La nature prolifère à une vitesse folle, ici ! L'avantage, c'est que tout pousse, tout prend racine, mais l'inconvénient, c'est que le parc est difficile à maîtriser. Alors, ne vous inquiétez pas, je vous donnerai un coup de main pour rien, au moins au début, le temps de vous y faire. Peyrolles n'est pas une sinécure, vous verrez !

Il soupira, sortit un mouchoir de la poche de sa salopette et s'épongea le front. Ses rides étaient profondément creusées, sa peau tannée par le soleil. Maintenant qu'elle le regardait sans inquiétude, elle constata qu'elle aurait dû le reconnaître tout de suite.

— Au fait, laissez tomber le « monsieur » et appelez-moi Lucien, nous sommes de vieilles connaissances, vous et moi. Est-ce que vous aimez les fleurs ? Votre mère les adorait, la pauvre…

— Je ne sais pas si vous êtes au courant, dit-elle en hésitant, mais maman est décédée il y a peu.

— J'étais à l'enterrement. Pas de doute, elle est vraiment mieux là où elle est !

Cette dernière remarque était si incongrue que Pascale, abasourdie, ne trouva rien à répondre. Lucien Lestrade n'avait évidemment pas été tenu au courant de l'état de santé de son ancienne patronne, que trouvait-il de réjouissant à sa mort ?

— Bon, j'y vais, décida-t-il, j'ai du travail dans les massifs.

Il saisit fermement la rampe de fer forgé et entreprit de descendre l'escalier, laissant Pascale bouche bée. Au bout de quelques instants, elle se pencha pour s'assurer qu'il était bien parti. Curieux bonhomme…

Traversant le palier, elle jeta un coup d'œil par la fenêtre. Jusque-là, elle n'avait pas éprouvé grand intérêt pour les fleurs ou les plantes. Se prendrait-elle au jeu, comme sa mère ? En bas, sur la pelouse jaunie, Lestrade avait récupéré sa brouette où s'entassaient des gants, un arrosoir, des cisailles. Peut-être s'imaginait-il être le gardien de Peyrolles ? Les locataires avaient défilé mais lui était toujours là, et il semblait décidé à rester, quitte à travailler gratis.

Elle se détourna de la fenêtre et parcourut la galerie en hâte, ouvrant les portes l'une après l'autre. Six chambres et trois salles de bains, rien n'avait changé à l'étage non plus, mais toutes ces pièces désespérément vides paraissaient à l'abandon. La dernière porte, plus étroite et verrouillée, donnait sur l'escalier du grenier. Pascale reprit le trousseau de clefs dans la poche de son blouson en jean et batailla un moment avec la serrure. Lorsqu'elle parvint à ouvrir, le battant céda avec un bruit de caoutchouc déchiré. Tout le tour du chambranle avait été calfeutré, probablement pour éviter les déperditions de chaleur car la charpente n'était pas isolée au deuxième étage. De la poussière et des toiles d'araignée s'étaient accumulées sur les marches de bois brut, preuve que personne ne montait jamais là-haut.

En prenant pied sur le plancher du grenier, Pascale eut la surprise de découvrir une véritable caverne d'Ali Baba. Au premier coup d'œil, elle reconnut des meubles familiers, identifia des objets. Un impressionnant bric-à-brac avait été relégué là depuis plus de vingt ans, sans doute pour pouvoir louer la maison en vitesse.

— Eh bien, voilà ! s'exclama-t-elle.

Sa voix résonna sous les poutres de chêne et les tuiles

roses du toit. Il régnait une chaleur sèche irritant la gorge, mais elle s'attarda un peu afin de répertorier ce qui pourrait lui servir. Des fauteuils de rotin laqués blancs à remettre dans le jardin d'hiver, une commode ventrue qui serait parfaite dans sa chambre, la grande table Régence qui retrouverait sa place dans la salle à manger, et un paravent de laque rouge que sa mère avait décoré elle-même à l'encre de Chine.

Recréer en partie le décor de son enfance n'était peut-être pas une bonne idée, mais elle en mourait d'envie et, de toute façon, elle n'aurait pas les moyens d'acheter du mobilier avant longtemps. Sur le point de quitter les lieux, ravie de sa découverte, elle aperçut son reflet dans un grand miroir vénitien posé contre un mur. Elle s'approcha, considéra un moment son image rendue floue par la couche de poussière. Que faisait-elle donc, seule, dans le grenier de Peyrolles ? Pourquoi Samuel ne l'avait-il pas aidée à avoir les enfants qu'elle désirait tant, à fonder une famille ? Il s'était dérobé au lieu de lutter avec elle, conduisant ainsi leur couple à la faillite, et à présent elle devait absolument rattraper le temps perdu parce qu'elle avait déjà trente-deux ans !

— Je ne te le pardonnerai jamais, Sam, dit-elle entre ses dents.

Après leur séparation, elle était beaucoup sortie, pour s'étourdir, mais n'avait rencontré personne d'intéressant malgré tous les hommes que ses amies s'empressaient de lui présenter. Au bout du compte, elle avait préféré prendre des nuits de garde plutôt qu'aller à ces soirées où elle s'ennuyait à mourir.

— Tout ça, c'est terminé, je vais changer de vie ! lança-t-elle au miroir.

Elle était jolie – on le lui avait suffisamment répété pour qu'elle finisse par le croire –, elle exerçait un métier qui la passionnait et elle allait habiter Peyrolles : l'avenir ne tarderait pas à lui sourire. Elle esquissa un geste d'encouragement à l'adresse de son reflet avant de se détourner.

Nerveuse, Marianne jouait avec son collier. Un bijou que Sam lui avait offert huit jours plus tôt pour son anniversaire, mais il avait fallu qu'elle le traîne devant la vitrine du bijoutier. « Si tu veux me faire un cadeau, autant te dire que je rêve de ça ! » Le doigt pointé sur un présentoir, elle avait désigné n'importe quoi. Ce qu'elle voulait, en réalité, c'était voir sa réaction. D'abord surpris, il avait hoché la tête puis était entré dans la boutique en l'abandonnant sur le trottoir. Elle espérait autre chose – des mots tendres, une déclaration d'amour –, toutefois elle avait dû se contenter de sa bonne volonté. Deux minutes plus tard, il lui remettait l'écrin avec un gentil sourire. Quelle idiote ! Pourquoi lui avait-elle forcé la main de façon si maladroite ? Parce qu'elle avait eu peur qu'il oublie la date, comme il oubliait tout ce qui la concernait ? Si seulement elle avait été plus patiente, plus sereine, peut-être aurait-elle eu droit à une surprise romantique ? Non, c'était peu probable, Sam ne serait jamais le prince charmant qu'elle désirait.

Assis à côté d'elle, il venait de jeter un coup d'œil discret à sa montre, comme s'il était agacé par le retard de son ex-femme. Agacé ou impatient ? Il parlait d'elle avec trop de tendresse pour que Marianne ne se sente pas à la fois jalouse et dévorée de curiosité. Elle avait beaucoup insisté pour l'accompagner, ce soir, prétextant qu'elle désirait faire la connaissance de Pascale et, éventuellement, devenir son amie. Il s'était incliné d'assez mauvaise grâce, ne trouvant pas une seule raison valable de refuser.

Elle fut la première à repérer la jeune femme qui venait d'entrer dans la salle. Silhouette élancée mise en valeur par un jean moulant et un blouson très court, porté sur un simple chemisier blanc dont le col était relevé. De longs cheveux noirs, lisses et brillants, retenus par une pince fantaisie, et de grands yeux sombres, en amande, tranchant sur un teint mat. Avec un pincement au cœur, Marianne comprit que Pascale Fontanel était exactement son contraire. La brune et la blonde, la mince et la ronde…

Déjà debout, Samuel souriait avec une exaspérante béatitude.

— Comment vas-tu ?

La question n'était pas de pure forme, il semblait réellement intéressé par la réponse. Passant un bras protecteur autour des épaules de Pascale, il se souvint enfin de la présence de Marianne.

— Je te présente Marianne, une amie, et voici Pascale…

Une amie ? Vexée, Marianne parvint néanmoins à sourire en marmonnant une phrase de bienvenue tandis que la jeune femme prenait place en face d'eux.

— Tu sais que je venais déjà ici avec papa et Adrien quand j'avais dix ans ? déclara-t-elle d'un air ravi.

— Aux Abattoirs ?

— Oui, on déjeunait là les samedis où maman voulait faire ses courses à Toulouse. Rien n'a changé, même pas les banquettes ! J'espère que la viande est toujours aussi bonne…

Sa voix était grave, un peu rauque, au contraire de celle de Marianne, plutôt haut perchée.

— Je vais prendre une bavette saignante, décida-t-elle après un regard rapide sur la carte.

Lorsqu'elle releva la tête, son regard se posa sur Marianne.

— Merci de me consacrer votre soirée, je vais essayer de ne pas vous assommer avec cette histoire d'achat de maison…

— Il n'y a plus grand-chose à faire, trancha Samuel. Ton dossier est accepté, la banque débloquera les fonds le jour de la signature chez le notaire. Tu leur feras parvenir ton nouveau contrat de travail quand tu l'auras signé, mais c'est juste une formalité.

— Pourquoi ? Ils s'imaginent qu'un pneumologue au chômage, ça n'existe pas ?

— Quelque chose de ce genre. De toute façon, le crédit comporte une assurance, et n'oublie pas qu'ils auront Peyrolles en hypothèque.

— Je ne risque pas d'oublier ! fit-elle en riant.

Est-ce qu'elle trouvait drôle de s'endetter pour dix ans ? Sam avait passé un temps fou à s'occuper des affaires de son ex-femme, et Marianne estimait qu'il lui accordait beaucoup trop d'importance.

— Nous avons rendez-vous demain matin à neuf heures avec Laurent Villeneuve, rappela-t-il à Pascale. Tu verras, il est très sympa pour un directeur d'hôpital !

Cette fois, Marianne se sentit gagnée par la mauvaise humeur. Elle aussi travaillait au CHU mais, simple secrétaire administrative, elle n'appartenait pas à l'élite composée de la direction, des chefs de service, des médecins, à la rigueur des infirmières. Un groupe que Pascale Fontanel allait rejoindre dès son arrivée.

— Laurent est un excellent pilote, ajouta Sam, et nous sommes membres du même club. Il va falloir que tu t'inscrives !

Dubitative, Pascale secoua la tête, ce qui libéra sa masse de cheveux noirs. Elle ramassa la pince tombée sur la table et se mit à jouer avec.

— Pour l'instant, j'ai d'autres priorités financières. Et si j'ai trop envie de voler, tu m'emmèneras faire un tour ! Est-ce que vous aimez ça, Marianne ?

— Je ne sais pas, Samuel ne m'a pas encore initiée.

Elle avait répondu un peu sèchement, mais il s'agissait d'un sujet délicat. Pour Sam, l'aéroclub était un territoire très personnel et il n'avait jamais proposé à Marianne de l'accompagner. Elle se consolait en supposant qu'il préférait rester entre hommes, avec ses copains, pourtant il venait d'inclure Pascale avec enthousiasme.

— Si vous y allez un de ces jours, je viendrai volontiers, lança-t-elle d'un ton qu'elle espérait désinvolte.

— Tu peux monter sans crainte avec elle dans un hélico, affirma Sam.

Il devait s'agir d'un compliment, un de plus au milieu de toutes les gentillesses qu'il réservait à son ex-femme.

— En tout cas, les premiers temps, reprit Pascale, je ne crois pas que j'aurai envie de refaire la route de Toulouse pendant mes congés. Je suis très heureuse que tu m'aies obtenu ce poste à Purpan, mais si un jour il y a une possibilité à l'hôpital d'Albi, j'avoue que je serai soulagée.

— Pascale ! protesta Sam. Après Necker, l'hôpital d'Albi te ferait l'effet d'une infirmerie de brousse.

La plaisanterie la fit éclater de rire et Marianne se renfrogna davantage. S'ils devaient entrer dans l'une de ces discussions chères aux toubibs, elle allait mourir d'ennui.

— C'est un bon hôpital, il me conviendrait parfaitement. Et il y a aussi la clinique Claude-Bernard, avec ses deux cents lits et ses dix salles d'op. Je me suis renseignée, Sam…

— Les trajets en voiture, c'est la plaie, intervint Marianne. Je comprends que Pascale ne veuille pas y consacrer tout son temps libre. Surtout avec la circulation démente de Toulouse, certains soirs il faut compter une heure pour sortir de la ville !

Autant ne pas lui brosser un tableau idyllique de la situation. Habiter à quatre-vingts kilomètres de son lieu de travail n'aurait rien d'une partie de plaisir, et plus tôt Pascale se replierait sur Albi, mieux ce serait pour tout le monde. Marianne vida son verre pour se donner du courage puis, d'un geste délibérément sensuel, elle posa sa main sur celle de Samuel.

— Je reprendrais bien un peu de vin, mon amour…

Il se dégagea pour saisir la bouteille et la servit sans un mot. Même s'il était contrarié, elle ne regrettait pas d'avoir mis les choses au point. Non, elle n'était pas *une amie*, elle était sa maîtresse, la femme avec qui il allait rentrer chez lui, celle à qui il ferait l'amour ce soir.

Face à eux, Pascale les observait d'un air amusé, indulgent. Apparemment, elle ne s'offusquait pas de voir son ex câliné par une autre, ce qui procura une bouffée de soulagement à Marianne.

— Où es-tu descendue ? demanda Sam.

— À l'hôtel des Beaux-Arts.

— Je passerai te prendre à huit heures et demie demain matin, proposa-t-il tout en faisant signe à un serveur.

Il régla l'addition et ils sortirent tous les trois dans l'air doux de la nuit.

— Je vais rentrer à pied, ce n'est pas loin, décida Pascale. Merci pour le dîner, Sam.

Elle le prit par le cou pour l'embrasser légèrement sur la joue, puis se tourna vers Marianne.

— Je suis très contente de vous connaître. À bientôt, j'espère.

De son pas décidé, elle s'éloigna sans se retourner le long de l'allée Charles-de-Fitte, en direction de la place Saint-Cyprien. Par la rue de la République, elle n'aurait plus qu'à franchir la Garonne pour gagner son hôtel.

Comme il n'était pas très tard, les passants étaient encore nombreux et Pascale ralentit un peu l'allure afin de profiter de sa promenade. Sam lui avait paru crispé tout au long de la soirée, mais peut-être avait-il été embarrassé par la présence de Marianne ? Dans ce cas, elle s'en expliquerait avec lui, il avait le droit de refaire sa vie et cette fille-là semblait aussi bien qu'une autre. Et très amoureuse… Du moins avait-elle cru nécessaire de l'afficher. Bien entendu, Sam méritait amplement d'être aimé. Personne ne pouvait être plus gentil que lui, plus charmeur quand il le voulait, et c'était aussi un homme solide, altruiste, généreux. S'il n'était plus son mari, il restait son ami, son meilleur ami, le seul à l'avoir soutenue ces derniers temps, et elle trouverait bien un moyen de lui prouver sa reconnaissance. Avait-il besoin de son absolution pour être heureux avec Marianne ?

Sur le Pont-Neuf, elle s'arrêta un instant en haut du dos-d'âne. Un musicien, assis par terre, jouait mélancoliquement du saxo, et quelques pièces de monnaie luisaient autour de lui. Pascale se pencha pour déposer deux euros à ses pieds, puis elle poursuivit son chemin. Elle ne savait pas encore si elle allait aimer Toulouse, ni l'hôpital Purpan, mais elle était certaine d'avoir pris la bonne décision en changeant radicalement sa vie. Habiter Peyrolles allait être une aventure merveilleuse, pour laquelle elle se sentait prête à se battre s'il le fallait.

— Je n'en reviens pas ! répéta Aurore pour la troisième fois.

Pascale avait immédiatement reconnu la jeune femme, une jolie rousse couverte de taches de rousseur. Malgré les années écoulées, elles ne s'étaient dévisagées que deux secondes avant de tomber dans les bras l'une de l'autre.

— Et tu vas travailler ici ? C'est merveilleux !

Elles étaient allées ensemble à l'école primaire, puis au collège d'Albi et, lorsque Pascale avait quitté la région, elles avaient juré de s'écrire. Au fil du temps, les courriers s'étaient espacés, se résumant à des cartes de vœux à Noël ou pour leurs anniversaires respectifs. Pascale savait qu'Aurore était devenue infirmière, mais jamais elle n'aurait imaginé la retrouver à Purpan, dans le service de pneumologie qu'elle venait de visiter en compagnie du directeur de l'hôpital.

Bras dessus bras dessous, elles quittèrent l'étage pour descendre jusqu'à la cafétéria du rez-de-chaussée. En quelques mots, Pascale expliqua pourquoi elle avait choisi de revenir et de quelle façon elle allait se retrouver propriétaire de Peyrolles. Aurore s'enthousiasma, apparemment ravie à l'idée de revoir la maison où elle avait si souvent joué et dont elle conservait un souvenir ébloui.

— C'est toujours aussi magnifique ?

— Un peu abîmé par le temps et les locataires successifs, mais dans l'ensemble ça tient debout !

Elles évoquèrent d'anciennes amies qui avaient participé à ces goûters d'enfants, puis se racontèrent brièvement leurs vies. Aurore connaissait Samuel de vue et trouvait drôle qu'il ait pu être le mari de Pascale. Pour sa part, elle n'avait pas encore rencontré l'âme sœur mais ne voulait pas entendre parler d'un homme appartenant au milieu hospitalier.

— Tous ces médecins sont d'une arrogance folle devant les infirmières, alors qu'ils ne pensent qu'à les fourrer dans leurs lits, très peu pour moi ! De toute façon, dans le service, les play-boys sont plutôt rares, tu verras…

— Et l'ambiance ?

— Boulot-boulot. Le patron est une femme odieuse qui…

— Oh, oui, ça m'en a tout l'air ! Je sors de son bureau et je ne m'attendais pas à ce genre d'accueil. Froide, méprisante, hostile, elle m'a accordé le poste du bout des lèvres, à croire que seule la pénurie de candidats l'a décidée.

— Nadine Clément est une vraie harpie, précisa Aurore en baissant la voix, et en plus elle n'apprécie pas les nouvelles têtes ! En revanche, elle est compétente, impossible de lui enlever ça.

— C'est le principal, je m'arrangerai du reste, affirma Pascale.

Néanmoins, la perspective d'avoir une amie dans le service la soulageait. Même en étant habituée à la hiérarchie hospitalière, à ses intrigues, ses coups bas et ses commérages, elle n'avait aucune envie d'entrer en guerre dès le premier jour.

— Je suis désolée pour ta mère, reprit Aurore. Je me la rappelle comme une très belle femme, mystérieuse, exotique… Le genre de mère que toutes les filles auraient voulu avoir ! Je crois que la classe entière t'enviait ton grand frère, ta maison, tes parents.

— Vraiment ? Eh bien, tu vois, on ne se rend compte de rien quand on est enfant !

— En ce qui me concerne, je me consolais en me

disant que chez moi, au moins, on riait de bon cœur. Ma mère était incroyablement gaie, elle l'est encore, d'ailleurs, alors que la tienne semblait toujours si triste… Elle avait des soucis ?

— À l'époque ? Non… Pas que je me souvienne.

Le cœur de Pascale se serra à cette évocation. Vingt ans plus tôt, sa mère n'était pas malade, mais effectivement elle se montrait plutôt mélancolique, et ses sourires avaient quelque chose de contraint.

— Mon père rêvait de monter à Paris, il était persuadé que maman s'ennuyait à Peyrolles. Je ne sais pas s'il a bien fait.

Aurore jeta un coup d'œil vers la pendule murale et se leva d'un bond.

— Ma pause est finie, je dois remonter, je ne tiens pas à me faire traîner dans la boue ! Quand commences-tu à travailler avec nous ?

— Dans huit jours.

— Alors appelle-moi d'ici là, on ira dîner ensemble et je te mettrai au courant de tout ce que tu dois savoir sur le fonctionnement du service !

Elle sortit un papier et un stylo de la poche de sa blouse, griffonna son numéro de portable et le tendit à Pascale.

— Je suis très contente, répéta-t-elle avant de se sauver.

Pascale la suivit des yeux tandis qu'elle se dépêchait de traverser le hall en direction des ascenseurs du personnel. Le Pr Nadine Clément semblait décidément une vraie terreur, mais peu importait, Pascale se sentait irréprochable sur un plan professionnel et elle comptait travailler d'arrache-pied pour se faire une place à Purpan.

En quittant l'hôpital, elle essaya de se remémorer tous

les renseignements donnés par Laurent Villeneuve. Il l'avait accueillie et escortée avec beaucoup de courtoisie, une faveur qu'elle devait à Sam, une fois de plus. Que serait-elle devenue sans lui ? Peut-être n'aurait-elle pas eu le courage de sauter le pas s'il n'avait pas aplani les difficultés l'une après l'autre, des tractations avec la banque à ce poste en pneumologie, sans oublier la somme qu'il lui avait prêtée à titre personnel. Elle se jura que, à partir de maintenant, elle allait se débrouiller toute seule. Et, pour commencer, organiser en vitesse son emménagement à Peyrolles. Elle n'avait plus qu'une semaine devant elle pour tout planifier, et la liste des corvées qui l'attendaient n'en finissait pas de s'allonger. Faire venir ses quelques meubles de Paris, en descendre d'autres du grenier, quitte à payer Lucien Lestrade pendant un ou deux jours s'il était disponible, remplir les placards d'épicerie, s'occuper des démarches administratives, organiser un aller-retour à Saint-Germain pour y boucler ses valises… et acheter l'indispensable voiture qui lui permettrait de naviguer entre Albi et Toulouse.

Une bouffée d'excitation lui fit presser le pas. Elle avait pris sa vie en main, elle n'avait plus peur.

3

Nadine Clément claqua la porte de son bureau. En un mois, son aversion pour la petite Fontanel n'avait fait que croître. De quel droit lui avait-on flanqué cette femme dans les pattes ? Et comment allait-elle s'en débarrasser ? Bien sûr, d'un point de vue professionnel, elle n'avait rien à lui reprocher. Excellents diagnostics, relations très humaines – trop ? – avec les malades, comptes rendus clairs et concis, sérieux des prescriptions : Pascale Fontanel semblait quasiment inattaquable. À la rigueur, les nombreux examens qu'elle demandait étaient parfois superflus. Or, dans un hôpital de cette importance, chaque patron devait contrôler les dépenses de son service. Nadine allait en profiter pour convoquer Pascale et lui faire la leçon, histoire de voir sa réaction. Si cette pimbêche se révélait incapable d'accepter les remontrances, ce serait une bonne occasion pour la remettre à sa place, ou même pour provoquer un esclandre.

Penchée au-dessus de son interphone, Nadine demanda à sa secrétaire de lui apporter tous les dossiers suivis par le Dr Fontanel. Rien que ce nom lui était odieux. Les Fontanel ! Depuis leur départ de la région, vingt ans plus tôt, Nadine les avait occultés, oubliés, bon vent ! Et voilà que la propre fille de Camille revenait, affichant d'un air innocent une foutue ressemblance avec sa mère. Le prétendu charme asiatique, absolument insupportable. D'ailleurs, du Viêtnam et de la guerre d'Indochine, Nadine n'en pouvait plus, elle en avait trop entendu parler dans sa jeunesse.

La secrétaire entra, chargée d'une pile de grandes enveloppes kraft. Chaque patient ayant consulté en pneumologie avait la sienne, avec une étiquette portant le nom du médecin traitant. En quatre malheureuses semaines, la petite Fontanel avait vu tout ce monde ?

Sans bruit, la porte se referma et Nadine fut de nouveau seule. Elle terrorisait ses collaborateurs, elle en avait bien conscience, mais elle était persuadée que son service ne s'en portait que mieux. L'ordre et la rigueur étaient ses chevaux de bataille. Parce qu'elle avait été élevée par un militaire ? Haussant les épaules, elle s'attaqua aux dossiers, bien décidée à trouver la faille.

— Quand je pense que tu as une bouille d'ange là-dessus ! soupira Laurent Villeneuve.

Il désignait la rangée de photos où figuraient les six instructeurs de l'aéroclub. Sur la sienne, Samuel souriait d'un air engageant, avec l'expression de quelqu'un à qui on peut accorder d'emblée sa confiance.

— Il t'en a fait voir de toutes les couleurs ? lança le trésorier, qui officiait ce jour-là derrière le comptoir, chacun tenant le rôle de barman à son tour.

— Vortex, dit sobrement Samuel.

Avec un ricanement résigné, Laurent leva les yeux au ciel.

— Le truc qui consiste à prendre de l'altitude puis à

laisser tomber la machine comme une pierre pendant que ton estomac te remonte entre les dents !

— Cette situation d'urgence fait partie des choses que tu auras peut-être à affronter un jour, lui rappela Sam.

— Je crois que je vais changer de prof, lâcha Laurent, qui n'en pensait évidemment pas un mot. Et pour arroser ça, je paye une tournée…

En réalité, il était ravi d'avoir Samuel pour instructeur car ils s'entendaient comme larrons en foire, partageant la même passion. Laurent possédait depuis longtemps son brevet de pilote d'avion, mais il avait eu la curiosité, quelques mois plus tôt, de vouloir s'initier à l'hélicoptère. Le premier vol l'avait tellement enthousiasmé qu'il s'était inscrit au cours le jour même. En tant que pilote, si la navigation ne lui posait aucun problème, il n'en allait pas de même avec les commandes. La conduite d'un hélico se révélait bien plus délicate que celle d'un avion et demandait davantage de maîtrise. Habitué à tirer sur le manche d'un bimoteur sans se poser de questions, Laurent éprouvait quelques difficultés à changer de technique et attrapait des sueurs froides au décollage, à l'atterrissage ou, pire encore, en vol stationnaire.

Ils burent quelques gorgées de bière en échangeant les plaisanteries d'usage puis allèrent s'installer à une table. Traîner à l'aéroclub parmi des hommes qui ne parlaient que de plans de vol ou d'acrobaties aériennes était vraiment l'un des plaisirs du samedi.

— Est-ce que ton ex se plaît chez nous ? s'enquit Laurent.

— Pour ce que j'en sais, oui. Cela dit, je ne la croise pas souvent dans l'hôpital, et elle est très occupée par sa maison.

— Près d'Albi, c'est ça ?

— Au-dessus de Gaillac, entre Labastide et Castelnau-de-Lévis. Une belle propriété de famille qu'elle a rachetée à son père sur un coup de tête. Elle voulait revenir par ici, je crois qu'elle n'aime pas la région parisienne.

— À l'époque où vous étiez mariés non plus ?

— Non plus.

Sur le point d'ajouter quelque chose, Sam choisit de se taire. Les questions de Laurent ne le gênaient pas mais il s'aperçut qu'il n'avait pas vraiment envie de parler de Pascale avec un autre homme. Surtout un homme célibataire et charmant. Laurent venait d'avoir trente-huit ans, il avait un beau regard bleu acier, un sourire d'une irrésistible gentillesse et, pour un haut fonctionnaire, il était bourré d'humour. Bref, il plaisait beaucoup aux femmes.

— Tu l'aimes encore ? interrogea Laurent.

Il était en train de dévisager Sam, probablement surpris par son brusque silence.

— L'expression est très exagérée, disons que je me sens toujours un peu… concerné. Bien entendu, c'est idiot, elle a tourné la page depuis longtemps.

— Pas toi ? Je croyais qu'avec Marianne…

— Si, si, affirma Sam sans aucune conviction. Marianne est une fille adorable.

Ne trouvant rien à ajouter pour la définir, il se réfugia dans un nouveau silence qui finit par arracher un sourire à Laurent.

— Je vois !

Son ironie agaça Samuel, comme chaque fois qu'il était question de Pascale ces temps-ci. La savoir si proche le rendait nerveux, et Marianne ne se privait pas de le lui faire remarquer. Qu'il l'aime encore ne faisait, au fond, pas le moindre doute, et peut-être l'aimerait-il toujours, tel un paradis perdu ? En tout cas, il l'admettait à peine et ne voulait pas qu'on l'oblige à le reconnaître. D'ailleurs, il perdait son temps, et tant qu'il penserait à Pascale il ne parviendrait pas à s'attacher à une autre femme, ce qui était ridicule, nocif, malsain.

— Sam ?

Laurent continuait de le scruter avec curiosité et Samuel fit l'effort de sourire.

— Ne prends pas cet air apitoyé, tu veux ? Sinon, pour ta prochaine leçon, je te sors le grand jeu jusqu'à ce que tu ne saches même plus comment tu t'appelles !

— Oh, c'est pourtant facile de s'en souvenir, ça s'écrit comme ça se prononce : « monsieur le directeur ».

Sam se mit à rire et, après avoir haussé ostensiblement les épaules, il alla chercher deux autres bières.

Pascale se laissa tomber sur un gros pouf de cuir marocain, ce qui souleva un nuage de poussière. Debout devant elle, les mains sur les hanches, Aurore protesta.

— Ne me dis pas que tu es fatiguée !

— Morte... Tu veux vraiment garder cette horreur ?

— J'aime bien l'exotisme et, de ce point de vue, ton grenier est une véritable caverne d'Ali Baba. Avec un coup de cirage, ce pouf sera magnifique !

Elles avaient passé toute la journée à charrier des meubles auxquels elles essayaient de trouver la meilleure place.

— C'est tellement gentil à toi de m'avoir accueillie ici, répéta Aurore pour la dixième fois au moins.

L'idée leur était venue ensemble, un soir où elles dînaient dans une pizzeria en se faisant des confidences.

Aurore n'arrivait pas à joindre les deux bouts et passait son temps à essayer de combler son découvert bancaire. Dépensière, fantaisiste, elle gérait si mal son budget que payer son loyer était devenu un vrai problème. Le deux-pièces qu'elle occupait dans la banlieue de Toulouse étant à la fois hors de prix et dénué de charme, elle avait donné son préavis avec soulagement. Pour l'héberger à Peyrolles, Pascale ne lui demandait qu'une participation forfaitaire aux frais de chauffage et d'électricité, mais Aurore avait décrété qu'elle mettrait aussi la main à la pâte pour tous les travaux de bricolage. Quand leurs horaires de travail concordaient, elles pouvaient également faire le trajet dans la même voiture au lieu de prendre chacune la sienne. Un arrangement simple, qui avait le mérite de rompre leur solitude de célibataires.

À Peyrolles, Aurore se sentait euphorique et débordait d'énergie. La maison la fascinait autant que le parc et elle s'y dépensait sans compter. Sa frivolité avait au moins un bon côté, elle trouvait toujours mille bonnes idées de décoration. Sans elle, Pascale se serait vite découragée car, à l'évidence, elle avait mésestimé l'ampleur de la tâche. Pour elle-même, elle avait choisi la chambre de ses parents, pour Aurore celle d'Adrien, et son ancienne chambre d'enfant, vaste et claire, était destinée à d'éventuels amis. Au rez-de-chaussée, hormis la cuisine, seul le jardin d'hiver avait été aménagé. Cette grande pièce rectangulaire, prolongée d'une large véranda, était l'endroit le plus agréable de la maison. Pascale et Aurore y discutaient parfois jusqu'à une heure avancée de la nuit en sirotant des infusions de plantes provenant du jardin : verveine, menthe ou tilleul. Elles projetaient de faire des confitures avec les pêches et les cerises, mais bien entendu elles n'en avaient jamais le temps.

— Ce soir, décréta Aurore, je te fais une gigantesque omelette avec tous les restes, façon tortilla.

— Alors, je vais acheter du pain.

Elles se levèrent à regret, aussi épuisées l'une que l'autre après tous les efforts qu'elles avaient fournis depuis le matin.

— Un samedi bien rempli, constata Pascale en jetant un regard circulaire.

La chambre d'Aurore était devenue vraiment gaie avec ses rideaux roses récupérés dans une malle, un paravent à claire-voie transformé en porte-photos géant, une commode de bois cérusé ornée de motifs peints au pochoir, et à présent le gros pouf marocain qui trônait entre les deux fenêtres. Amusée, Pascale hocha la tête en signe d'approbation. Pourquoi n'était-elle pas capable de la même fantaisie ? Ses goûts, plutôt classiques, la poussaient à un certain dépouillement, mais avait-elle jamais eu le temps de s'occuper d'une maison ? Pendant son mariage, Sam et elle étaient trop absorbés par leur travail pour se soucier de la décoration de leur appartement. De toute façon, ils rêvaient de déménager, ce qu'ils auraient fait si Pascale était tombée enceinte…

Elle dévala l'escalier, attrapa son sac qui traînait sur une des consoles du hall et sortit. Au village voisin, il n'existait que trois commerces : une boulangerie, un bar-tabac vendant quelques journaux et une boucherie. Pascale s'y était déjà rendue plusieurs fois, sans parvenir à lier conversation. Soit les gens la prenaient pour une touriste en vacances, soit ils n'aimaient pas l'accent parisien, en tout cas personne ne l'avait accueillie avec gentillesse. Elle décida qu'elle devait faire un effort supplémentaire, peut-être expliquer qui elle était ou au moins préciser qu'elle habitait là et serait une cliente régulière.

Lorsqu'elle entra dans la boulangerie, sourire aux lèvres, elle surprit le regard hostile de la femme entre deux âges qui se tenait derrière la caisse.

— Bonsoir, madame, je voudrais une baguette et un pain de campagne, annonça-t-elle le plus aimablement possible.

— Tranché, le pain ?

Le ton n'était pas agréable, l'expression du visage non plus.

— Oui, s'il vous plaît. Je le trouve formidable au petit déjeuner !

Sans répondre au compliment, la femme introduisit le pain dans la machine, les yeux rivés sur les lames.

— Je viens de m'installer à deux kilomètres de chez vous, enchaîna Pascale. Ou plutôt de me réinstaller parce que j'ai passé toute mon enfance ici !

— Vous êtes une Fontanel, c'est ça ? lâcha enfin la boulangère, de mauvaise grâce.

— Oui ! Et je reprends la maison de famille.

— Drôle d'idée.

Déçue par sa réaction, Pascale lui tendit un billet de cinq euros.

— Vos parents ne faisaient pas leurs courses au village, bougonna la femme en lui rendant sa monnaie. Mais j'ai bien dû vous apercevoir une fois ou deux, quand vous étiez petite…

— Eh bien, dorénavant, vous allez me voir beaucoup plus souvent !

Après un nouveau sourire, encore plus appuyé que le premier, Pascale se détourna et sortit. Étrange accueil pour une commerçante qui ne semblait pas débordée par la clientèle. Il aurait été plus logique qu'elle se montre affable, ou au moins intriguée.

Pascale traversa la rue et poussa la porte du bar-tabac,

où elle comptait acheter quelques magazines féminins. Aurore adorait les feuilleter, le dimanche matin, toujours à l'affût des dernières tendances de la mode, d'idées nouvelles pour la décoration, de recettes de cuisine qu'elle réalisait – plus ou moins bien – le jour même.

— On lit ça quand on est médecin ? railla le buraliste en la toisant derrière son comptoir.

— Le week-end est fait pour se détendre ! répliqua Pascale avec bonne humeur.

Enfin quelqu'un qui n'avait pas l'air de la prendre pour une parfaite étrangère.

— J'habite à côté du village, précisa-t-elle pour entretenir ce début de conversation.

— Je sais, je sais… Tout se sait tellement vite ! Votre jardinier a répandu la nouvelle depuis un mois.

— Lucien Lestrade n'est pas mon jardinier. Il s'est mis en tête de me donner un coup de main mais il le fait gracieusement, je n'emploie personne pour le moment.

— Vous ne lui ferez pas quitter Peyrolles de sitôt ! ricana le bonhomme.

Il était à peine plus âgé que Pascale et n'avait sûrement pas connu sa famille, à l'époque, ce qui semblait le rendre plus loquace que la boulangère.

— Lucien en parle toujours beaucoup. De votre jardin, je veux dire. D'après lui, c'est extraordinaire, Peyrolles par-ci, Peyrolles par-là… Il a du travail ailleurs, pourtant c'est chez vous qu'il aime traîner.

— La propriété n'est plus ce qu'elle était, répondit prudemment Pascale, qui commençait à le trouver trop familier. J'essaierai de bien m'en occuper, seulement je travaille à Toulouse alors je n'ai pas le temps de…

— Pourquoi si loin ? Votre père exerçait à Albi, non ?

— Vous êtes décidément au courant de tout ! s'exclama-t-elle en se forçant à rire.

— Les gens bavardent devant leurs verres, répondit-il avec un geste en direction des bouteilles alignées au-dessus du bar, la tête en bas. J'ai repris ce bistrot il y a dix ans et, depuis, j'ai entendu toutes sortes de choses.

Pascale rangea son porte-monnaie et récupéra ses journaux, puis se dirigea vers la porte. Au moment où elle l'ouvrait, le type lança :

— Le nom de Fontanel est diversement apprécié par ici !

Avec une lenteur calculée, elle se retourna pour lui faire face.

— Je ne comprends pas, articula-t-elle.

— À mon avis, votre père n'a pas laissé un très bon souvenir dans le coin…

Stupéfaite, elle hésitait à partir. Cet homme pouvait raconter n'importe quoi pour la faire marcher mais, d'instinct, elle fut certaine qu'il disait la vérité. Effectivement, il devait surprendre beaucoup de commérages derrière son comptoir, et grâce à Lucien Lestrade le retour de Pascale à Peyrolles n'était pas passé inaperçu.

— Mon père est un excellent médecin, déclara-t-elle d'un ton ferme.

— Oh, ça n'a rien à voir ! C'est plutôt des histoires de femmes. Celle qui est morte brûlée vive, et puis la Chinoise qui…

Il s'interrompit net et se frappa le front.

— Que je suis con ! Pardon. Je répète à tort et à travers, je suis pire que le dernier des bavards ! Tiens, est-ce que vous fumez ?

Penaud, il lui tendait une grosse boîte d'allumettes

décorée, comme s'il espérait racheter sa maladresse avec ce présent dérisoire.

— Non, je ne fume pas, merci.

— Vous vous en servirez pour allumer la cuisinière ou le feu de cheminée.

Contournant le comptoir, il vint lui déposer la boîte dans la main.

— Il ne faut pas m'en vouloir… C'est vrai que vous avez quelque chose d'asiatique, j'aurais dû m'en apercevoir.

Ne sachant que faire, elle prit la boîte d'allumettes et sortit sans ajouter un mot. « La Chinoise »… Les gens du village avaient-ils appelé sa mère ainsi ? Par dépit, parce qu'elle faisait ses courses à Albi ? Parce qu'elle était métisse ?

Contrariée, Pascale rentra à Peyrolles en ruminant les paroles du buraliste. D'abord, comment l'avait-il reconnue ? Était-elle devenue l'unique sujet de conversation de ce trou perdu ? Dans ce cas, elle n'y mettrait plus les pieds, elle aussi ferait ses courses à Albi, exactement comme sa mère. Quant à ces vieilles « histoires de femmes », son père n'était pas Barbe-Bleue ! Néanmoins, c'était la deuxième fois qu'on lui affirmait que les Fontanel n'avaient pas laissé un bon souvenir. Le chauffeur de taxi qui l'avait conduite à Peyrolles le lendemain de l'enterrement de sa mère, et maintenant le type du bar-tabac…

Elle trouva Aurore qui l'attendait, plantée au milieu de la cuisine, une bouteille de gaillac à la main.

— J'ai eu le temps de préparer une crème caramel dont tu me diras des nouvelles ! Mais d'abord on va trinquer, ouvre ça, c'est un cadeau d'un patient…

Sa bonne humeur était assez réconfortante pour que Pascale oublie les idioties entendues au village. Sur la table, deux hauts chandeliers de cuivre avaient été garnis de bougies blanches.

— Ce sont ceux du grenier ? s'étonna Pascale.

— J'ai réussi à les ravoir avec du vinaigre et du sel. Pas mal, non ? Ils seront superbes dans le jardin d'hiver, dès qu'on aura descendu la console et qu'on l'aura repeinte ! On fera des motifs au pochoir…

— Demain, protesta Pascale, c'est dimanche, je dors toute la matinée !

— Ne t'inquiète pas, l'après-midi devrait suffire.

Tâtant la baguette entre le pouce et l'index, Aurore prit l'air gourmand.

— J'adore ce pain, on a du bol d'avoir une bonne boulangerie à proximité !

— Bonne, peut-être, mais la patronne est aimable comme une porte de prison. Entre elle et le type du tabac, je n'ai pas eu l'impression d'être bien accueillie. C'est étrange, le nom de Fontanel semble associé à quelque chose de désagréable, or je croyais au contraire que le souvenir laissé par mon père et mon grand-père serait une sorte de sésame.

— Pourquoi ?

— Parce qu'ils sont originaires d'ici. Implantés depuis plusieurs générations, médecins de père en fils… Peyrolles est dans la famille depuis presque deux cents ans, tu te rends compte ?

— Et alors ? Vous faites partie des nantis, rarement regardés d'un œil attendri !

— À les entendre, poursuivit Pascale, mon père aurait eu des tas de femmes, mais c'était juste un jeune veuf qui voulait se remarier, ce qu'il a fait, ni plus ni moins.

— Sauf que vous êtes partis un beau jour, sans

aucune explication, et c'est le genre de départ précipité qui alimente les conversations.

— Peut-être…

Peu convaincue, Pascale sortit la grosse boîte d'allumettes de son sac et entreprit d'allumer les bougies. Les soirées étaient plus courtes, plus fraîches, l'arrière-saison s'achevait, ainsi qu'en attestaient les feuilles mortes qui commençaient à joncher les allées du parc.

— Tout de même, appeler ma mère « la Chinoise » !

— Elle était vietnamienne, non ?

— À moitié. Son père était français. Il l'avait ramenée de Hanoi âgée de quelques mois à peine. Elle a été élevée à Toulouse, elle avait même l'accent ! Bon, elle était un peu sauvage, peut-être… Ni bavarde ni démonstrative comme les gens d'ici. Mais d'après papa, elle n'avait pas été très heureuse dans sa famille, ce qui expliquait sa nature réservée.

— Elle ne t'en parlait pas ?

— De sa famille ? Non, jamais. Elle avait coupé les ponts, elle n'y faisait même pas allusion. On aurait dit que ses souvenirs commençaient à sa rencontre avec papa…

Pourtant, dans les dernières années de sa vie, sa mère avait changé d'attitude. Elle ne regardait plus son mari avec la même tendresse reconnaissante, elle s'était mise à se méfier de tout le monde.

— Au bout du compte, constata Pascale, je ne sais pas grand-chose d'elle, de son enfance ou de sa vie de jeune fille.

— Oh, ne te plains pas, moi je connais le moindre détail de la jeunesse de ma mère ! Elle m'en a copieusement rebattu les oreilles, à croire qu'elle était une sainte…

Aurore paraissait s'amuser et Pascale finit par

sourire. À quoi bon revenir sur le passé ? Le chagrin d'avoir perdu sa mère commençait tout juste à s'estomper et elle ne voulait pas y penser pour l'instant. Elle observa Aurore qui, d'une main ferme, battait des œufs dans un saladier. La nuit tombait déjà mais la lumière des bougies apportait une note de gaieté à l'atmosphère de la cuisine.

— Ta maison est un endroit idyllique, conclut Aurore. C'est peut-être pour ça que les gens en sont jaloux ? N'écoute pas les ragots, tu as mieux à faire.

Décidément, sa compagnie avait du bon. Impossible de rester triste longtemps à côté d'elle, sa joie de vivre était communicative. Néanmoins, Pascale se promit de poser quelques questions à son père la prochaine fois qu'elle lui téléphonerait.

Nadine chancela sous le choc et lâcha un juron retentissant. Confus, Laurent Villeneuve tendit la main vers elle comme s'il redoutait de la voir s'écrouler.

— Je suis navré, nous allions trop vite, l'un et l'autre…

Ils s'étaient percutés au détour d'un couloir, trop pressés de vaquer à leurs activités.

— Je file voir un de mes malades en chirurgie, précisa-t-elle.

Craignait-elle qu'il se demande pourquoi elle quittait précipitamment son étage ? L'idée faillit le faire sourire, toutefois il s'en abstint, connaissant son caractère. D'ailleurs, Nadine Clément pouvait bien se rendre où elle voulait, il s'en moquait éperdument. Elle était l'un des meilleurs patrons de l'hôpital et la seule chose qui pouvait l'inquiéter, la concernant, était son âge. À soixante-quatre ans, elle semblait souvent épuisée, avec plutôt moins de souffle que la plupart de ses patients.

Il s'effaça pour la laisser continuer sa route et la suivit des yeux tandis qu'elle s'éloignait en hâte. Une femme brillante, mais qui prenait peu soin d'elle-même. Trop grosse parce qu'elle se nourrissait n'importe comment, jamais bien coiffée car elle se coupait les cheveux elle-même sans prendre la peine de les teindre, et vêtue avec ce qui devait lui tomber sous la main. Rien d'étonnant à ce qu'elle soit si agressive avec les jolies femmes de son service ! En particulier avec Pascale Fontanel, contre laquelle elle se déchaînait au moins une fois par semaine, à coups de notes rageuses qui s'empilaient sur le bureau de Laurent ou d'engueulades dont il finissait toujours par avoir les échos.

Arrêté au milieu du couloir, il se demanda ce qu'il était venu faire en pneumo. Apaiser les esprits ? Ce n'était pas son rôle, il pouvait se contenter de diriger le CHU de Purpan du fond de son bureau, il s'agissait avant tout d'un travail administratif et, pour les relations humaines, il disposait de collaborateurs. Non, la vraie raison de sa petite promenade dans ce service était l'envie pure et simple d'échanger quelques mots avec Pascale Fontanel, qu'il apercevait trop rarement à son goût. Il l'avait croisée une fois dans l'un des halls, remarquant de nouveau à quel point elle était jolie, puis la semaine suivante il l'avait vue passer devant ses fenêtres, décidément séduit par sa silhouette, et enfin il l'avait rencontrée sur le parking des médecins. Elle était en train de se battre avec la commande à distance de sa portière, l'alarme de sa Clio s'était déclenchée, alors il lui avait montré comment la neutraliser. En la regardant de près, deux choses l'avaient frappé : la finesse de son grain de peau et l'éclat de son sourire. Les jours suivants, il s'était surpris à y repenser.

Deux infirmières le croisèrent avec un petit signe de tête, et il prit conscience qu'il devait avoir l'air bizarre, planté là. De toute façon, il ne mélangeait jamais le travail et le plaisir, pas question de draguer qui que ce soit dans cet hôpital. Sans compter que son copain Samuel Hoffmann ne verrait pas forcément d'un bon œil une tentative de séduction envers son ex-femme. Dont il n'était pas détaché, à l'évidence. Pauvre Sam…

— Bonjour, monsieur Villeneuve !

Cloué sur place, Laurent rendit machinalement son salut à Pascale. Elle sortait d'une salle d'examen, son stéthoscope autour du cou, sa blouse blanche ouverte sur un pull bleu ciel.

— Quand viendrez-vous nous rejoindre à l'aéroclub, Dr Fontanel ?

— Quand mon emploi du temps et mes moyens me le permettront, ce qui risque de prendre un bon moment !

Son sourire était décidément éblouissant, il ne résista pas à l'envie de continuer à lui parler.

— Vous vous êtes habituée au service ?

— Sans problème… Le Pr Clément n'est pas toujours commode, mais elle fait un travail extraordinaire.

Il n'y avait pas trace d'amertume ni d'ironie dans son propos, ce qu'il apprécia.

— À propos de Nadine Clément, elle vous juge un peu prodigue dans vos demandes d'examens. Par exemple un certain nombre de scanners inutiles, d'après la note qu'elle m'a adressée.

— Inutiles ? Je les prescris si j'ai un doute, c'est normal. Elle m'en a déjà parlé et je croyais m'être justifiée.

— L'Assistance publique cherche à faire des économies, vous savez bien, plaida-t-il.

— Pas sur le dos des patients !

Son sourire avait disparu, elle le toisait, sourcils froncés, prête à défendre son point de vue. Il cherchait une réponse appropriée lorsqu'il aperçut Nadine Clément qui revenait.

— Eh bien, justement..., marmonna-t-il pour avertir Pascale.

— J'espère que vous nous ramenez le Dr Fontanel à la raison ! lança Nadine en s'arrêtant à côté d'eux. Avec elle, les dossiers des malades épaississent comme des annuaires.

Piquée au vif, Pascale se redressa et fit front.

— Je n'ai rien demandé de superflu, je pense savoir poser un diagnostic quand c'est possible. Si vous faites référence au consultant de ce matin, l'auscultation n'était pas significative et les radios ne révélaient pas grand-chose. Mais c'est un homme de soixante-cinq ans, gros fumeur depuis son adolescence, qui se plaint d'essoufflement et...

— Tiens donc ! ponctua Nadine en levant les yeux au ciel.

Sans relever l'interruption, Pascale poursuivit :

— J'ai ordonné une batterie complète d'examens, c'est vrai, pour voir à quel point l'emphysème a déjà atteint les poumons et de quelle façon nous pourrions le soulager.

— Pourquoi ne pas lui conseiller d'arrêter son tabagisme ? railla Nadine.

— Parce qu'il n'y est pas décidé, tout simplement. Je veux savoir s'il existe une lésion, si...

— Bon sang, vous vous comportez comme une débutante ! Il y a une consultation spéciale pour les fumeurs, et ceux qui tiennent à creuser leur tombe eux-mêmes avec leurs clopes sont la plaie de mon service ! En attendant, vous n'êtes pas une externe, prenez vos responsabilités sans vous réfugier systématiquement derrière des résultats avant de risquer la moindre initiative !

Elles avaient haussé le ton l'une comme l'autre et Laurent intervint.

— Je sais que la cigarette est votre bête noire, Nadine, pourtant…

— Vous verriez les horreurs que je traite ici à longueur d'année, vous seriez de mon avis. Quoi qu'il en soit, notre conversation ne porte pas sur les méfaits du tabac mais sur les prescriptions exorbitantes du Dr Fontanel. Quand vous n'êtes pas sûre de vous, ma petite, envoyez-moi le patient. J'ai beau avoir du travail par-dessus la tête, je trouverai bien cinq minutes pour réparer vos sottises !

Elle ponctua sa dernière phrase d'un petit ricanement amer avant de les planter là. Pascale avait pâli de rage, toutefois elle ne s'autorisa aucun commentaire. Se bornant à un signe de tête un peu raide à l'intention de Laurent, elle s'éloigna vers le bureau des infirmières. Se faire remettre en place de cette manière devait être d'autant plus désagréable qu'elle n'avait rien à se reprocher. La nouvelle génération de médecins utilisait volontiers les scanners et autres moyens d'investigation, alors que les vieux patrons se fiaient à leur expérience. Éternelle confrontation des Anciens et des Modernes.

Il se décida à bouger, soudain pressé de regagner son bureau. Diriger un centre hospitalier comme Purpan n'était pas une sinécure. Lui aussi croulait sous le travail, Nadine Clément n'était pas la seule à se sentir débordée.

Dans l'ascenseur qui le ramenait au rez-de-chaussée, il se prit à espérer que le conflit entre les deux femmes ne s'envenimerait pas. L'hostilité manifeste de Nadine semblait excessive, même en tenant compte de son fichu caractère. Dès qu'il avait été question d'engager Pascale, elle l'avait prise en horreur. Pourquoi ? Parce qu'elle était jeune, jolie, et venait d'un grand hôpital parisien ? Non, il devait y avoir une autre raison. Rien qu'à la façon dont Nadine articulait « Dr Fontanel », avec fureur et mépris, on devinait une sorte de haine. Si c'était le cas, la situation ne pourrait que se dégrader. Agacé par cette perspective, Laurent traversa le hall au pas de charge. Il n'entrait pas dans ses attributions de protéger Pascale, il fallait absolument qu'il cesse d'y songer.

— Eh bien, non, je ne suis pas d'accord ! explosa Marianne. Je ne veux pas passer mes vacances toute seule, j'ai attendu jusqu'en octobre pour pouvoir partir avec toi et maintenant tu m'annonces que tu ne viens pas ?

— Le planning du bloc est dément, soupira Samuel, impossible de dégager deux semaines de suite.

— Il faut bien que tu te reposes, non ?

— Je me contenterai de récupérer une journée de temps en temps en attendant le mois de février, et là je t'emmènerai skier, promis.

— Sam, j'ai encore dix-huit jours à prendre cette année… On avait arrêté les dates, c'était prévu…

Elle le regardait avec rancune et il se sentit coupable. En insistant un peu, il aurait pu s'arranger avec ses confrères, mais au fond il n'avait pas très envie d'accompagner Marianne en Tunisie. L'idée de ce voyage venait d'elle ; en ce qui le concernait il préférait, et de loin, consacrer son temps libre à voler.

— Je suis très déçue ! lâcha-t-elle d'une voix vibrante de colère.

— Vas-y sans moi, Marianne. Tu seras bronzée et en pleine forme à ton retour.

À sa manière de pincer les lèvres, il comprit qu'elle se retenait de lui dire des choses désagréables.

— Je suis désolé, soupira-t-il en baissant la tête.

Pourquoi n'était-il pas capable de la rendre heureuse ? La tendresse et le désir qu'elle lui inspirait ne suffisaient pas à masquer la vérité : il n'était pas amoureux d'elle. Et se retrouver pendant quinze jours en tête à tête avec elle dans une chambre d'hôtel ou sur une plage l'ennuyait d'avance.

— Sam ? Rassure-toi, je vais partir. Tu ne tiens pas à ce que je reste, n'est-ce pas ?

— Tu as besoin d'un break et…

— Et toi d'être un peu seul, c'est ça ?

Il releva les yeux, surpris par la froideur de sa voix.

— Je prendrai mon avion dimanche, pas de problème, mais si tu n'y vois pas d'inconvénient, je t'accompagnerai à la petite fête prévue par ton ex samedi soir.

L'invitation de Pascale à sa pendaison de crémaillère s'adressait à eux deux, et apparemment Marianne n'avait pas l'intention de s'exclure. Elle ne se cachait pas de considérer Pascale comme une rivale malgré toutes les protestations de Sam.

— La semaine prochaine, tu seras bien tranquille, tu pourras t'abrutir dans ton hélico, traîner au club jusqu'à pas d'heure, me chercher une remplaçante, pleurnicher sur ton divorce, tout ce que tu voudras !

Stupéfait, il la dévisagea un moment en silence. La

plupart du temps elle était douce, presque mièvre, et voilà qu'elle se transformait en femme de caractère ?

— J'en ai assez, Samuel, dit-elle en s'approchant de lui. Je m'use en pure perte à t'aimer et je n'obtiens rien de toi en retour. Pas de mots tendres, pas de vrais regards, pas de projets. Ce voyage avait beaucoup d'importance pour moi, seulement tu t'en fous…

C'était l'occasion ou jamais de lui répondre avec franchise. Comme la plupart des hommes, il redoutait les scènes et détestait les ruptures. D'ailleurs, il ne souhaitait pas vraiment la quitter.

— Je ne me moque pas de toi, murmura-t-il. Je ne t'ai pas raconté d'histoires, je n'ai pas cherché à enjoliver les choses. Les mots que tu souhaiterais entendre seraient des mensonges.

— Alors pourquoi m'appelles-tu ? Pourquoi m'invites-tu à dîner, à dormir dans ton lit ?

Il s'abstint de faire remarquer que, en général, c'était elle qui lui téléphonait, elle qui proposait une soirée ou, carrément, débarquait chez lui à l'improviste.

— Je suis content quand je te vois, mais je n'ai pas envie de vivre avec toi. Tu n'es pas en cause, Marianne, je tiens à mon indépendance et je me sens incapable de partager mon existence pour l'instant, c'est tout. Si cette situation t'est insupportable, mieux vaut nous séparer.

Que pouvait-il dire d'autre ? Il ne lui donnerait jamais ce qu'elle espérait, il en avait désormais la certitude. Depuis un an qu'il la connaissait, qu'il la tenait dans ses bras, il n'envisageait rien d'autre que cette liaison épisodique, agréable, presque *confortable*… Dès que le mot se forma dans son esprit, il s'obligea à réagir.

— Je ne suis pas remis de mon divorce, tu as sûrement raison. Je ne veux pas m'attacher, pas m'engager, et tu le savais. À ton âge, jolie comme tu l'es, tu as droit à une véritable histoire d'amour qui…

— Mais je t'aime ! hurla-t-elle. Toi, pas un autre ! Tout ce que tu me racontes, je m'en fous. J'aurai la patience de t'attendre parce que forcément un jour tu te réveilleras guéri de cette femme !

— Guéri ? répéta-t-il, interloqué.

— Tu penses encore à elle, ne prétends pas le contraire.

— Il m'arrive d'y penser, oui. C'est un échec que je ne me pardonne pas, pourtant ça ne m'empêche pas de dormir. Tu mélanges tout, Marianne.

À force de jalouser Pascale, elle la lui rappelait sans cesse, inconsciente de sa maladresse. Il cessa de la regarder et battit en retraite à l'autre bout de la chambre. Le spectacle du lit défait, des draps froissés, lui remit en mémoire le début de la scène. Étendue près de lui, Marianne fumait une cigarette en énumérant toutes les joies qui les attendaient en Tunisie, et plus elle parlait, plus l'idée de ce voyage accablait Samuel. Alors il avait eu le courage – ou la lâcheté ? – d'annoncer qu'il ne partirait pas.

— Quitte-moi, dit-il doucement.

— Non, pas ça !

Elle le rejoignit en trois enjambées, s'appuya contre son dos, lui passa les bras autour de la taille.

— Je ferai n'importe quoi pour te garder, Sam. Des choses que tu n'imagines même pas. Tu me prends pour une écervelée, tu as tort. Écoute, ne nous disputons pas aujourd'hui. Je vais partir seule, une petite pause nous fera du bien à tous les deux…

Les mots se bousculaient tandis qu'elle s'accrochait à lui.

— En quinze jours, peut-être t'apercevras-tu que je

te manque ? Tu as besoin de tendresse, besoin d'être consolé, mis en confiance, tu es comme tout le monde, mon amour, tu joues au bel indifférent mais tu adores que je m'occupe de toi.

Et si elle avait raison ? Après tout, oui, il aimait bien l'entendre rire ou bavarder, la voir bouger, et aussi lui faire l'amour. Il se croyait sans attaches, pourtant il lui arrivait de songer à elle avec un certain plaisir. N'était-ce que de l'égoïsme ?

— Je ne peux rien te promettre, soupira-t-il.

— Au moins, laisse-moi une chance.

À l'époque, il avait demandé la même chose à Pascale et, devant son refus, s'était senti tellement mal ! Pouvait-il infliger ce genre de souffrance à son tour ? Il se retourna, la prit dans ses bras.

Jamais à court d'idées, Aurore s'était débrouillée pour donner un air de fête à la maison, concentrant ses efforts sur le jardin d'hiver. Une multitude de bougies rouges, les derniers glaïeuls du jardin dans les grands vases de Camille retrouvés au grenier, des pommes de pin et des fougères en guise de décoration sur la console transformée en buffet. Tout l'après-midi, elle avait préparé des salades, des assiettes de viande froide ou de poisson fumé, des plateaux de fromage. De son côté, Pascale s'était chargée de confectionner des tartes aux fruits et, pendant qu'elles cuisaient, d'aller acheter du vin à Albi.

Sur la route du retour, elle s'aperçut qu'elle avait oublié de prendre du pain frais. Contrariée parce qu'elle était en retard, elle renonça à faire demi-tour. Même si elle n'avait aucune envie de remettre les pieds à la boulangerie du village, elle ferait une exception.

La femme entre deux âges l'accueillit aussi mal que la première fois, la contemplant avec une évidente hostilité.

— Trois baguettes et deux pains de campagne tranchés, s'il vous plaît ! lança Pascale sans se laisser impressionner.

Tout le temps que la boulangère mit à la servir, elle regarda ailleurs, un sourire poli figé sur les lèvres.

— Bonne soirée ! ricana la femme derrière elle tandis qu'elle sortait.

Sur le trottoir, elle faillit heurter Lucien Lestrade.

— Je suis content de vous rencontrer, parce qu'il faut que je vous parle des plantations. C'est déjà tard dans la saison mais j'ai acheté tous les bulbes, alors je vais venir lundi. Je passerai la journée chez vous, ça devrait suffire.

— Monsieur Lestrade…

Elle se souvint qu'il lui avait demandé de l'appeler par son prénom et se reprit.

— Lucien. Je vous ai déjà expliqué que je ne peux pas vous embaucher.

— Je le fais pour rien ! répliqua-t-il. Mais il faut s'y mettre, sinon il n'y aura pas de fleurs au printemps.

— Peu importe.

La réponse parut le scandaliser, il ouvrit de grands yeux et recula d'un pas.

— Comment ça, peu importe ? Vous vous rendez compte de ce que vous dites ? J'ai promis, moi ! Et je n'ai qu'une parole, je m'occuperai de ça jusqu'au bout. De nos jours, tout le monde se fout de tout, c'est à ne pas croire…

— Promis quoi ? À qui ?

Il l'enveloppa d'un regard indéchiffrable avant de hausser les épaules.

— Je serai là vers neuf heures, maugréa-t-il.

— Eh bien, pas moi, je travaille !

— Ne vous inquiétez pas, j'ai la clef de la petite porte.

Avec un geste vague vers sa casquette en manière de salut, il la contourna et pénétra dans la boulangerie. Durant deux ou trois secondes, elle resta immobile, hésitant à le suivre dans la boutique pour lui demander d'autres explications. Finalement elle y renonça. Elle essaierait de rentrer tôt, lundi, afin d'avoir une conversation sensée avec lui. Elle ne voulait pas qu'il conserve une clef du parc, ni qu'il traîne chez elle en son absence. Les fleurs étaient le dernier de ses soucis, de quel droit cet homme lui en imposerait-il ? Jamais elle n'aurait la patience de sa mère pour désherber, arroser, traiter… Et qui allait payer ces bulbes ?

Elle reprit la route de Peyrolles, remâchant sa contrariété. Elle avait établi toute une liste de travaux urgents, où le jardin n'avait aucune place. À côté de la serre, sous l'abri, elle avait vu une tondeuse, un petit tracteur, une débroussailleuse et une tronçonneuse. Ce matériel appartenait à la propriété, son père avait dû le renouveler au fil du temps pour permettre l'entretien du parc. Lestrade et les locataires s'en étaient servis, elle pouvait apprendre à le faire.

En arrivant devant les grilles grandes ouvertes, elle découvrit les torches installées par Aurore au coin de la pelouse. Leurs flammes trouaient le crépuscule, donnant un mystérieux air de fête à Peyrolles. Près du perron, une voiture inconnue était déjà garée, mais la maison semblait déserte. Pascale se dépêcha d'aller déposer le pain à la cuisine, espérant avoir le temps de se changer avant l'arrivée des autres invités.

Alors qu'elle grimpait l'escalier quatre à quatre, une exclamation lui fit lever la tête.

— Ma petite fille !

Elle se jeta dans les bras de son père, heureuse comme une gamine de le trouver là, sur le palier, si semblable à l'image d'enfance qu'elle gardait de lui, lorsque toute la famille était heureuse à Peyrolles.

— Tu as pu venir, c'est merveilleux ! Et Adrien ?

— Il est avec ton amie Aurore, dans son ancienne chambre. Où nous as-tu logés ?

— Dans la mienne. Enfin, la mienne à l'époque, que je réserve aux amis, mais si tu préfères je te rends la tienne, je…

Henry se mit à rire, apparemment égayé par la situation.

— Ce sera parfait, ma chérie. Tu es chez toi, maintenant, c'est toi qui nous reçois.

— Vous restez un peu ?

— Jusqu'à demain soir. Nous avons loué une voiture à l'aéroport, c'était le moyen le plus rapide parce que j'ai peu de temps, mais j'avais tellement envie de te voir !

Il la considérait avec une tendresse qui la fit fondre et elle se laissa aller, la tête contre son épaule.

— Tu m'as manqué, papa. Tu vas bien ?

Sans doute avait-il fait un effort pour franchir la porte de cette maison si pleine de souvenirs, et elle lui en était reconnaissante.

— Ni bien ni mal. Ta mère a laissé un vide que je n'arriverai jamais à combler, alors je n'essaie même pas. La clinique m'absorbe entièrement.

Elle ne voulait pas imaginer ce qu'était sa vie, à Saint-Germain, dans l'appartement vide.

— Qui as-tu invité pour ta pendaison de crémaillère ?

— Sam et sa fiancée, des collègues de Purpan…

— Samuel est fiancé ? s'étonna-t-il.

— Pas encore, mais j'espère qu'il va se décider !

De l'index, il lui releva le menton pour la regarder dans les yeux.

— Tu l'espères vraiment ?

Un peu embarrassée, elle chercha la réponse la plus honnête.

— Il finira par refaire sa vie et cette fille-là me paraît bien. Je veux pouvoir rester son amie sans équivoque, tu comprends ?

Un sourire indulgent illumina le visage de Henry.

— Ce qu'on peut se raconter comme histoires… en toute bonne foi ! Allez, va vite te changer, tu ne comptes pas recevoir en jean, je suppose ?

Soulagée d'échapper à ses questions, elle fila vers la salle de bains. En deux minutes, elle réussit à ramener ses cheveux en chignon, à se maquiller légèrement et à se parfumer. Puis elle gagna le dressing où elle enfila une robe de soie noire, fendue sur le côté, et des escarpins à hauts talons. Un coup d'œil dans la glace la laissa dubitative. Elle se trouvait trop habillée mais n'avait plus le temps de dénicher une autre tenue.

Lorsqu'elle gagna le rez-de-chaussée, elle constata qu'Aurore avait déjà accueilli deux médecins qui travaillaient dans le service de pneumo et une de ses amies, infirmière, qu'elle était en train de présenter à Adrien. Pascale embrassa son frère puis entraîna tout le monde dans le jardin d'hiver. Elle servit de la sangria à ceux qui en voulaient et déboucha une bouteille de chablis à l'intention de son père. Ainsi qu'il le lui avait fait remarquer, elle était chez elle à présent, néanmoins le rôle de maîtresse de maison lui semblait un peu incongru.

— Ils sont loin, tes goûters de petite fille ! lança Adrien en levant son verre. Plus d'orangeade, plus de roulés à la confiture…

Il but sa sangria d'un trait, fit claquer sa langue.

— Pas mauvaise du tout. Je me ressers, si tu permets. Alors, où en es-tu ? J'ai vu que tu avais retrouvé des tas de vieilleries dont tu aurais mieux fait de te débarrasser. Pourquoi ne t'arranges-tu pas une nouvelle déco ?

— Faute de moyens. Et puis, ça ne me gêne pas, je n'ai descendu du grenier que des choses que j'aime.

— Tu ne devrais pas t'accrocher au passé, ma puce. Déjà habiter ici, ce doit être lourd…

— Lourd ? Non. C'est plutôt formidable. Je ne renie rien.

Du coin de l'œil, elle vit arriver Laurent Villeneuve. Il se dirigea droit vers elle et lui tendit la main, un peu embarrassé par les deux bouteilles de champagne qu'il portait.

— Vous êtes magnifique ! s'exclama-t-il. Et la maison paraît à la hauteur.

En lançant ses invitations, elle avait précisé qu'elle pendait la crémaillère et que ce serait une soirée décontractée. Laurent portait un jean, une chemise blanche sans cravate et un blouson de cuir. Pourquoi avait-elle mis une robe aussi habillée ?

— Monsieur Villeneuve ? Quel plaisir de vous retrouver, nous nous sommes rencontrés lors d'un congrès à Madrid, il y a deux ans.

Laurent se tourna vers Henry, qui venait de les rejoindre.

— Dr Fontanel, bien sûr… Ravi de vous revoir.

Profitant de la présence de son père, Pascale traversa

le jardin d'hiver pour aller accueillir Samuel et Marianne.

— Tu es irrésistible, lui glissa Sam en l'embrassant.

Un peu crispée, Marianne regardait autour d'elle.

— Vous avez une belle maison, fit-elle platement.

Elle avait apporté en cadeau un coffret d'encens, probablement une idée de Sam, qui avait souvent vu Pascale allumer des bâtonnets de santal pour parfumer leur appartement.

Aurore s'arrêta à côté d'eux, chargée d'un plateau d'allumettes au fromage.

— Qui veut tester ? C'est de ma fabrication !

Derrière elle, Adrien faisait passer un bol de petites saucisses fumantes. Pascale lui présenta Marianne puis les abandonna afin de saluer de nouveaux arrivants. Grâce à Aurore, la soirée commençait à s'animer, le ton des conversations montait, des rires fusaient déjà. Les grandes portes vitrées qui séparaient le jardin d'hiver de la véranda étaient ouvertes, offrant ainsi un vaste espace de réception. Pascale alla s'assurer que les radiateurs électriques étaient branchés car elle venait de frissonner dans sa robe légère.

— Besoin d'aide ? s'enquit Laurent.

— Je crois que tout ira bien, merci. Mais si vous avez du feu sur vous, il faudrait allumer les bougies…

Il fouilla ses poches, en sortit un briquet.

— Je comprends que vous ayez craqué pour cet endroit, c'est magnifique.

— Mon père n'était pas d'accord, mon frère non plus. Heureusement, je suis têtue ! À vrai dire, j'aurais été désespérée de savoir Peyrolles vendu à d'autres.

— Vous avez racheté vos souvenirs d'enfance, c'est ça ?

— En quelque sorte. Mais je fais aussi un pari sur l'avenir !

À travers les carreaux de la véranda, elle vit que les torches brûlaient toujours à l'autre bout du parc, et elle se rappela les feux d'artifice qu'Adrien tirait les soirs de 14 juillet. Il les préparait en grand secret avec leur père et, une fois la nuit tombée, il courait d'un endroit à l'autre pour allumer les mèches tandis qu'elle poussait des cris de joie en battant des mains, debout sur le perron. Elle se promit d'y repenser, l'été prochain, et d'en organiser à son tour.

Lorsqu'elle se retourna, elle constata que Laurent l'observait d'un air amusé. Son sourire s'accentua et, soudain, elle le trouva très séduisant.

— Vous n'avez pas invité le Pr Clément ? plaisanta-t-il.

— Si je l'avais fait, personne n'aurait voulu venir ! Elle est franchement odieuse. Tenez, le cas dont je parlais devant vous, l'autre jour, à propos de ce vieux monsieur tabagique, eh bien, le scanner a montré une lésion que rien n'avait décelé jusque-là. Je ne prescris pas par ignorance, ces sous-entendus sont…

— Inutile de vous justifier, dit-il doucement. Vous devriez oublier un peu l'hôpital.

Il ne souriait plus, pourtant son regard restait chaleureux. Durant deux ou trois secondes, Pascale le contempla en silence, puis elle prit brusquement conscience de ce que son attitude pouvait avoir d'équivoque.

— Allons boire quelque chose, bredouilla-t-elle.

Bon, elle était célibataire, elle avait le droit de montrer à un homme qu'il lui plaisait, mais, en tant que directeur du CHU, Laurent Villeneuve se retrouvait hors jeu. Le draguer serait la dernière des bêtises à faire.

— Pascale ?

Elle sentit qu'il posait la main sur son épaule, l'arrêtant dans son élan. Jusqu'ici, il n'avait pas utilisé son prénom. La manière dont il venait de le prononcer était absolument délicieuse.

— Si je vous ai contrariée, excusez-moi.

Le contact des doigts sur sa peau nue la fit tressaillir et il la lâcha tout de suite, aussi gêné qu'elle. Seigneur, avait-elle vraiment *envie* de lui ? Elle l'avait vu trois fois !

— Pas du tout, mais je dois retrouver mes invités, je…

— Qu'est-ce que vous fabriquez tous les deux ? lança Samuel d'un ton goguenard. Il faut vous ravitailler sur place ?

Il apportait deux verres de sangria, qu'il leur mit d'office dans la main.

— Aurore t'attend à la cuisine. Elle m'a chargé de mettre un peu de musique, seulement tes disques sont affligeants. Toi, Laurent, tu n'aurais pas deux ou trois bons trucs dans ta voiture ? Un peu de pop anglaise ou…

— Bien sûr. Je vais les chercher.

Samuel attendit qu'il ait quitté la véranda pour se mettre à rire.

— Il te fait de l'effet, on dirait !

— Garde tes commentaires pour toi, Sam.

L'impression d'être prise en faute l'exaspérait au moins autant que le désir qu'elle venait effectivement de ressentir.

— Je plaisantais, ma chérie. D'ailleurs, tu m'as toujours répété que tu n'aimais pas les yeux bleus… C'était juste pour me faire plaisir ?

Il la prit par la taille d'un geste de propriétaire et l'entraîna vers le jardin d'hiver.

— Lâche-moi, Marianne risque de ne pas apprécier.

— Je ne suis pas marié avec elle ! protesta-t-il en retirant son bras.

— Avec moi non plus.

Elle le vit se raidir, comme si elle l'avait injurié, et entendit à peine la phrase qu'il lâcha à voix basse :

— Crois bien que je le regrette.

S'écartant d'elle, il fit deux pas vers la table qui tenait lieu de buffet.

— Sam ! Tu as perdu ton humour ?

Pourquoi réagissait-il si mal ? Parce qu'il l'avait trouvée en tête à tête avec Laurent ? Elle le rejoignit et se planta devant lui.

— Tu veux visiter la maison ? Je t'en ai tellement rebattu les oreilles ! Et puis, c'est grâce à toi si nous sommes tous là ce soir, je ne te remercierai jamais assez.

— Ne sois pas stupide, tu y serais très bien arrivée toute seule.

— Oh, oui ! claironna Henry. Elle aurait fini par le faire parce qu'elle est têtue comme une mule, mais tout de même, tu ne m'as pas aidé dans cette histoire, Samuel. Maintenant, ma fille habite seule une trop grande baraque, à sept cents kilomètres de son vieux père…

Il avait l'air de plaisanter, néanmoins Pascale ne fut pas dupe, il s'agissait bien de reproches et il était content de pouvoir les servir à son ex-gendre.

— Emmenez-moi faire le tour du propriétaire, Henry, que je me fasse une idée.

Ces deux-là trouvaient toujours moyen de s'entendre, même quand ils n'étaient pas d'accord. Samuel adressa un clin d'œil complice à Pascale et suivit Henry mais, en passant près d'elle, il s'arrêta une seconde pour lui chuchoter à l'oreille :

— Quand un homme a vraiment aimé une femme, pour lui l'histoire n'est jamais finie.

Interloquée, elle prit le premier verre qui lui tomba sous la main et le vida d'un trait. *Jamais finie ?* Était-ce une sorte de déclaration d'amour qu'il venait de lui faire, alors que Marianne se trouvait dans la même pièce ? Elle chercha la jeune femme du regard et la découvrit en grande conversation avec Georges Matéi, un charmant garçon qui pratiquait la kiné respiratoire comme personne. Apparemment, elle n'avait rien remarqué, elle semblait s'amuser, tant mieux.

Pascale fila à la cuisine où Aurore s'affairait, toujours secondée par Adrien.

— Cette soirée est une réussite ! déclara gravement son frère.

Elle l'examina d'un œil critique, se demandant s'il avait trop bu ou si c'était la présence d'Aurore qui le rendait grandiloquent. Du plus loin qu'elle se souvienne, Adrien avait toujours cédé au charme des jolies filles.

— Porte ça là-bas, dit-elle en lui tendant deux grands saladiers.

Aurore sortait les tartes du four et Pascale les mit à refroidir sur le bord d'une fenêtre.

— Ton frère a l'air d'un sacré cavaleur…

— C'est un euphémisme !

Après avoir échangé un coup d'œil, elles éclatèrent de rire ensemble.

— Avoue que j'ai eu une bonne idée de te pousser à lancer des invitations. Ta maison est l'endroit idéal pour recevoir et s'amuser.

Le brouhaha des conversations leur parvenait sur fond musical.

— Notre bon directeur s'est transformé en disc-jockey ? ironisa Aurore. Je l'ai vu passer il y a trente secondes avec une pile de CD…

— Comment le trouves-tu ?

La question avait échappé à Pascale, qui se mordit les lèvres tandis qu'Aurore la dévisageait.

— Villeneuve ? Craquant, évidemment ! Mais intouchable, je te préviens. Il y a bon nombre de filles, à Purpan, qui s'y sont cassé les dents. Remarque, il a raison de rester hors de portée, sinon tu imagines la pagaille…

Elles quittèrent la cuisine chargées de plats qu'elles allèrent déposer sur le buffet.

— Vous vous servez et vous vous installez où vous voulez ! lança Pascale d'une voix forte.

Pendant près d'un quart d'heure, elle remplit des assiettes, déboucha des bouteilles, bavarda avec chacun sans bouger de sa place, jusqu'à ce que son père et Samuel viennent la rejoindre.

— J'ai tout visité et je peux te dire une chose, ma chérie : tu as fait un très bon investissement !

Sam lui souriait gentiment, sans aucune ambiguïté.

— Je persiste à croire le contraire, soupira Henry. J'ai habité ici assez longtemps pour le savoir mieux que personne. Rien que l'entretien de ce bazar…

— À propos d'entretien, coupa Pascale, ton jardinier veut absolument continuer à travailler ici. Je lui ai dit que je ne pouvais pas le payer mais il n'en démord pas.

— Lestrade ? Débarrasse-toi de lui ! De quel droit vient-il t'envahir ?

Furieux, son père avait parlé trop fort. Il se maîtrisa et poursuivit, plus bas quoique tout aussi sèchement :

— C'est un simple d'esprit, n'écoute pas ce qu'il raconte, ne le laisse même pas entrer !

— Tu lui as confié une clef, rappela-t-elle. Et c'est toi qui l'emploies, depuis plus de vingt ans.

— Parce que ces fichus locataires auraient tout laissé en friche ! Ou déraciné n'importe quoi…

— Je n'y connais rien non plus.

— Eh bien, apprends ! Mais bon sang, pas avec Lestrade !

Pourquoi se mettait-il dans un état pareil ? Adrien s'approcha de lui, le prit fermement par le bras.

— Viens t'asseoir, papa, on va manger quelque chose.

Henry le suivit de mauvaise grâce, laissant Pascale désemparée. Elle aussi, ce jardinier la mettait mal à l'aise avec son insistance et ses propos incompréhensibles, cependant elle ne comprenait pas ce qui chagrinait autant son père.

— Quelle véhémence…, souffla Sam derrière elle. Votre M. Lestrade est un satyre ?

— Non, juste un brave type un peu bizarre.

Samuel lui passa une main dans la nuque, remontant une mèche qui s'était échappée de son chignon.

— Ton père a un problème avec Peyrolles. Il est venu pour te faire plaisir et parce qu'il s'ennuyait de toi, mais il déteste être là.

Depuis la véranda, Marianne adressait de grands gestes à Samuel afin qu'il la rejoigne.

— On en reparlera, dit-il en s'éloignant.

Le buffet était dévasté, il ne restait presque plus rien dans les plats, que Pascale se mit à empiler. La journée du lendemain risquait d'être consacrée au rangement mais peu importait, pour l'instant elle se sentait merveilleusement bien. À l'aise, heureuse, chez elle. Car, pour sa part, elle n'avait *aucun* problème avec Peyrolles.

Elle porta la vaisselle sale à la cuisine, prit deux plateaux de fromage qu'elle revint déposer sur le buffet. Enfin elle gagna la véranda, où tout le monde semblait beaucoup s'amuser.

— Et si vous vous arrêtiez cinq minutes ? suggéra Laurent lorsqu'elle passa à côté de lui.

Il était installé à une table entre Georges, le kiné, et Aurore. En face d'eux, un chirurgien racontait sa récente expérience de vacances au Club Méditerranée avec un humour grinçant. S'asseyant sur le bras du fauteuil d'Aurore, Pascale écouta distraitement la fin de l'histoire, consciente que les yeux de Laurent ne la lâchaient pas. Lorsqu'elle se décida à tourner la tête vers lui, il esquissa un sourire contrit. De nouveau troublée, comme deux heures plus tôt, elle fut cette fois incapable de soutenir son regard. Décidément, cet homme l'attirait. Peut-être était-elle seule depuis trop longtemps. Après son divorce d'avec Sam, il lui était arrivé de croire que personne ne lui plairait jamais autant, qu'aucune rencontre n'aurait la même intensité. Sam avait été son premier véritable amour, et par la suite ses aventures – rares – l'avaient laissée un peu désabusée. Sa réaction de ce soir face à Laurent Villeneuve signifiait-elle qu'elle était enfin guérie de Sam et de l'échec de leur couple ?

Elle prit une profonde inspiration pour trouver le courage de lui parler, mais elle ne réussit qu'à marmonner qu'elle allait chercher une bouteille de vin.

— Non, ne bougez pas, j'y vais.

En se levant, il lui posa la main sur le poignet juste une seconde, d'un geste aussi doux qu'une caresse.

4

Nerveux, Henry regarda l'hôtesse qui effectuait les démonstrations habituelles dans l'allée centrale : gilet de sauvetage, masque à oxygène, évacuation d'urgence. Il détestait prendre l'avion et se demandait avec stupeur comment sa fille pouvait aimer piloter. Sauf que pour l'instant, Dieu merci, elle ne volait pas, trop accaparée par son travail à Purpan et par Peyrolles.

À côté de lui, Adrien s'était plongé dans la lecture de son journal, indifférent au décollage. Henry ferma les yeux tout en mastiquant le chewing-gum censé empêcher ses oreilles de craquer. Bon, le week-end était terminé, il avait fait son devoir, la prochaine fois ce serait à Pascale de venir. Et ensuite il trouverait des prétextes afin de ne plus remettre les pieds là-bas. Toute la nuit il avait pensé à Camille, et lorsqu'il s'était enfin endormi, à l'aube, il avait rêvé d'elle.

Camille couchée nue à côté de lui, douce et fragile, abandonnée, avec parfois une larme qui perlait entre ses cils. Même dans son sommeil, il lui arrivait de pleurer. Quand il lui faisait l'amour, elle s'accrochait à lui comme une noyée. Oubliait-elle son chagrin dans le plaisir ?

L'appareil devait avoir atteint sa vitesse de croisière,

il semblait stabilisé. Henry risqua un coup d'œil par le hublot : il n'y avait strictement rien à voir. À Peyrolles non plus, hier soir, il n'avait rien vu tandis qu'il restait debout devant la fenêtre à contempler le parc obscur en se demandant pourquoi Lucien Lestrade harcelait sa fille. Avait-il quelque chose de précis à lui dire ? Que savait-il du drame qui avait rongé les Fontanel, à l'époque ? Il ne pouvait concevoir que des doutes, échafauder des hypothèses, car jamais Camille ne se serait confiée à quelqu'un comme lui.

Quoi qu'il en soit, Henry était décidé à lui téléphoner, dès le lendemain. Plus question qu'il pointe son nez à Peyrolles, la page était tournée, il devrait le comprendre. Henry allait lui offrir de l'argent, une somme destinée autant à récompenser trente ans de services qu'à acheter son silence. Juste au cas où.

Calant sa nuque contre l'appui-tête, il se demanda pour la millième fois de sa vie s'il avait eu tort ou raison. Une question dont il ne connaîtrait sans doute jamais la réponse mais qui continuait de le hanter.

Le chariot de boissons apparut dans l'allée centrale, poussé par l'hôtesse. Le vol de Toulouse à Paris était court : à peine avait-on le temps de finir son verre qu'on était déjà en train d'amorcer la descente. Tant mieux. Plus vite Henry reprendrait son travail à la clinique, moins il se perdrait dans ses souvenirs. À Saint-Germain, l'ombre de Camille planait encore dans l'appartement, mais de façon moins aiguë qu'à Peyrolles. Heureusement pour elle, Pascale ignorait tout, et Henry ne laisserait pas Lucien Lestrade lui mettre la puce à l'oreille. Qu'elle profite de cette maison puisqu'elle l'aimait tant ! Et puisqu'il n'avait pas été capable de la dissuader…

— À quoi penses-tu, papa ?

Adrien l'observait d'un air inquiet, aussi Henry répondit-il la première chose qui lui passa par la tête.

— Au prochain conseil d'administration.

— Ne t'inquiète donc pas, il n'y a aucun problème, affirma son fils en lui tapotant la main.

Bien sûr que non. Les problèmes, il les avait laissés derrière lui en quittant la piste de l'aéroport toulousain. Henry choisit un jus d'orange et consulta sa montre, pressé d'arriver, pressé d'oublier.

Aurore déposa avec précaution le dernier vase qu'elle venait de remonter.

— Et voilà ! Cette fois, tout est rangé, puisque tu ne voulais pas les garder en bas…

Du fond du grenier, Pascale se mit à rire.

— À quoi servent des vases sans fleurs ?

Elle furetait parmi de vieilles valises couvertes de poussière et entassées dans un coin obscur. Certaines portaient des étiquettes rédigées de la main de sa mère. « Rideaux de la bibliothèque », « Dessus-de-lit chambre du bout ». Camille avait-elle cru que ces tissus pourraient resservir un jour ? Envisageait-elle de revenir habiter Peyrolles lorsque son mari prendrait sa retraite ?

Pascale souleva un couvercle et sentit une vague odeur de naphtaline. Des feuilles de papier journal couvraient des étoffes bien pliées que les mites semblaient avoir épargnées. Elle jeta un coup d'œil vers Aurore et décida de ne rien dire de ses trouvailles afin de ne pas les voir accrochées partout à travers la maison.

— J'adore explorer ton grenier, c'est aussi excitant que d'être chez un brocanteur avec un bon d'achat illimité ! lança Aurore. Regarde cet amour de coiffeuse…

En réparant le pied cassé et en changeant le miroir, elle ferait très bien dans une chambre, non ?

Abandonnant les valises, Pascale la rejoignit.

— On a assez travaillé pour aujourd'hui, décida-t-elle. En tout cas, la soirée d'hier était fantastique, tu as eu mille fois raison.

Elle le pensait sincèrement, bien qu'elles aient dû passer une partie de l'après-midi à faire la vaisselle, comme prévu.

— Tu as besoin de te détendre, Pascale. Dans le service, tu bosses douze heures par jour et tu es continuellement sous pression, à cause de Nadine Clément. Au point de ne même pas te rendre compte des ravages que tu suscites ! Georges, le kiné, te regarde avec des yeux de merlan frit... Ce qui ne fait pas mon affaire parce qu'il me plaît beaucoup. D'abord, il n'est pas médecin ; ceux-là je les mets tous dans le même sac avec une pierre au fond et hop, dans le Tarn ! Ensuite, j'adore son humour, il... Tiens, c'est quoi, ça ?

Ayant ouvert le tiroir de la coiffeuse, elle avait machinalement passé sa main au fond et en rapportait une pochette de plastique gris tout écornée, qu'elle examina une seconde avant de la passer à Pascale.

— À mon avis, il y a des bons du Trésor là-dedans, ou alors des lettres d'amour !

— Pour Georges, dit Pascale, tu as le champ libre, il n'est pas du tout mon genre.

Le plastique avait un peu fondu avec le temps et la chaleur du grenier, mais elle réussit à en extirper une sorte de carnet qui se révéla être un vieux livret de famille.

— Je te rappelle, ironisa Aurore, que si ton genre c'est Laurent Villeneuve, il ne faut pas que tu...

— Oui, oui, je sais.

Sourcils froncés, Pascale relut trois fois les quelques lignes qu'elle avait sous les yeux.

— Qu'est-ce que ça veut dire ? marmonna-t-elle.

Aurore vint jeter un regard par-dessus son épaule.

— Extrait de l'acte de mariage en date du 16 avril 1966. Époux, Coste Raoul ; épouse, Montague Camille Huong Lan…

Atterrée, Pascale revint à la première page.

— Ville de Paris, mairie du XIIe ! C'est ridicule, maman et papa se sont mariés en 1970, à Albi.

Elle ferma le livret une seconde, le considérant d'un œil critique ; malheureusement il semblait tout à fait authentique. De nouveau elle l'ouvrit, lut encore, tourna un feuillet. Les actes de décès des époux étaient vierges, mais dans la case « Premier enfant » était inscrit un nom, avec la signature d'un officier d'état civil.

— Le 3 août 1966, à neuf heures quinze, est née Julia Nhàn Coste.

Là non plus, il n'y avait rien dans la case décès.

— J'ai des photos du mariage de mes parents, articula-t-elle d'une voix blanche. À l'église. Et à l'église, à moins d'être veuf comme papa l'était, on ne peut se marier qu'une fois !

— Sauf si tu t'es contentée de la mairie pour la première…

Avec la tombée de la nuit, les ombres envahissaient le grenier malgré l'ampoule électrique.

— Raoul Coste. Julia Coste. Bon sang, qui sont ces gens ?

Le plus simple était d'appeler son père, elle allait le faire tout de suite. Il existait forcément une explication simple à laquelle Pascale, trop choquée par sa découverte, ne pensait pas. Henry allait la lui donner. Enfin, peut-être… Peut-être seulement, car de quelle façon justifierait-il ce mystère ? Pourquoi ni lui ni Camille n'y avaient-ils jamais fait allusion ?

Une incontrôlable envie de pleurer serrait la gorge de Pascale et elle sentit qu'Aurore la prenait par le coude.

— Viens, descendons.

Les doigts crispés sur le livret de famille, Pascale se laissa entraîner jusqu'au rez-de-chaussée. Une fois assise à la table de la cuisine, les coudes repliés et le menton dans les mains, elle essaya de faire le point tandis qu'Aurore, silencieuse, mettait la bouilloire à chauffer. Ainsi, sa mère aurait été mariée, à vingt et un ans tout juste et déjà enceinte puisque le bébé était arrivé trois mois plus tard. Une petite fille prénommée Julia – avec à la suite un prénom vietnamien, comme Camille elle-même –, qui devait avoir trente-neuf ans aujourd'hui. La fille aînée de sa mère, dont Pascale n'avait *jamais* entendu parler. Pas un mot, pas même une vague allusion. Cette Julia Coste n'existait pas dans la famille Fontanel. Évidemment, elle avait pu mourir en bas âge, mais pourquoi le cacher ?

— Téléphone à ton père, tu en auras le cœur net, suggéra Aurore en posant deux tasses de thé fumant sur la table.

Avec la joie de vivre, la gentillesse était l'une des principales qualités d'Aurore. Sans elle, que serait devenue Pascale ? Oui, Peyrolles était trop grand pour une femme seule, ainsi qu'on le lui avait rabâché, et la présence d'une amie changeait tout. À elles deux, elles avaient arrangé la maison en un rien de temps, piqué des fous rires, parlé des nuits entières en astiquant les objets récupérés dans les profondeurs du grenier. Elles s'étaient amusées, confiées l'une à l'autre. L'arrivée de l'hiver les trouverait, le dimanche, pelotonnées sous une couverture devant la télé, et au printemps prochain elles jardineraient ensemble pour redonner un peu d'allure au parc. Irremplaçable Aurore, sans qui Pascale n'aurait peut-être jamais ouvert le tiroir de la coiffeuse.

— Si tu n'étais pas là, murmura-t-elle, je serais sûrement en train de pleurer… Je m'aperçois que je ne peux pas poser la question à papa parce qu'il ne me répondra pas. Ou pas la vérité. À l'évidence, il s'agit d'un secret bien gardé, pourquoi veux-tu qu'il parle aujourd'hui ?

— Tu as le droit de savoir ! C'est de ta mère qu'il s'agit, de ta sœur ! Enfin… ta demi-sœur…

Le mot était lâché. Quelque part dans le monde, il existait une femme qui était sa demi-sœur. Le même lien de parenté, ni plus ni moins, qu'avec Adrien.

— Si elle vit encore, murmura Pascale, je vais la retrouver.

Elle n'avait pas d'autre solution, comprenant d'avance qu'elle ne serait pas en paix avant d'avoir découvert la vérité.

— Tu crois que ton frère est au courant ?

— Je ne crois pas. Ou alors, c'est à douter de tout le monde ! Malgré notre différence d'âge, nous étions très proches et très complices, Adrien et moi, jusqu'à ce que j'épouse Samuel. Je ne l'imagine pas me cachant une énormité pareille.

Mais elle n'en était pas sûre. Une heure plus tôt, elle aurait juré la même chose de son père, et pourtant…

— Je vais écrire à la mairie du XIIe arrondissement, à Paris. Si Julia Coste est décédée, ce sera inscrit sur leurs registres. On ne peut enterrer personne sans contacter la mairie de naissance, c'est la procédure habituelle. À partir de là, je verrai ce que je dois faire.

Aurore la dévisagea en silence, puis elle se leva pour allumer les lumières. Aussitôt, l'atmosphère de la cuisine devint plus chaleureuse et Pascale refoula de nouveau cette stupide envie de pleurer. Sa mère avait été une femme tendre, douce, qui s'était entièrement consacrée à l'éducation d'Adrien et de Pascale. Elle adorait les enfants, elle avait forcément aimé cette Julia. Quand et comment l'avait-elle perdue ? Le père, Raoul, l'avait-il emmenée, enlevée ? Et lui, qu'était-il devenu ? Mais surtout – et cette question-là était la plus douloureuse –, pourquoi avoir fait de ce morceau de vie un tel mystère ? Certes, Camille parlait peu, et presque jamais d'elle-même. Avare de confidences, elle n'évoquait ni sa jeunesse ni sa famille, avec laquelle elle était brouillée. « De méchantes gens », disait-elle seulement, exception faite de son père, celui qui l'avait ramenée de Hanoi. Du Viêtnam, elle ne conservait évidemment aucun souvenir, hormis l'identité de sa mère, qui s'appelait Lê Anh Dào. Tout ça n'avait rien à voir avec un Raoul Coste sorti de nulle part.

— Comment peut-on en savoir aussi peu sur les siens ? soupira Pascale.

Paradoxalement, elle connaissait bien l'histoire paternelle, avec la dynastie de médecins albigeois dont Henry était issu. Adrien et Pascale, comme tous les Fontanel, avaient prononcé le serment d'Hippocrate, perpétuant la tradition ; il existait même une rue portant le nom d'Édouard Fontanel, chirurgien au XIXe siècle. Mais des Montague, rien. Juste cet officier qui avait rapporté d'Indochine la médaille militaire avec palmes… et un enfant adultérin. Camille n'en disait pas davantage, sauf qu'elle n'avait aimé que deux hommes dans sa vie, le capitaine Abel Montague et Henry. Nulle mention d'un quelconque Raoul ! Une erreur de jeunesse qu'elle aurait voulu effacer ? Pas en abandonnant un bébé, c'était impensable. Elle disait toujours, avec un amour infini : « Mes deux enfants. J'ai deux enfants. » Adrien, qu'elle avait fait sien, et Pascale. Mais parfois l'expression était : « J'ai *eu* deux enfants. » Personne n'y prêtait attention, évidemment.

— Je vais nous préparer quelque chose pour le dîner, décréta Aurore. Et ne me réponds pas que tu n'as pas faim !

Rien au monde ne faisait perdre son appétit à Pascale, c'était légendaire, aussi n'eut-elle pas le courage d'avouer à Aurore que, pour une fois, l'idée de manger lui soulevait le cœur.

Samuel quitta la salle de réveil en sifflotant. Son dernier patient venait d'émerger de l'anesthésie sans problème, avec des rythmes cardiaque et respiratoire satisfaisants.

Il avait pris une douche en compagnie des chirurgiens à la sortie du bloc, et plus rien ne le retenait à l'hôpital. Heureusement, car il détestait travailler le samedi matin, corvée à laquelle il était de plus en plus souvent contraint en raison de la pénurie d'anesthésistes-réanimateurs. Une carence logique avec cette mode – venue d'Amérique – d'intenter des actions judiciaires contre les médecins ou les établissements hospitaliers. Dès que quelque chose tournait mal dans une opération, l'anesthésiste était mis en cause, le plus souvent à tort. La situation désolait Samuel, qui adorait son métier mais se retrouvait complètement débordé.

Un coup d'œil à sa montre lui apprit qu'il avait juste le temps de se rendre à l'aéroclub, où il avait donné rendez-vous à Pascale. Depuis la soirée à Peyrolles, ils ne s'étaient pas croisés une seule fois de toute la semaine dans les couloirs de Purpan, et finalement il avait dû l'appeler pour l'inviter à déjeuner. Il ne voulait pas avoir l'air de profiter de l'absence de Marianne, néanmoins il mourait d'envie de voir Pascale en tête à tête. Il l'avait trouvée tellement belle dans cette robe de soie noire ! Élégante, sensuelle, exotique… À côté d'elle, Marianne devenait presque insignifiante. Pauvre Marianne, qui appelait chaque soir pour raconter en détail ses journées de vacances et qui terminait ses communications par une litanie de serments d'amour. En l'écoutant, il se sentait mal à l'aise, accablé par la tiédeur de ses propres sentiments, coupable de ne pas savoir rompre, et malgré tout ému. La tête sur le billot, il n'aurait pas su dire ce qu'il éprouvait pour elle. Mais en ce qui concernait son ex-femme, il n'avait pas, hélas ! le moindre doute : il était toujours fou d'elle et le resterait probablement jusqu'à la fin de ses jours. Devait-il tenter l'impossible pour qu'elle lui accorde une seconde chance ou, au contraire, s'obliger à ne plus la voir, à ne plus penser à elle ? Empêtré dans ses contradictions, il se reprochait d'avoir tout fait pour qu'elle vienne s'installer ici. Son empressement à l'aider ne cachait qu'un désir égoïste, il n'était pas dupe de lui-même.

Assise sur l'un des hauts tabourets du bar, Pascale riait de bon cœur. Arrivée très en avance à son rendez-vous avec Sam, elle était tombée sur Laurent Villeneuve, qui descendait tout juste d'un petit avion de tourisme, un Robin DR 400. Il s'était aussitôt proposé pour lui faire visiter l'aéroclub de fond en comble, des pistes à la tour de contrôle en passant par les hangars, avant de la ramener boire un verre. Apparemment aussi ravi qu'elle du hasard qui les mettait en présence l'un de l'autre hors du cadre de l'hôpital, il plaisantait gaiement et faisait en sorte de la mettre à l'aise.

Mal remise de la découverte du livret de famille, elle se sentait fatiguée. Depuis une semaine, le sommeil la fuyait, et quand elle s'endormait enfin elle cauchemardait. Hormis le courrier à la mairie parisienne, elle n'avait rien tenté, rien décidé. Et, surtout, elle n'avait pas appelé son père, à qui elle n'aurait su que dire.

— Où êtes-vous partie ? s'enquit Laurent avec un sourire désarmant. C'est la nostalgie du pilote sans machine ? Je vous emmène faire un tour quand vous voulez, mais je sais que vous préférez l'hélico.

— Quand on y a goûté, ça devient vite une passion, vous verrez.

— Je suis déjà mordu ! Samuel est un merveilleux prof, j'espère pouvoir passer le brevet d'ici deux ou trois mois.

— Il a été mon instructeur aussi, avec lui tout paraît facile.

À l'époque où Sam lui donnait des leçons, à Issy-les-Moulineaux, ils étaient jeunes mariés et très amoureux. Y penser la rendit soudain mélancolique. Sam allait-il épouser Marianne ? Lui faire des enfants, tout naturellement, sans se poser de questions ?

— Si vous avez envie de voler, Pascale, faites-le. Ne mettez pas tout votre argent dans Peyrolles, prenez le temps de vous amuser…

Il se méprenait sur l'expression de tristesse qu'elle avait dû afficher sans le vouloir, néanmoins sa sollicitude était très réconfortante.

— Je voudrais vous poser une question, lâcha-t-elle de façon abrupte. Comment s'y prend-on pour retrouver quelqu'un dont on ne connaît que l'identité, la date et le lieu de naissance ?

S'adresser à lui ne l'engageait à rien alors qu'elle était déterminée à se taire devant Sam. Il s'entendait beaucoup trop bien avec son père, il serait capable de l'appeler si elle lui racontait sa trouvaille.

— Vous vous lancez dans une enquête personnelle ou vous écrivez un roman policier ?

Laurent souriait de nouveau, attentif, décidément charmant et, voyant qu'elle ne répondait pas, il enchaîna :

— Vous pourriez essayer une recherche sur Internet. Mais commencez par demander une fiche d'état civil de la personne concernée. D'ailleurs, vous avez au moins les sept premiers chiffres de son numéro de Sécurité sociale, s'il s'agit d'un Français.

— Oui.

— Il y a aussi la famille, les proches…

À l'entendre, c'était simple, mais en tant que haut fonctionnaire il ne devait pas être rebuté par les difficultés administratives. Soulagée, elle lui adressa un regard reconnaissant et eut la surprise de le voir rougir. Elle n'avait pas imaginé qu'il puisse être timide, ni qu'elle ait quoi que ce soit d'impressionnant pour un homme comme lui.

— Il y avait une circulation folle ! s'écria Samuel en surgissant derrière eux. Je suis désolé d'être en retard mais au moins tu ne t'ennuyais pas, te voilà en bonne compagnie…

Il l'embrassa dans le cou avant de proposer, d'un ton malicieux :

— Tu te joins à nous pour déjeuner, Laurent ?

— Non, je ne veux pas vous déranger, je vous laisse.

Déçue par son refus, Pascale lui serra la main en le remerciant pour la visite, puis elle suivit Sam vers le restaurant du club. La décoration était entièrement dédiée à l'aviation avec, accrochées aux murs lambrissés, de splendides photos de Mirage, de Rafale, ou encore d'un Super-Étendard appontant sur le *Charles-de-Gaulle*.

— J'aurais aimé être pilote de chasse, j'ai raté ma vocation ! plaisanta Samuel.

Il paraissait en pleine forme et Pascale lui envia son insouciance.

— Tu as de bonnes nouvelles de Marianne ?

— Excellentes, elle profite à fond de ses vacances... et je suis assez content de me retrouver un peu seul.

— Ce n'est pas très gentil pour elle.

— Alors, disons que je ne suis plus du tout fait pour la vie à deux.

Un peu étonnée, elle se rappela à quel point il était facile à vivre, presque toujours de bonne humeur et ne s'isolant jamais dans son coin.

— Avec toi j'ai adoré, mais depuis, c'est fini, ajouta-t-il doucement.

— Ne crois pas ça. Je t'ai répété sur tous les tons que tu ferais un excellent père et j'en suis toujours persuadée. Dépêche-toi de fonder une famille, Sam !

Il esquissa un sourire indéchiffrable, secoua la tête.

— Figure-toi que Henry me regrette amèrement, d'après lui j'étais le gendre idéal.

— Bien sûr, un médecin, un du sérail, tu penses ! Si je lui ramène un architecte ou un plombier, il fera une drôle de tête.

— Tu y penses ?

— À quoi ?

— À profiter des bons conseils que tu me dispenses, c'est-à-dire à te remarier.

— J'y songerai le jour où je serai amoureuse.

— Je n'ai pas très envie de te voir amoureuse d'un autre.

— Sam ! Tu plaisantes, j'espère ? Nous avons

divorcé, tu t'en souviens ? Et même échangé deux ou trois injures dans le bureau du juge ! Je voulais désespérément des enfants de toi, j'ai dû être odieuse… Mais la page est tournée, contrairement à ce que tu me disais à Peyrolles, samedi soir.

Sa franchise parut atteindre Samuel. Il baissa les yeux et s'absorba dans la contemplation de son assiette. On venait de leur servir un confit de canard qui embaumait, pourtant il fit la grimace. Au bout d'une bonne minute de silence, il soupira.

— Désolé… Je ne t'ai pas invitée pour ça. On va déjeuner, ensuite je t'emmène faire un tour et je te laisse piloter. Ma première leçon n'est qu'à quatre heures, nous avons tout le temps.

La perspective de voler enthousiasma immédiatement Pascale.

— Tu as le droit de prendre l'hélico ou bien ça va nous coûter la peau des fesses ?

— J'ai des heures gratuites en tant qu'instructeur.

— Fantastique !

Pour la première fois depuis huit jours, elle se sentit vraiment gaie, capable d'oublier pour un moment le mystère familial. Après avoir englouti une part de *fénétra*, riche en pâte d'amandes meringuée et en citrons confits, elle renonça au café pour pouvoir sortir de table. Samuel paraissait avoir oublié sa tentative de reconquête manquée et il souriait de la voir impatiente comme une gamine. Ils allèrent ensemble chercher le Jet Ranger dans l'un des hangars, et le poussèrent jusqu'à sa plate-forme.

— Nous avons aussi un Hugues 300 et un 500, expliqua Sam en s'installant.

Il la regarda tandis qu'elle bouclait son harnais de sécurité et mettait son casque.

— Tu m'entends bien ? Bon, où veux-tu aller ?

— À Peyrolles !

— D'accord.

La carte étalée sur ses genoux, il étudia le plan de vol et prit quelques notes, puis il lança le moteur et les pales se mirent à tourner. Ravie, Pascale s'enfonça dans son siège. Comme tous les hélicos, le Jet Ranger était équipé de doubles commandes et bientôt elle allait le sentir vibrer sous ses doigts. Elle observa avec bonheur le décollage impeccable de Sam, l'entendit annoncer ses intentions à l'aiguilleur de la tour. Au-dessous d'eux, un Robin roulait sur une piste et elle se demanda si c'était Laurent qui repartait se promener.

Le lundi matin, en arrivant dans son service, Nadine Clément commença par tancer vertement sa secrétaire avant de s'en prendre à une aide-soignante, puis elle reporta sa colère sur l'équipe des kinés, choisissant Georges Matéi comme bouc émissaire. À dix heures et demie, lorsque Pascale apporta un gobelet de café à Aurore dans le local des infirmières, une atmosphère de plomb régnait sur la pneumo.

— Ne te mets pas sur son chemin, chuchota Aurore, elle est d'une humeur de chien enragé !

— Comme tous les jours, non ?

Avec un soupir de lassitude, Pascale se jucha sur le bord d'un évier.

— Le petit garçon de la chambre 7 n'ose pas se servir de sa pompe à morphine, il faut absolument l'aider.

L'enfant en question avait subi une grave intervention quelques jours plus tôt et souffrait beaucoup.

— Je passerai le voir toutes les heures, promit Aurore.

Georges Matéi entra en coup de vent et s'arrêta net en découvrant Pascale.

— Oh, excusez-moi ! Je vous dérange ?

— Non, on fait la pause, répondit précipitamment Aurore, tu peux la faire avec nous.

— Alors, je vais me chercher du café aussi. Vous en voulez un autre ?

Elles acquiescèrent ensemble et attendirent qu'il se soit éclipsé pour étouffer un rire.

— C'est toi qu'il cherchait, dit Aurore avec une moue dépitée.

— Moi, je crois qu'il ne sait pas laquelle choisir, et si tu l'encourageais un peu…

— Il est très timide.

— Tous les hommes le sont, affirma Pascale en se rappelant la manière dont elle avait fait rougir Laurent Villeneuve avec un seul regard.

Dehors, la pluie tombait sans discontinuer depuis le matin, et une rafale de vent fit trembler les fenêtres.

— Quel temps affreux ! soupira Aurore.

— On fera une flambée ce soir.

— Tu as du bois ?

— Il y a un gros tas de bûches contre le mur d'enceinte, au-delà de la serre. À propos de la serre, plein de carreaux sont cassés sur le toit, on ne s'en rend pas compte à cause de la végétation mais je l'ai très bien vu en survolant Peyrolles avec Sam, avant-hier.

— C'est comment, d'en haut ?

— Tout petit. Une maison de poupée… entourée d'une vraie jungle ! Il faut absolument qu'on se fasse un dimanche râteau-brouette, ça ne ressemble plus à rien.

Georges revint, chargé de trois gobelets en équilibre précaire dans un haricot d'émail.

— Bon, je me dépêche de boire celui-là et j'y retourne, décida Pascale en abandonnant son perchoir.

À cet instant la porte se rouvrit à toute volée et Nadine Clément se campa sur le seuil, les bras croisés. Son regard se posa une seconde sur le haricot, où le café avait débordé, puis s'arrêta sur Pascale.

— Vous n'avez rien d'autre à faire, je suppose ?

Sans lui laisser le temps de répondre, elle interpella Georges.

— Je vous croyais débordé de travail ! C'est bien l'explication fantaisiste que vous m'avez fournie tout à l'heure ? Quoi qu'il en soit, votre place n'est sûrement pas dans le local des infirmières, débarrassez-moi le plancher !

Elle s'écarta pour le laisser passer avant de s'adresser de nouveau à Pascale, ignorant Aurore telle une quantité négligeable.

— Inutile de vous réfugier ici, je sais que c'est votre cachette favorite pour tirer au flanc. Dans mon service, les médecins sont à leur poste. Si vous vous en sentez incapable, allez chercher un emploi ailleurs.

Très calme, Pascale fit front, bien décidée à ne pas se laisser tyranniser.

— J'ai vu tous mes patients, madame. Je prenais juste un café en attendant l'heure de la visite.

La visite du Pr Clément avait lieu chaque matin à onze heures précises, et à ce moment-là Nadine voulait toute son équipe derrière elle, comme n'importe quel patron, mais il restait encore dix minutes.

— J'espère que vos dossiers sont à jour et que ma secrétaire a tous vos comptes rendus !

— Absolument.

Le regard étincelant de rage, Nadine toisait Pascale sans parvenir à lui faire baisser les yeux. Elle allait probablement la mettre sur la sellette devant chacun de ses malades en faisant le tour des lits de l'étage, mais Pascale se sentait sûre d'elle. À plusieurs reprises, Nadine avait voulu la coincer avec des questions pointues auxquelles Pascale avait toujours donné la bonne réponse. Consciencieuse, perfectionniste, forte de la solide expérience acquise à l'hôpital Necker, elle traitait chaque cas de son mieux et n'avait aucune raison d'être inquiète.

— Je ne vous apprécie pas, Dr Fontanel, lâcha brusquement Nadine avec un petit ricanement très méprisant. Autant que vous le sachiez !

— J'en prends note, répliqua Pascale d'un ton neutre.

Interloquée par la désinvolture de la réponse, Nadine hésita puis choisit de claquer la porte violemment. Elle remonta le couloir au pas de charge, faisant fuir les internes qu'elle croisait. Une fois à l'abri dans son bureau, elle attrapa un presse-papiers offert par un laboratoire et le jeta de toutes ses forces contre un mur. Pourquoi s'était-elle laissée aller à une réflexion aussi personnelle ? Et devant une infirmière, en plus ! L'altercation ferait le tour du service avant midi, et de tout l'hôpital avant ce soir. « J'en prends note. » Quelle suffisance, quelle morgue ! Elle devait casser cette petite conne si elle ne voulait pas perdre la face. Elle trouverait bien une faute professionnelle, au besoin elle l'inventerait. De toute façon, elle ne pouvait plus la supporter, rien que la regarder la rendait malade, elle avait l'impression de revoir Camille.

Se forçant à s'asseoir et à respirer lentement, elle ferma les yeux. En réalité, ses souvenirs concernant Camille s'étaient beaucoup estompés avec le temps. Quand cette idiote avait suivi son Raoul à Paris, Nadine avait quoi ? Vingt-cinq ans ? Et déjà elle ne la voyait plus depuis des années, indifférente à son sort. Les Montague avaient rayé de leur vie cette pièce rapportée, cette verrue honteuse arrivée dans leur famille. Peu leur importait ce que deviendrait la bâtarde, ainsi qu'ils l'appelaient, et ils s'étaient dépêchés d'oublier son existence. Bien plus tard, ils avaient été stupéfaits d'apprendre qu'elle était revenue dans la région et avait épousé Henry Fontanel. Rien que ça ! Nadine, elle, s'était mariée avec Louis Clément. Ce mariage ne l'avait pas empêchée de poursuivre sa carrière médicale, d'autant moins qu'elle s'était retrouvée veuve à quarante ans et avait pu se consacrer entièrement à son métier, jusqu'à ce titre suprême de chef de service.

Elle rouvrit les yeux et consulta sa pendulette de bureau. Dix heures cinquante-sept. Il ne lui restait plus que trois minutes pour achever de se calmer. Manifestement, Pascale Fontanel ne savait pas à qui elle avait affaire, ce qui conférait un avantage certain à Nadine. Au début, constatant que Villeneuve voulait vraiment lui donner le poste – et tout ça pour faire plaisir à son copain Samuel Hoffmann ! –, Nadine s'était imaginé qu'une inévitable confrontation aurait lieu entre elles deux. Mais ce nom de Clément ne disait évidemment rien à Pascale. Les choses auraient pu en rester là si cette fille n'avait pas porté sur elle les traces de son métissage. Sans ses grands yeux sombres, ses cheveux trop lisses, son teint d'Asiatique, Nadine serait peut-être arrivée à l'ignorer. Hélas ! sa ressemblance avec Camille était trop irritante, et sa manière de répondre avec arrogance, tout à fait insupportable !

Nadine eut soudain la vision de son père en uniforme. Bel homme, bel officier, qui avait reçu des récompenses pour sa campagne d'Indochine, dont il ne parlait guère.

Devant elle, une fois seulement il avait évoqué la prise du fort de Lang Son, âprement défendu contre les Japonais par une poignée de Français. Il avait fait partie de ces soldats auxquels l'ennemi avait présenté les armes… avant de les faire prisonniers. Il ne racontait pas volontiers, il se contentait de poser un regard triste et tendre sur la petite Camille, alors Nadine se sentait dévorée de jalousie. Elle tapait du pied, exigeait de monter sur les genoux de son père. Il la laissait faire et se taisait. Qu'aurait-il pu dire ? Elle était sa fille aînée, sa vraie fille, elle avait tous les droits.

Repoussant ces souvenirs indésirables, Nadine se leva. Elle n'était plus une petite fille et Abel Montague n'était pas un héros. N'avait-il pas trahi sa femme et ses enfants légitimes ? D'ailleurs, il était mort dans son lit, comme M. Tout-le-monde.

Elle se débarrassa de sa blouse blanche, enfila sa veste de tailleur. Elle effectuait toujours sa visite en tenue de ville, pour se démarquer de son équipe, parce que c'était elle le patron. Le grand patron.

Penaud, navré, Samuel s'excusa tandis que Marianne riait, aux anges. Qu'il ait pu craquer de cette manière était pour elle plus flatteur que frustrant. Il la serra contre lui, un peu essoufflé, puis embrassa son épaule, ses seins, son ventre. Même s'il avait pris son plaisir trop tôt, trop vite, pour une fois incapable de se contrôler, il allait s'occuper d'elle, elle le savait. C'était un merveilleux amant et il la rendait folle au lit, mais elle n'aurait jamais cru lui faire le même effet. Elle avait un peu maigri durant ses vacances, l'appétit coupé par l'absence de Sam, et quinze jours de soleil lui avaient donné un joli bronzage doré, éclaircissant encore ses cheveux blonds. Dans les yeux des autres hommes, elle s'était sentie belle, et Samuel le lui avait confirmé quand elle s'était jetée dans ses bras à l'aéroport de Blagnac.

Les mains de Sam étaient d'une extraordinaire douceur, sa bouche aussi. Elle étouffa un gémissement, s'offrit davantage à ses caresses. Devenait-il enfin amoureux d'elle ? Cette idée était si excitante qu'elle s'abandonna au plaisir qui montait, criant malgré elle.

Il lui fallut une ou deux minutes pour reprendre ses esprits. Appuyé sur un coude, Sam la regardait gentiment. Pas avec une authentique tendresse, juste gentiment.

— Tu es ravissante… Tu t'es bien reposée, là-bas ?

Ni passion ni déclaration, une sollicitude amicale décourageante. À quel moment allait-il se lever, s'éloigner d'elle en annonçant qu'il partait voler ? Oh, sans doute ne l'avait-il pas trompée, à en croire son désir pressant ! Non, il était probablement fidèle, sauf en pensée, car il songeait toujours à son ex-femme et ne s'en cachait même pas.

— Tu as vu Pascale, ces temps-ci ?

La question le prit au dépourvu, cependant il acquiesça d'un signe de tête. Puis, comme elle attendait la suite, il expliqua de mauvaise grâce :

— J'ai déjeuné avec elle au club samedi dernier et je l'ai emmenée faire un tour. Elle avait envie de piloter.

Et bien sûr, les envies de Pascale étaient sacrées.

— Tant mieux pour elle. J'aimerais bien que ça m'arrive.

Jamais elle n'avait osé le lui demander, mais puisque Pascale avait droit de cité à l'aéroclub, elle refusait d'être en reste.

— Tu veux apprendre ? demanda-t-il avec un sourire. C'est hors de prix…

— Vraiment ? Trop cher pour une simple secrétaire, et trop compliqué pour moi !

Furieuse, elle se redressa d'un bond, courut jusqu'à la salle de bains où elle s'enferma. Pourquoi était-elle assez stupide pour gâcher leurs retrouvailles ? Tout avait si bien commencé !

— Marianne…

Elle poussa la targette, mit ses mains sur ses oreilles. Si elle l'écoutait, il finirait par la convaincre de sortir de là et de se réfugier dans ses bras. Il savait consoler mais il ne savait pas aimer. En tout cas, pas elle. D'ailleurs, il ne s'était jamais risqué à le lui dire, il n'était pas menteur.

Assise sur le rebord de la baignoire, elle demeura un long moment prostrée. Quand elle se décida enfin à bouger pour aller jeter un coup d'œil par la fenêtre, elle constata que la voiture de Sam n'était plus là.

— Bien fait pour toi, pauvre idiote, articula-t-elle à mi-voix.

La conquête d'un homme comme Samuel ne passait pas par les larmes, les scènes, les drames. Il le lui avait avoué dès le début, il conservait un souvenir cauchemardesque de son divorce et n'en était pas guéri. À quoi bon exiger ce qu'il n'était pas en mesure de donner ?

Elle s'approcha de la glace en pied, refoulant son envie de pleurer. De face, de profil, elle s'observa sans indulgence. Ravissante, en effet, elle l'était. Alors, plutôt que s'avouer vaincue, elle devait continuer à se battre. Elle voulait Sam, elle l'aurait.

Pascale agita la main tandis que les feux arrière de la voiture d'Aurore s'éloignaient dans l'allée. La nuit tombait tôt désormais, accompagnée d'un froid pénétrant qui donnait un avant-goût de l'hiver. Malgré son pull irlandais à col roulé, Pascale frissonna et se dépêcha de rentrer tout en se demandant où Georges Matéi allait emmener dîner Aurore. Pour ce premier tête-à-tête, ils s'étaient donné rendez-vous au Père Louis, un bar à vin de la rue des Tourneurs, dans le centre de Toulouse. Dommage de refaire la route, mais Aurore avait tenu à revenir pour se changer et se laver les cheveux.

Nullement angoissée par la perspective de rester seule, Pascale avait décidé d'en profiter pour ranger la bibliothèque. Comme son père, à l'époque, elle y avait installé son bureau, mais les papiers s'accumulaient en désordre, et certains cartons de livres venant du garde-meuble parisien n'étaient toujours pas déballés.

Elle commença par donner un bon coup de plumeau sur les rayonnages de bois blond – sans doute du merisier – en réfléchissant à un ordre de rangement. La littérature générale sur le grand mur du fond et les ouvrages scientifiques près d'elle, à portée de main, afin de rafraîchir ses connaissances pour rester incollable face aux perfides devinettes de Nadine Clément ! Celle-ci avait ravalé sa colère, la veille, se désintéressant de Pascale lors de la visite, mais la question demeurait : pourquoi une telle hargne ?

Penchée au-dessus d'un carton ouvert, elle lut les titres avec un pincement au cœur. Ceux-là, Sam les lui avait offerts après son opération de l'appendicite, un bon prétexte pour revenir la voir et s'asseoir dix minutes au bord de son lit. Elle se souvenait très bien de la manière dont il l'avait regardée ce jour-là, éperdu et incrédule.

Un craquement sec au-dehors la fit sursauter. Elle se redressa, aux aguets, le cœur battant, et crut entendre une sorte de grincement. Les vitres des deux portes-fenêtres étaient noires, elle ne pouvait rien distinguer de ce qui se passait dans le parc. Machinalement, elle chercha un objet quelconque pour se défendre, au besoin, et saisit le coupe-papier posé sur son bureau. Un geste dérisoire, qui lui permit néanmoins de recouvrer son sang-froid. Sans lâcher son arme de fortune, elle traversa la pièce d'un pas résolu, tourna la crémone de la première des portes-fenêtres et ouvrit brusquement.

— N'ayez pas peur, ce n'est que moi ! lança une voix rauque.

— Monsieur Lestrade ?

— Lucien, je vous ai déjà dit…

Il apparut dans la flaque de lumière émanant de la bibliothèque, traînant les pieds. Son pantalon de velours était taché de terre à la hauteur des genoux. Toujours sur la défensive, Pascale le toisa avec méfiance.

— Qu'est-ce que vous faites là ?

— Ben… je travaillais, tiens !

— Dans l'obscurité ?

— Non, maintenant je range mes outils. La nuit tombe trop tôt.

— Mais enfin, s'indigna-t-elle, de quel droit entrez-vous chez moi ? Nous nous sommes déjà expliqués, Lucien, je ne veux pas que vous…

— Oui, seulement vous ne faites rien ! Rien du tout ! Il y a des mauvaises herbes partout, des feuilles mortes, des fleurs fanées en pagaille !

— Et alors ?

— Alors ? Bon sang, vous ne comprenez donc pas ?

Très agité, il fit deux pas dans sa direction et, d'instinct, elle recula, serrant plus fort le coupe-papier entre ses doigts.

— Pardon, dit-il en s'arrêtant net. Je ne voulais pas

vous effrayer. Pas vous, surtout pas vous… Je m'en vais tout de suite, je reviendrai demain.

— Non ! S'il vous plaît, Lucien, ne revenez pas.

— Je ne ferai pas de bruit, je n'ai besoin que d'un sarcloir. Ne vous inquiétez pas, je ne vous demande pas d'argent, je ne m'approcherai même pas de la maison, si vous préférez.

Son obstination avait quelque chose de bizarre, d'affolant. Pascale n'osa pas le contredire, pourtant elle ne voulait plus le voir traîner à Peyrolles. Il disparut dans l'ombre et dut récupérer sa brouette car elle entendit de nouveau le grincement.

— Je vais la graisser ! cria-t-il.

Elle attendit quelques instants, dépitée de n'avoir pas su se montrer plus ferme, puis elle rentra. Elle reposa le coupe-papier inutile sur son bureau, prêta l'oreille, en vain. Était-il enfin parti ?

Angoissée, elle traversa toute la maison jusqu'à la cuisine, allumant les lumières sur son passage. Le culot de Lestrade l'exaspérait d'autant plus que, effectivement, le parc semblait à l'abandon. Toutefois, lorsqu'il venait y passer un moment, il se livrait à un travail de fourmi dont le résultat n'était guère visible. Que faisait-il exactement ? Elle se promit de consacrer tout son prochain week-end à ratisser, car si elle voulait se débarrasser de Lestrade il fallait qu'elle commence par mettre de l'ordre et lui prouver ainsi qu'elle n'avait pas besoin de lui.

— Mais pourquoi suis-je obligée de faire ça ? De quoi se mêle-t-il ?

Que lui avait-il dit, deux semaines plus tôt ? « J'ai promis. » Un pari, un serment ? À qui ? Elle n'avait aucun moyen de le savoir, Lestrade ne répondant pas aux questions directes. Ni aux injonctions de se tenir à distance !

Une impression de malaise submergea Pascale. Une fois de plus, elle eut envie d'appeler son père, de crier au secours, d'exiger l'explication de tous ces mystères. Malheureusement, il était le premier à en faire. Dès qu'il avait été question de Peyrolles, il s'était montré hostile sans pouvoir opposer une seule raison valable au désir de sa fille.

D'un geste impulsif, elle prit le téléphone, commença à composer le numéro de son père mais se ravisa et fit celui d'Adrien. Il décrocha au bout de six sonneries, la voix pâteuse.

— Je te dérange ? s'excusa-t-elle.

— Non, non… Toujours heureux de t'entendre, petite sœur.

Quand il l'appelait ainsi, c'est qu'il n'était pas seul.

— Je ne vais pas t'embêter longtemps, je voudrais juste que tu répondes à deux ou trois questions.

— C'est pour un jeu télévisé ?

Elle perçut distinctement le bruit de son briquet. Puisqu'il allumait une cigarette, il n'était pas trop pressé.

— Je suis sérieuse, Adrien. D'abord, te souviens-tu de la raison exacte qui a poussé papa à quitter Peyrolles ? Tu avais vingt ans, tu dois savoir des choses que j'ignore.

— Eh bien… il rêvait de la région parisienne, il finissait par étouffer en province. Et puis maman dépérissait, elle parlait de moins en moins et ne s'intéressait qu'à ses fleurs, ça finissait par inquiéter papa.

Les fleurs représentaient sans doute pour leur mère un moyen de s'évader. Pascale songea à ce panier plat dans lequel étaient couchées les roses à longue tige ou les lis.

Entre l'obsession de Camille pour ses plates-bandes et les idées fixes de Lucien Lestrade, existait-il un quelconque rapport ?

— À ton avis, Ad, pourquoi y a-t-il autant de mobilier stocké au grenier ? La maison était destinée à être louée, les parents auraient pu vendre sur place ce qu'ils n'emportaient pas à Saint-Germain, non ?

— Maman était assez sentimentale avec les objets, tu t'en souviens sûrement ! Elle a décrété que les locataires n'auraient pas besoin du grenier et qu'il serait condamné, comme ça elle a pu y entreposer ce dont elle ne voulait pas se séparer. J'ai grimpé cet escalier un nombre de fois incalculable ! Elle me disait de monter ceci, cela… Quand je pense que tu t'amuses à tout redescendre avec ta copine Aurore ! À propos, comment va-t-elle ?

— Bien, elle est partie dîner à Toulouse en compagnie d'un charmant garçon.

— Dommage…

— Pour qui ? Pour toi ? Tu es à sept cents kilomètres, Adrien, ne t'occupe donc pas d'Aurore. Explique-moi plutôt la raison de vos réticences, à papa et à toi, quand j'ai voulu acheter Peyrolles. Maintenant que c'est fait, le sujet n'est plus tabou, j'imagine ?

— Il ne l'a jamais été, protesta Adrien.

Elle l'entendit souffler bruyamment la fumée de sa cigarette, comme pour souligner sa désapprobation, puis il laissa passer un petit silence avant de reprendre :

— D'une part, ce n'était pas très chic de t'en aller juste après le décès de maman. D'autre part, cette maison ne porte pas vraiment bonheur.

— Papa le prétend aussi, pourtant nous y avons été très heureux, si ma mémoire est bonne.

— Toi, peut-être, mais lui, non. L'incendie où ma…

ma mère, enfin la première, a brûlé vive est un souvenir odieux pour lui. Il a eu beau faire raser les décombres de l'atelier, il n'a pas oublié.

Tout l'automne, les hibiscus mauves avaient fleuri à cet emplacement, Pascale y pensa avec un frisson désagréable.

— Il aurait pu vendre à ce moment-là si c'était insupportable pour lui.

— À qui ? Les gens auraient eu vite fait de baptiser Peyrolles maison du drame, maison maudite, et il n'y aurait pas eu preneur ! J'étais tout petit, il n'allait pas partir à l'aventure avec un gamin en bas âge…

— Bon, admettons, mais ensuite ? Il n'y a pas eu d'autre drame, que je sache.

Nouveau silence, nouveau soupir, puis Adrien reprit :

— Écoute, ma puce, je crois que papa a eu de gros soucis avec maman. Il le cachait de son mieux, seulement, quand il a décidé de quitter Peyrolles, il en avait soupé. Une ou deux fois, avant le départ, il m'a parlé. Il mettait en avant mes études, prétextant que rien ne valait la fac de médecine de Paris, des trucs comme ça… En réalité, il se faisait un sang d'encre pour maman.

— Pourquoi ? Elle n'était pas encore malade à l'époque.

— Pas malade, mais tellement triste ! Mutique, anorexique. D'après lui, vivre à Peyrolles la desséchait.

L'envie de révéler à Adrien l'existence du vieux livret de famille fut soudain tellement forte que Pascale dut se mordre la langue. Son père et son frère avaient toujours été proches, complices, et Adrien devait connaître des événements qu'on avait tus à la petite fille qu'elle était alors.

— Je regrette de ne pas avoir interrogé maman

davantage, je me suis aperçue que je ne savais quasiment rien d'elle. Et toi ?

— Savoir quoi ? s'étonna Adrien.

— Sa jeunesse, sa famille…

— Elle avait tiré un trait.

— Pourquoi ?

— Enfin, qu'est-ce qui te prend ?

La voix d'Adrien s'était brusquement durcie, il devait en avoir assez de cette conversation. Pascale se souvint qu'il n'était probablement pas seul.

— Si tu veux, proposa-t-elle, je te rappellerai demain.

— Nous avons épuisé le sujet, non ?

À présent, il s'énervait, pressé d'en finir.

— Téléphone plutôt à papa, moi, tout ça ne me passionne pas. Allez, il est tard, je t'embrasse, petite sœur.

Déçue, elle prit congé à son tour et raccrocha. Adrien ne s'était pas montré très compréhensif, mais il ne devait rien comprendre à ce flot de questions. Si elle avait mentionné le livret de famille, comment aurait-il réagi ? Et pourquoi se taisait-elle ? Pourquoi ne faisait-elle pas confiance à son frère ? Depuis qu'elle avait découvert le premier mariage de sa mère et la naissance de cette Julia Nhàn, elle voulait trouver seule la vérité. Seule, c'est-à-dire sans qu'on la ménage ni qu'on lui mente.

Debout devant le téléphone, elle réfléchit encore quelques instants, puis elle se fit un café instantané qu'elle emporta dans la bibliothèque, où les lumières étaient restées allumées. Négligeant les cartons de livres à moitié déballés, elle brancha son ordinateur portable et se connecta à Internet. Il existait au moins une chose toute simple à laquelle elle pouvait obtenir une réponse immédiate. Elle parcourut plusieurs sites avant de tomber sur ce qu'elle cherchait.

« Les prénoms féminins désignent en général la beauté… Les prénoms simples consistent toujours en un seul mot, monosyllabique… La préférence des Asiatiques pour les prénoms composés leur permet de donner une signification plus riche… Le prénom d'un enfant exprime le plus souvent le rêve des parents. »

Elle fit défiler sur l'écran la longue liste de prénoms jusqu'à la lettre N et découvrit que Nhàn signifiait « Sans soucis ». Julia Sans soucis…

Ouvrant le tiroir de son bureau, Pascale prit le livret de famille et le feuilleta. Sa mère, Camille, s'appelait aussi Huong Lan, c'est-à-dire « Parfum d'orchidée », et la mère de Camille se prénommait Anh Dào, à savoir « Fleur de cerisier ». Des fleurs, toujours des fleurs, sauf cette petite Julia Sans soucis. Était-ce le profond désir de Camille, que son bébé ne connût pas le moindre souci ? En déclarant sa première fille, elle avait jugé bon de lui adjoindre un prénom vietnamien, alors qu'elle s'en était abstenue pour Pascale. Pourquoi, au moment de la naissance de Julia, avait-elle repensé à ses origines, à sa propre mère, Anh Dào, à ce lointain pays d'où elle venait ?

Avec un soupir découragé, Pascale ferma l'ordinateur. Pendant un moment, elle se contenta de prêter attention au silence qui l'entourait, puis elle tendit la main vers l'enveloppe arrivée le matin même, en provenance de la mairie du XIIe arrondissement de Paris. Ainsi qu'elle l'espérait – qu'elle le *savait* tout au fond d'elle-même –, Julia Nhàn Coste n'était pas décédée.

Elle glissa l'enveloppe dans le livret de famille et remit le tout au fond du tiroir. Une recherche effectuée sur l'un des Minitel de l'hôpital lui avait appris qu'il existait un très grand nombre de Coste dans le département, mais peu importait, elle retrouverait la trace de Raoul. Par ailleurs, elle pouvait contacter la famille de sa mère, ces Montague que Camille avait rejetés en bloc.

Fatiguée, elle se leva, s'étira. Elle ne comptait pas attendre Aurore, d'ailleurs elle espérait que son amie rentrerait tard, signe d'une bonne soirée en compagnie de Georges Matéi ! Elle regagna la cuisine, où elle se prépara des œufs brouillés avec des toasts. Pourquoi Laurent Villeneuve ne l'avait-il pas encore invitée à déjeuner ? Parce que sa position de directeur du CHU le lui interdisait ou par égard pour son ami Samuel ? Leur arrivait-il de parler d'elle lorsqu'ils étaient ensemble ? L'idée que Sam puisse se sentir des droits sur elle avait quelque chose d'agaçant… et d'attendrissant.

Alors qu'elle finissait de laver la poêle, une porte claqua dans les profondeurs de la maison, la faisant sursauter. Avait-elle laissé une fenêtre ouverte quelque part ? Elle coupa l'eau, posa la poêle sur la paillasse et écouta. Dehors, le vent s'était levé et soufflait fort, en rafales. La sensation de malaise éprouvée deux heures plus tôt l'étreignit de nouveau. Jusque-là, elle s'était sentie bien à Peyrolles, pas du tout impressionnée par les dimensions de la maison, qu'elle connaissait par cœur, ni par son isolement. Alors pourquoi avait-elle peur, soudain, d'un simple courant d'air ?

Elle se força à respirer lentement, pour se calmer, puis elle entreprit un tour du rez-de-chaussée. Tout était clos, aucun carreau cassé, rien d'anormal. Elle monta au premier et, du palier, vit que la porte de la chambre d'Aurore était close, ce qui n'arrivait jamais. Après une seconde d'hésitation, elle l'ouvrit. Il faisait froid dans la pièce, quelques feuilles mortes jonchaient déjà le parquet et le battant d'une des fenêtres claquait.

L'explication était là, sous ses yeux, toute bête, pourtant Pascale frissonna et dut surmonter son angoisse avant de pouvoir aller la fermer. Le bruit du vent s'estompa aussitôt, cependant il semblait toujours cerner insidieusement la maison.

Réfugiée dans sa propre chambre, Pascale resta un long moment assise au pied de son lit, l'oreille tendue. Elle n'était pas très impressionnable, elle avait vécu des nuits de garde éprouvantes dans des cliniques désertes, ou encore des crises de panique mémorables lors de ses premiers vols en solo aux commandes d'un avion. À trente-deux ans, elle savait gérer ses émotions et conserver son sang-froid, néanmoins elle ne parvenait pas, ce soir, à chasser son anxiété.

Une fois sous sa couette, les deux lampes de chevet allumées, elle essaya en vain de se détendre. La pluie frappait maintenant ses carreaux, poussée par les bourrasques du vent déchaîné, et le tablier de fer de la cheminée d'angle vibrait à intervalles réguliers.

— Je ne veux pas me sentir mal à Peyrolles… Je suis chez moi, je suis à l'abri.

Elle répéta plusieurs fois la phrase, à voix basse puis plus haut. Mais ce fut seulement en entendant la voiture d'Aurore rouler sur les graviers de l'allée, deux heures plus tard, qu'elle poussa enfin un long soupir de soulagement.

5

Benjamin Montague venait de fêter ses soixante-douze ans. Affable, élégant, il se tenait assis bien droit sur sa chaise, répondant aux questions de Pascale avec beaucoup de bonne volonté.

Lorsqu'elle était entrée au Nabuchodonosor, le bar à vin où il l'attendait, il l'avait identifiée tout de suite, se levant pour venir à sa rencontre. Après s'être enquis de ce qu'elle désirait boire, il l'avait conduite vers une table à l'écart, apparemment amusé par cette situation imprévue qui lui permettait de rencontrer sa nièce.

— Après tout, mon père était votre grand-père ! avait-il rappelé avec un petit rire.

Elle avait trouvé ses coordonnées dans l'annuaire et n'en revenait pas qu'il ait accepté si facilement un rendez-vous. Cependant, dès les premiers mots, elle comprit qu'il ne pourrait pas vraiment l'aider.

— Les histoires de famille sont toujours effarantes, n'est-ce pas ? Bien entendu, je me souviens très bien de Camille, car à mon âge les souvenirs anciens sont les plus nets. Si vous voulez que je vous parle de sa petite enfance, je pourrai le faire sans mal. J'avais douze ans quand mon père est rentré de Hanoi avec ce bébé dans ses bagages. Il y a eu une atmosphère de drame à la maison pendant longtemps, vous imaginez bien… Ensuite, mon père est mort et Camille a été mise en pension.

— Votre mère ne l'aimait pas ?

— Comment l'aurait-elle pu ? Songez un peu, elle avait attendu mon père six ans, s'était rongé les sangs pour lui, et voilà qu'il lui ramenait une petite bâtarde conçue avec une Tonkinoise ! Et croyez-moi, il y a soixante ans, le qu'en-dira-t-on avait son importance. Bref, à partir du moment où Camille s'est retrouvée chez les bonnes sœurs, je ne l'ai quasiment plus vue. Je suis moi-même parti faire mes études à Londres.

— Vous deviez bien vous apercevoir pendant les vacances ?

Benjamin Montague haussa les épaules avec un petit rire désabusé.

— Je n'étais pas pressé de revenir. Ma mère était très… austère. J'avais un frère plus âgé, qui avait quitté la maison, et une sœur hystérique. J'ai énormément voyagé.

Déçue, Pascale avala quelques gorgées de vin. Le pouilly était tellement sublime que malgré tout elle esquissa un sourire.

— Ce bar est sans doute le plus apprécié des vrais buveurs, chuchota Benjamin en se penchant vers elle.

Il se redressa, la dévisagea quelques instants puis soupira.

— Je n'ai eu aucun mal à vous reconnaître, vous ressemblez à Camille. Enfin, à l'image que j'en garde. Cela dit, elle était moins épanouie que vous, c'est certain ! Elle ne se sentait pas bien chez nous et, dès sa scolarité terminée, elle a demandé à s'en aller. Ma mère a consenti tout de suite, vous pensez ! Elle l'a expédiée à Paris en lui recommandant de se débrouiller toute seule et sans se soucier de savoir ce qu'elle allait devenir. Très sincèrement, même si c'est cruel à dire aujourd'hui, particulièrement à vous, on ne s'intéressait pas à elle. D'ailleurs, elle n'a pas donné de nouvelles pendant longtemps. Ma mère, qui était sa tutrice légale, l'avait émancipée pour s'en débarrasser.

Il racontait d'un ton mesuré, presque triste. S'apercevait-il, avec cinquante ans de retard, qu'il aurait dû tenter quelque chose pour cette petite sœur si mal aimée ? La gorge serrée, Pascale demanda :

— Et vous n'avez plus jamais entendu parler d'elle ? C'est impossible !

— Si, ce serait très possible… Mais, en effet, elle a fini par se manifester. Je crois qu'elle était en difficulté à ce moment-là. Ma mère ne m'a pas donné de détails, j'étais alors en Autriche et j'appelais rarement la maison. J'ai cru comprendre que Camille s'était mariée, avait eu un enfant, puis avait été abandonnée par le monsieur. Ma mère triomphait, considérant qu'il n'y avait rien d'autre à attendre d'une fille comme elle.

Pascale se redressa, toisa Benjamin qui s'empressa d'enchaîner :

— Ma mère était injuste, bornée, collet monté, tout ce que vous voudrez, je suis d'accord ! Mais à l'époque, et à Toulouse, Camille représentait une tache indélébile sur la famille Montague. De toute façon, elle ne demandait rien, elle s'est querellée avec ma mère et, cette fois, elle a claqué la porte définitivement. Sous ses apparences dociles, elle avait son caractère, vous devez le savoir… Beaucoup plus tard, j'ai appris qu'elle avait épousé un médecin d'Albi, et je vous jure que ça m'a fait plaisir pour elle.

— Pour elle ou parce que ça soulageait votre conscience ?

L'indignation de Pascale, légitime, rendit le vieux monsieur encore plus triste. Il ébaucha un geste d'impuissance, baissa les yeux.

— Je n'ai jamais rien entendu d'aussi cynique que ce que vous venez de me raconter. Camille était votre demi-sœur et, d'après ce que je comprends, aucun d'entre vous n'a pris sa défense, jamais. Votre père devait se retourner dans sa tombe en vous voyant faire ! Ou plutôt ne rien faire pour elle…

Bien que Pascale ait monté le ton, Benjamin eut la décence de ne pas regarder autour de lui pour voir si on les observait. Quel genre de jeune homme égoïste et indifférent avait-il donc été ?

— Je savais que vous seriez blessée par toute cette histoire, murmura-t-il. Mais comprenez-moi bien, je ne suis pas fier de ce passé, ni de ma famille. Nous avons mal agi et mon père est mort trop tôt. Lui n'aurait pas permis certaines choses, pourtant je ne suis pas sûr qu'il ait été très attaché à Camille non plus. Il avait seulement fait ce qu'il considérait comme son devoir, malgré tous les ennuis qu'il allait en tirer… Ma mère n'était pas une femme généreuse, elle ne lui a pas pardonné son infidélité, sa trahison, sa bâtarde, et toute cette rancœur accumulée s'est tournée vers Camille. Pourtant, jamais elle n'a levé la main sur elle.

— Encore heureux !

Pour ne pas laisser la colère l'emporter, Pascale vida son verre d'un trait. Benjamin avait fini de siroter le sien et il fit signe au serveur de renouveler leurs consommations. Après un assez long silence, Pascale regarda de nouveau l'homme qui lui faisait face et qui était son oncle.

— Ma mère a rayé toute votre famille de sa mémoire,

reprit-elle d'une voix tendue. Je ne sais rien des Montague, vous êtes le premier que je rencontre.

— Ne vous fatiguez pas avec les autres, mon frère et ma sœur n'accepteraient sans doute pas de vous parler. Ils ont vécu Camille comme une injustice honteuse, ils soutenaient ma mère à fond, je me demande même s'ils n'étaient pas pires qu'elle.

— Mais pas vous ? ironisa amèrement Pascale.

— J'étais loin et, ainsi que je vous l'ai expliqué, je me limitais à l'indifférence, ce qui n'est pas glorieux non plus.

— Et cet enfant qu'elle avait eu à Paris, qu'est-il devenu ?

— L'enfant ?

Effaré, il la scruta deux ou trois secondes sans paraître comprendre le sens de sa question.

— Eh bien, il est mort en bas âge, non ? En tout cas, c'est ce que j'ai entendu dire… Vous le savez forcément mieux que moi !

— Non, je l'ignore. Voilà pourquoi j'ai un problème, monsieur Montague. La jeunesse de ma mère était un sujet tabou, elle n'a jamais mentionné devant moi son premier mariage ni son premier enfant. Il a fallu tout un concours de circonstances pour que je l'apprenne, il y a peu.

— Votre père doit être au courant, je présume…

Invariablement, Pascale était ramenée à cette évidence : elle devait interroger son père. Pourquoi éprouvait-elle une telle réticence à l'idée de lui poser des questions ? Avait-elle peur de ses réponses ou peur de l'entendre mentir ?

— Puis-je encore vous être utile, Pascale ?

Penché vers elle, Benjamin affichait un petit sourire navré.

— Je ne crois pas… Merci de m'avoir consacré de votre temps. Je ne suis pas beaucoup plus avancée mais…

Elle avait énormément espéré de leur entretien et était d'autant plus désappointée que le vieux monsieur semblait sincère. Il lui avait dit tout ce qu'il savait, et c'était lui le plus concerné dans la famille Montague ! Elle n'avait aucune envie de rencontrer les autres, qui ne lui apprendraient rien de plus tout en risquant de la blesser davantage.

— La vie est mal faite, ajouta-t-il. En d'autres circonstances, nous aurions été heureux de faire connaissance, n'est-ce pas ? Hélas ! nous avons trop mal traité votre mère pour que vous ayez jamais envie de vous sentir des nôtres. Voyez-vous, j'avais moi-même un peu oublié cette histoire, ce qui est impardonnable.

« Oublié. » Un mot odieux, qui renvoyait Camille au néant. Les siens l'avaient oubliée, elle-même avait oublié à son tour sa petite Julia Nhàn quelque part. Seul Henry Fontanel l'avait sortie du cercle infernal de l'indifférence.

Pascale vit Benjamin poser discrètement un billet sur la table. Avant de se lever, elle le regarda une dernière fois pour être sûre de se souvenir de lui.

Nadine quitta l'amphithéâtre dans un silence complet. C'était devenu une tradition, aucun étudiant ne faisait jamais le moindre mouvement tant qu'elle n'avait pas disparu par la petite porte, au bout de l'estrade. Ses cours magistraux, donnés d'une voix assez forte pour se passer de micro, rencontraient toujours le même succès. D'autres professeurs provoquaient davantage d'enthousiasme, suscitaient des rires ou des questions, établissaient un rapport de sympathie avec leur auditoire, mais Nadine ne s'en souciait pas. Elle ne cherchait ni à être populaire, ni à transmettre un savoir : elle exposait avec rigueur une réalité scientifique.

Ce jour-là, comme les autres, elle avait parlé durant deux heures sans le secours d'aucune note, et elle avait été religieusement écoutée. Mais en sortant de la fac de médecine, toute sa fureur lui revint. Que son imbécile de frère ait accepté de rencontrer Pascale Fontanel la mettait hors d'elle. Qu'avait-il pu lui raconter ? Benjamin était quasiment le dissident de la famille, toujours absent, toujours au loin, c'était lui qui avait le moins bien connu Camille. Que ferait-il d'une pseudo-nièce aujourd'hui ? De toute façon, la petite Fontanel n'était pas assez folle – et surtout pas assez stupide – pour aller chercher de l'affection auprès des Montague. Non, elle voulait probablement des renseignements, peut-être à propos de l'héritage. Sauf qu'il n'y avait rien à lui apprendre ! Au moment du décès de sa mère, Nadine avait redouté le partage obligatoire qui allait s'ensuivre, Camille étant héritière au même titre que Nadine et ses deux frères. Or les choses s'étaient déroulées très simplement : le notaire avait fait savoir que Camille renonçait à tout et ne se présenterait même pas à l'étude car elle ne souhaitait revoir aucun des Montague. Elle venait de se marier avec Henry Fontanel et devait se considérer à l'abri du besoin, la rencontre n'avait donc pas eu lieu.

Nadine s'arrêta, essoufflée. Elle marchait trop vite, elle était trop grosse, pourquoi mangeait-elle autant alors qu'elle recommandait à tous ses patients de ne pas prendre de poids ? Entre la nourriture servie au restaurant des médecins, à l'hôpital, et les plats tout prêts qu'elle ingurgitait voracement le soir en rentrant chez elle, le nez dans une revue médicale, elle négligeait toute hygiène alimentaire.

« Je vais m'acheter des fruits et des légumes frais… »

Un vœu pieu, jamais elle n'aurait le temps de traîner au marché. Sa vie entière était consacrée au service de pneumo de Purpan, et c'était très bien ainsi. Si Abel Montague avait vécu assez longtemps pour assister à la réussite de Nadine, il aurait été très fier de sa fille. Elle aurait tant voulu avoir l'occasion de lui montrer de quoi elle était capable ! Lui prouver qu'elle était la meilleure, et de loin, parce que Camille, elle, n'avait rien fait de sa vie, sinon se faire engrosser par le premier venu. Un second mariage l'avait sauvée *in extremis* de la vie médiocre à laquelle elle était destinée, voilà tout. Comme quoi la beauté avait ses limites, Dieu merci ! Enfant, Nadine ne pouvait pas supporter le regard attendri de leur père sur Camille, et lorsqu'il disait qu'il la trouvait jolie, elle se sentait rejetée. Jolie, avec son teint jaune, ses cheveux raides comme des baguettes et ses grands yeux noirs qui lui mangeaient toute la figure ? Plusieurs fois, Nadine était allée poser la question à sa mère, qui l'avait rassurée : non, bien sûr que non, la *niakoué*, la bâtarde, n'était pas belle, elle ressemblait juste à une face de citron. Quant à Nadine elle-même, son physique ingrat était qualifié d'intéressant… Quel euphémisme ! Elle s'était aperçue très tôt que la nature ne l'avait pas vraiment gâtée et qu'il lui faudrait trouver autre chose pour être admirée.

De nouveau à bout de souffle, elle parvint enfin à sa voiture. Depuis de nombreuses années, elle n'avait pas repensé à son enfance avec une telle acuité, mais la présence de Pascale Fontanel dans son service la ramenait en permanence à ses souvenirs.

« J'appellerai Benjamin tout à l'heure, je veux savoir ce qu'il lui a dit. »

Au moins, son frère avait eu la courtoisie de la prévenir, et elle avait exigé qu'il ne parle pas d'elle, qu'il ne mentionne surtout pas son nom. Tant que Pascale ne ferait pas le rapprochement entre le Pr Nadine Clément et la famille Montague, elle ne risquait pas de s'écrier : « En quelque sorte, vous êtes ma tante ! »

Bon sang, il fallait vraiment qu'elle se débarrasse de cette femme avant qu'une semblable catastrophe se produise.

Vers le milieu de la semaine, le temps changea. Le soleil revint, accompagné d'un froid sec et d'un petit vent pénétrant. Dans la lutte inégale que Pascale menait contre Lucien Lestrade, ce dernier avait fini par avoir gain de cause, retournant la terre des massifs à sa guise et plantant ses bulbes où il le désirait. Un samedi de la mi-novembre, il déclara son travail terminé, sans toutefois rendre la clef de la petite porte, qu'il prétendit avoir égarée. Pas dupe, Pascale se résigna d'avance à le voir réapparaître au printemps mais, d'ici là, elle aurait enfin la paix à Peyrolles.

Or cette paix, elle en avait un besoin crucial, fatiguée par ses incessantes prises de bec avec Nadine Clément, à Purpan, et très inquiète à l'idée des fêtes de Noël qui approchaient. Elle avait invité son père et son frère, sans obtenir encore de réponse définitive, comme s'ils répugnaient l'un et l'autre à passer deux jours à Peyrolles. Pourtant, ils avaient envie de se réunir, comme chaque année, et Pascale refusait tout net d'aller à Saint-Germain. Réveillonner dans une vraie maison, avec un grand feu de cheminée et de la neige sur la pelouse lui semblait beaucoup plus agréable que se cloîtrer dans un appartement. De plus, elle voulait absolument profiter de la présence de son père pour avoir avec lui la conversation qu'elle repoussait depuis trop longtemps et qui se révélait impossible par téléphone. Certains soirs, avant de s'endormir, elle se répétait une liste de questions précises, à formuler avec tact mais qui toutes signifieraient : « Pourquoi m'as-tu menti ? »

Avec l'arrivée imminente de l'hiver et les jours trop courts, la route pour Toulouse s'effectuait de nuit, matin et soir. Pascale et Aurore tentaient de faire coïncider leurs emplois du temps, sans grand succès, et se retrouvaient souvent seules au volant. Comme prévu, la lassitude des trajets se faisait sentir, contraignant Pascale à s'interroger sur son avenir. Était-il raisonnable d'accumuler autant de kilomètres à longueur d'année, surtout pour travailler sous les ordres d'un patron tel que Nadine ?

Dans ses rares moments de liberté, Pascale avait cherché en vain la trace de Raoul Coste. Soit elle n'était pas douée pour mener une enquête policière, soit elle n'avait pas eu de chance, mais parmi tous les Coste contactés, aucun ne connaissait de Raoul. Découragée, elle ne perdait pourtant pas de vue son objectif et, d'une manière ou d'une autre, elle apprendrait un jour la vérité sur Julia Sans soucis.

Le premier vendredi de décembre, à peine arrivée dans le service, une secrétaire lui remit une note émanant du directeur de l'hôpital. Signée de sa main et rédigée avec beaucoup de courtoisie, il s'agissait néanmoins d'une convocation.

— Villeneuve veut me voir dans son bureau à onze

heures, glissa-t-elle à Aurore au moment de la pause. Tu crois que c'est mauvais signe ?

— La peau de vache a encore dû trouver une bonne raison de se plaindre !

Pascale avait conservé l'habitude de venir boire son café dans le local des infirmières, dont Aurore ferma soigneusement la porte.

— Je dîne avec Georges, ce soir, annonça-t-elle, les yeux brillants.

— Encore ? C'est magnifique !

— Nous ne sommes pas encore arrivés aux choses sérieuses, mais j'adore sa compagnie. Il est d'une gentillesse rare.

— Rare ? Il y a plein de gens gentils, heureusement.

— Jusque-là, je n'en ai pas rencontré tant que ça. Je voudrais rester discrète, tu connais les mauvaises langues du service…

Mieux valait garder sa vie privée secrète si on ne voulait pas alimenter les conversations de l'étage.

— J'espère que ton rendez-vous va bien se passer, ajouta Aurore en détaillant Pascale de la tête aux pieds.

Dans leurs bavardages, elles avaient évoqué une ou deux fois Laurent Villeneuve, et Pascale ne s'était pas cachée de l'attirance qu'elle éprouvait pour lui.

— Je préfère le voir à l'aéroclub, dans son bureau il me glace ! dit-elle en riant.

— Je crois que tu lui fais l'effet inverse, répliqua Aurore, mais n'oublie tout de même pas à qui tu as affaire.

— Aucun risque !

Pascale lui adressa un sourire entendu avant de sortir. Elle gagna le vestiaire des médecins, où elle enleva son stéthoscope, sa blouse, puis enfila sa parka sur son pull à col roulé noir. Elle devait traverser une partie de l'hôpital pour gagner le bâtiment administratif et il faisait très froid dehors.

Dans le couloir, elle rencontra l'un de ses patients qui effectuait un test consistant à marcher pendant dix minutes pour évaluer sa capacité respiratoire et son temps de récupération. Georges Matéi le suivait docilement, portant l'appareil qui enregistrait les données.

— Bonne promenade ! lança Pascale en leur adressant un signe d'encouragement.

Elle n'était pas la seule, tant s'en fallait, à réclamer des examens en tout genre. Pourquoi se priver des services d'un matériel de pointe ? Si Nadine Clément préférait la médecine à l'ancienne et ne se fiait qu'à son diagnostic, c'est qu'elle appartenait à une autre génération.

S'interrogeant toujours sur les raisons de sa convocation, Pascale se présenta à la secrétaire de Laurent Villeneuve, qui lui désigna une double porte.

— M. le directeur vous attend.

Un peu tendue, Pascale pénétra dans une grande pièce claire, chaleureuse, meublée de bibliothèques de bois blond et de sièges de cuir havane. Laurent était à son bureau, mais il se leva pour l'accueillir.

— Désolé de vous avoir adressé une note aussi impérative, c'était le seul moyen pour que Nadine Clément vous laisse quitter son service !

Son regard bleu acier pétillant de malice, il esquissa un sourire.

— Asseyez-vous, Pascale. Il y a deux choses dont je voudrais vous entretenir, rien de grave…

Elle remarqua la coupe parfaite de son costume bleu nuit, le nœud de cravate impeccablement fait. Dans son rôle de directeur, il était un peu plus distant mais tout aussi séduisant. Il reprit sa place, chercha une enveloppe dans son tiroir et en sortit une feuille.

— Vous avez adressé, il y a un certain temps, une demande de renseignements à la caisse régionale d'assurance maladie. C'est à moi qu'ils ont envoyé la réponse.

Clouée sur son fauteuil, Pascale resta deux secondes silencieuse. Pourquoi ces satanés fonctionnaires ne lui avaient-ils pas répondu directement ?

— Il ne s'agit pas d'un de vos patients, n'est-ce pas ? ajouta Laurent d'une voix amicale.

Elle secoua la tête, cherchant en hâte une explication plausible.

— Toujours votre roman policier en chantier ?

— Eh bien..., vous savez que j'essaie de retrouver la trace d'une personne qui... À vrai dire, c'est un peu compliqué, c'est...

— Il s'agit d'une certaine Julia Coste, née le 3 août 1966 à Paris.

Il lui tendit le courrier par-dessus son bureau.

— Vous constaterez que cette femme est affiliée à la caisse primaire du Tarn.

— Mon Dieu..., murmura Pascale.

Bouleversée, elle regardait la feuille sans la voir.

« Julia est vivante. J'ai une sœur, quelque part, et pas loin d'ici ! »

— Pascale ? Quelque chose ne va pas ?

Elle releva les yeux sur lui, saisie par l'irrésistible envie de lui raconter son histoire.

— C'est une personne de ma famille, et nul n'avait jugé bon de me le dire jusqu'ici. Je n'aurais pas dû utiliser mon statut de médecin du CHU pour obtenir ce renseignement, mais...

— Je suppose que c'était très important pour vous.

— Oh, oui ! Oui…

Laurent se leva, contourna son bureau et vint s'asseoir à côté d'elle. D'un geste protecteur, il lui effleura le poignet.

— Avez-vous envie d'en parler ?

Sa sollicitude n'avait rien d'artificiel ni de contraint. S'il existait quelqu'un à qui Pascale pouvait se confier, c'était sûrement cet homme. En quelques phrases, elle lui résuma la situation, attentive à ne pas céder à l'émotion.

— Je n'ai pas encore osé aborder la question avec mon père, conclut-elle.

— Pourquoi ?

— Parce qu'il existe forcément une raison à son silence, une raison que je n'ai pas très envie de connaître. Ma mère, telle que je m'en souviens, n'aurait jamais pu abandonner un enfant.

Sourcils froncés, Laurent l'observa un moment en silence puis, lentement, il retira sa main, croisa les bras.

— Allez-vous prendre contact avec cette femme ? demanda-t-il enfin.

— Bien sûr ! Du moins…

Une nouvelle fois, elle relut la réponse de la caisse primaire, qui ne comportait aucune indication personnelle sur Julia Coste, hormis la confirmation de son existence en tant qu'assurée sociale.

— Je peux vous obtenir ses coordonnées, déclara Laurent d'un ton mesuré.

— C'est vrai ? Ce serait fantastique !

Il lui suffirait sans doute de passer un simple coup de téléphone ; toutefois, qu'il l'ait proposé spontanément était une preuve supplémentaire de sa gentillesse.

— Si vous êtes tout à fait certaine de vouloir la

rencontrer. À mon avis, vous devriez d'abord avoir une conversation avec votre père.

— Peut-être.

Tout la ramenait au point de départ, elle n'allait plus pouvoir retarder l'échéance. Laurent hocha la tête avant d'aller reprendre place derrière son bureau, comme s'il voulait soudain mettre un peu de distance entre eux. L'avait-il convoquée pour tout autre chose ? Leurs regards se croisèrent et restèrent quelques instants accrochés l'un à l'autre.

— Le deuxième point que je désirais aborder avec vous est beaucoup plus… anodin.

— Nadine Clément ?

— Oui. Elle vous a vraiment prise en grippe mais je sais que ses plaintes sont sans fondement, elle ne parvient pas elle-même à les justifier.

— Je n'ai commis aucune faute professionnelle, se défendit Pascale, et je trouve difficile de travailler dans ces conditions. S'il y avait eu une place à Albi, je l'aurais prise volontiers, croyez-moi ! Je n'ai pas été habituée à être surveillée ni contrée systématiquement, même pendant mon internat. Dans l'attitude du Pr Clément, il y a quelque chose de très personnel, qui n'a rien à voir avec mes compétences.

Il leva la main en signe d'apaisement, pour endiguer le flot de paroles qu'elle venait de débiter d'une voix tendue, mais elle ne s'interrompit pas pour autant.

— Exercer dans un hôpital comme celui-ci est une chance et je devrais être en train de vous remercier, or je n'ai qu'une envie : partir. Vous n'imaginez pas l'effet que ça me fait de voir toutes mes ordonnances contrôlées, le moindre de mes gestes critiqué, et il y a pire : Mme Clément n'hésite pas à me faire passer pour une incapable aux yeux de mes patients !

Elle se tut enfin, un peu confuse de s'être laissée aller, tandis que Laurent souriait.

— Albi vous aurait tentée ? Vraiment ?

— C'était ma première idée, oui, mais Sam m'a dit qu'il y avait une place ici…

Le sourire de Laurent s'accentua. La jugeait-il stupide ou sans ambition pour préférer un petit hôpital à un centre hospitalier universitaire de la taille de Purpan ? Son interphone se mit à bourdonner et il y jeta un coup d'œil agacé sans répondre.

— Bien, soupira-t-il, je vais vous libérer.

Elle n'en avait aucune envie et quitta son fauteuil à regret. Comme elle tenait toujours le courrier, il ajouta :

— Ne vous inquiétez pas, je m'occupe de votre affaire.

Il se leva pour la raccompagner jusqu'à la porte. La main sur la poignée, il parut hésiter.

— Il y a une dernière chose… Je ne sais pas très bien de quelle manière la formuler mais j'aimerais vous… vous inviter à dîner, un de ces jours. Vous n'êtes pas obligée d'accepter, c'est sûrement très incongru et…

— Ce sera avec plaisir ! Quand ?

Elle se mordit les lèvres, embarrassée d'avoir répondu si vite.

— Samedi ?

— Parfait, murmura-t-elle.

À présent, ils étaient aussi gênés l'un que l'autre, n'osant même plus se regarder et, dès qu'il ouvrit, elle s'esquiva sans même penser à lui serrer la main.

— Bon sang, j'ai cru qu'il nous lâchait…

Samuel ôta son masque et ses gants tout en suivant

des yeux le chariot qui emportait le patient vers la salle de réveil.

— Tu as été épatant ! affirma l'un des chirurgiens en lui tapant sur l'épaule au passage.

— Vous ne pourriez pas opérer des gens en meilleure santé ? plaisanta Sam.

Le malade lui avait donné beaucoup de fil à retordre durant les trois heures qu'avait duré l'intervention. Brutales chutes de tension, troubles du rythme, instabilité : Sam s'était débattu avec tous les incidents imaginables tandis que les chirurgiens procédaient à l'ablation d'une tumeur sur un poumon.

— Un vrai cas d'école, soupira-t-il. Je vais le surveiller de près jusqu'à ce qu'il regagne son lit en pneumo.

Nadine Clément, qui avait tenu à être présente au bloc, marmonna un bref compliment avant de saluer l'équipe, et elle adressa à Samuel ce qui pouvait – à la rigueur – passer pour un sourire.

— Toujours aussi aimable, celle-là ! chuchota l'une des instrumentistes.

Sam emprunta le chemin qu'avait pris le chariot, perdu dans ses pensées. Le malade était suivi par le Dr Fontanel, ainsi qu'en attestait le dossier où Sam avait trouvé tous les renseignements nécessaires pour préparer son anesthésie. Pascale était toujours aussi précise et claire dans ses comptes rendus, c'était un plaisir de travailler avec elle.

Parvenu en salle de réveil, il s'installa au chevet du patient, qui émergeait lentement.

— Monsieur Valier, vous m'entendez ? Monsieur Valier ?

Un grognement lui répondit mais il insista, d'une voix forte, jusqu'à obtenir une réponse intelligible.

— Tout s'est très bien passé, affirma-t-il avec une parfaite mauvaise foi. Vous allez bientôt être redescendu dans votre chambre…

Après quelques essais infructueux, Antoine Valier prononça une phrase dont le seul mot compréhensible était « Fontanel ». La conscience lui revenait et il réclamait son médecin, c'était bon signe. Avec un sourire attendri, Samuel se souvint que Pascale entretenait toujours d'excellents rapports avec ses patients. Elle leur parlait franchement, ne les infantilisait pas, leur insufflait l'énergie dont ils avaient besoin pour lutter contre la maladie.

Il vérifia les écrans de contrôle, reprit la tension d'Antoine Valier puis appela une infirmière.

— On va attendre encore un peu avant de le transférer. Je repasse dans une demi-heure, bipez-moi s'il y a quoi que ce soit.

Pour l'instant, tout ce qu'il désirait était un café noir accompagné d'une barre de céréales. Il se rendit à la cafétéria puis sortit du bâtiment, avide de respirer un peu d'air frais. Très frais, en l'occurrence, mais au moins le ciel était bleu. Tout en marchant à grands pas afin d'éliminer le stress de cette longue opération, il essaya de réfléchir à une idée de cadeau. S'il s'y prenait trop tard, il achèterait n'importe quoi, or Marianne s'attendait sûrement à quelque chose de spécial pour Noël. Mais quoi ? Peut-être une montre… À quoi ressemblait la sienne ? Bonté divine, il n'était même pas capable de se souvenir de ce qu'elle portait au poignet ! Pourtant, petit à petit, ses sentiments évoluaient, il se sentait mieux avec elle et cherchait moins souvent des prétextes pour rester seul. Même quand elle l'envahissait, elle finissait par l'émouvoir. Était-il en train de s'apercevoir des avantages d'une femme douce et fragile ?

Contrairement à Pascale, qui possédait un caractère bien trempé et une volonté farouche, Marianne était vulnérable, facilement démunie, on avait forcément envie de la protéger. Et si Samuel avait pu aider Pascale, il n'aurait jamais eu l'idée saugrenue de vouloir la *protéger*.

Il jeta un coup d'œil à sa montre et fit demi-tour. L'infirmière ne l'avait pas bipé mais il devait revoir Antoine Valier avant d'autoriser son transfert en pneumo. Un instant, il songea à accompagner son patient, ce qui lui donnerait l'occasion de voir Pascale. À cette heure-ci, elle était dans le service et ils trouveraient toujours moyen de bavarder un peu. Ces derniers temps, elle ne lui téléphonait plus, et chaque fois qu'il l'avait croisée, il lui avait trouvé l'air soucieux. La cohabitation avec Nadine Clément posait d'évidents problèmes, toutefois Pascale semblait en mesure de les surmonter. Connaissait-elle d'autres soucis, dont elle préférait ne pas lui parler ? L'idée qu'elle ne lui fasse plus confiance le désolait. Mais qu'est-ce qui ne le désolait pas quand il pensait à elle ? Entre autres et par exemple cette sorte d'autorisation que Laurent lui avait implicitement demandée, la veille, en annonçant qu'il comptait l'inviter à dîner, si Sam n'y voyait pas d'objection, bien entendu. Or quoi de plus consternant qu'imaginer Pascale en tête à tête avec un homme comme Laurent ? Il la ferait rire aux éclats, saurait l'intéresser, il possédait toutes les qualités qu'elle aimait. Ils allaient se plaire, d'ailleurs, ils se plaisaient déjà. Sans compter qu'elle devait en avoir assez d'être seule, même si elle prétendait le contraire.

Un dîner avec Laurent... Chandelles et musique douce, où allait-il l'emmener ? Céderait-elle dès le premier soir ? Non, elle n'avait rien d'une femme facile,

Laurent devrait faire ses preuves d'abord. Sans doute ne demanderait-il pas mieux, lui aussi était seul depuis trop longtemps, échaudé par ses deux dernières liaisons, plutôt catastrophiques. À vrai dire, il était mal tombé, le pauvre, ce qui était très injuste parce qu'il aurait dû être comblé en amour. Sam le plaignait et souhaitait sincèrement le voir trouver la femme idéale mais… Pascale ?

Après le divorce, Sam avait endossé le rôle d'ami parce qu'il ne lui restait rien d'autre et qu'il refusait farouchement l'idée de perdre Pascale de vue. Ils avaient même pris l'habitude hebdomadaire de déjeuner ensemble ou au moins de boire un verre. Hélas ! Samuel s'était aperçu bien vite qu'il devait s'éloigner physiquement de son ex-femme, sinon jamais il n'arriverait à se guérir d'elle. Alors il était parti pour Toulouse, se bornant à des contacts téléphoniques réguliers. Il prenait de ses nouvelles, elle lui racontait sa vie, son travail à Necker, ses rares aventures. Il l'écoutait tout en redoutant le jour où elle lui annoncerait qu'elle était amoureuse d'un autre, mais ce n'était pas arrivé. Aujourd'hui, serait-il capable de le supporter ? Parviendrait-il à imaginer Pascale dans les bras de Laurent sans les haïr tous les deux ?

Revenu à l'étage des blocs opératoires, il autorisa le transfert d'Antoine Valier, qui était tout à fait réveillé et commençait à se plaindre, cependant il renonça à l'accompagner.

— Vous allez retrouver le Dr Fontanel, elle va vous prendre en charge et vous administrer des calmants…

Lui-même aurait eu bien besoin d'un philtre d'oubli. À force de penser à Pascale, il n'avait toujours aucune idée pour le cadeau de Marianne.

— Tu es sûre que j'ai bien fait, pour la couleur ? s'inquiéta Pascale en négociant un virage.

— Certaine, répliqua Aurore d'un ton péremptoire. Ce rouge est fabuleux sur toi ! Et arrête de t'inquiéter, de toute façon, la partie est gagnée d'avance, non ?

Elles rentraient à Peyrolles après avoir écumé toutes les boutiques chic du vieil Albi. Sur les conseils enthousiastes d'Aurore, Pascale avait fini par craquer pour un ensemble jupe et spencer qu'elle comptait porter le soir même.

— Laurent Villeneuve... Carrément ! Je te jure que j'ai du mal à y croire. Si jamais quelqu'un de l'hôpital vous aperçoit ensemble, le potin se répandra comme une traînée de poudre.

— On dîne chez lui.

— Chez lui ? se récria Aurore. Il sait cuisiner, en plus ?

— Aucune idée. Mais, pour les commérages, il a dû penser comme toi.

Alors qu'elles étaient à environ un kilomètre de Peyrolles, Pascale aperçut une vieille dame, juste au bord de la route, occupée à enlever les feuilles mortes devant son portail. Sa brouette était au beau milieu de la chaussée, le manche d'un râteau dépassant dangereusement. Pascale ralentit, hésita, puis se rangea sur le bas-côté.

— Les gens âgés, je te jure..., soupira Aurore.

Pourtant, tout comme Pascale, elle pouvait faire preuve d'une patience d'ange avec les malades à longueur de journée. Elles descendirent ensemble, aussi souriantes l'une que l'autre.

— Vous allez vous faire accrocher par une voiture, dit gentiment Pascale en saluant la vieille dame. Besoin d'un coup de main ?

Tandis qu'Aurore poussait la brouette vers le portail, Pascale se présenta.

— Nous sommes quasiment voisines, j'habite…

— Je sais où vous habitez, Dr Fontanel. C'est drôle de vous appeler comme ça, pour tout le monde par ici, c'était votre père, le Dr Fontanel. Mais la médecine doit être un truc de famille chez vous, pensez donc, votre grand-père soignait déjà ma grand-mère !

Dans son visage ravagé par les rides, le regard encore très bleu de la vieille dame semblait rire.

— Je m'appelle Léonie Bertin et je suis ravie de vous serrer la main. Ravie aussi qu'il y ait du monde à Peyrolles parce que le coin est plutôt isolé. Est-ce que vous vous y plaisez ?

— Beaucoup. C'est la maison de mon enfance.

— Oui, mais…

Léonie s'interrompit pour dévisager Pascale attentivement puis, avec un geste fataliste, elle enchaîna :

— Je ne pensais pas que vous y reviendriez jamais. Je m'attendais que ce soit vendu.

— Pourquoi ?

— Oh, vous êtes trop jeune…

Du coin de l'œil, elle surveillait Aurore, qui s'était mise à entasser les feuilles dans la brouette.

— C'est bien gentil de m'aider ! lui lança-t-elle.

— Trop jeune pour quoi ? insista Pascale.

— Pour avoir de mauvais souvenirs. Moi, j'ai connu la première Mme Fontanel, une belle femme un peu hautaine qui ne méritait pas une mort aussi horrible. Cet incendie, quelle tragédie… Tout de suite après, il y a eu votre maman, et de vous à moi, vous lui ressemblez drôlement, sauf qu'elle avait toujours l'air si triste ! Je sais bien qu'on ne se remet jamais du deuil d'un enfant, surtout un petit…

Léonie secoua la tête tout en appuyant ses mains au creux de ses reins, qui devaient la faire souffrir. Pascale se taisait, médusée. Quel deuil ? S'il s'agissait de Julia – et qui d'autre ? –, elle était bien vivante. Par ailleurs, Léonie Bertin avait eu un mot malheureux : « Tout de suite après. » Comme si son père s'était dépêché de se remarier, à peine sa première femme enterrée.

— Et votre frère ? Je m'en souviens comme d'un très beau jeune homme !

— Il va bien… Il est médecin aussi.

— Voilà, je vous ai rentré la brouette et j'ai rangé le râteau sous l'auvent, déclara Aurore. Il fait très froid, vous allez attraper un rhume si vous restez dehors.

La nuit tombait déjà et la température baissait encore. Léonie resserra autour d'elle son gros châle aux tons fanés.

— Merci, jeunes femmes. Vous êtes bien aimables, toutes les deux. Passez donc me voir, à l'occasion, je prépare toujours des gâteaux à la violette et des galettes de millas au moment de Noël.

— Nous viendrons, c'est promis, affirma Pascale en s'efforçant de sourire.

Cette vieille dame avait sûrement des tas de choses à lui apprendre et elle comptait bien la faire parler.

Elles remontèrent en voiture et parcoururent les dernières centaines de mètres jusqu'à la grille de Peyrolles. La maison de Léonie Bertin était la dernière, un peu isolée après la sortie du village, et se trouvait donc la plus proche de Peyrolles.

— Elle est gentille, cette mamie. Elle t'a raconté des choses intéressantes ?

— Si on veut… Chaque fois qu'il est question de ma famille, je tombe des nues !

Ce constat la ramena à son obsession : Julia. Tout ce

mystère dont elle voulait trouver la clef avant d'avoir enfin l'inévitable explication avec son père. D'abord rencontrer Julia et apprendre d'elle la vérité.

À peine rentrée, elle monta dans sa salle de bains, où elle brancha le radiateur électrique avant d'ouvrir les robinets de la baignoire. La perspective du dîner chez Laurent lui donnait soudain envie d'être belle et elle prit le temps de se faire un shampooing puis un brushing. Une fois ses cheveux brillants comme de la soie, elle se maquilla légèrement, mit deux gouttes d'extrait de parfum sur sa nuque et s'habilla. La jupe et le spencer rouges soulignaient parfaitement sa silhouette longiligne. Elle opta pour des escarpins noirs, assortis au manteau de cachemire à col officier que son père lui avait offert l'année précédente.

Lorsqu'elle descendit l'escalier, Aurore la héla depuis le hall.

— Tu es sublime ! Notre bon directeur va en rester baba…

— Tu ne devais pas sortir aussi ? s'étonna Pascale.

Aurore était toujours en jean et en col roulé, des tennis aux pieds.

— Georges a la crève, il n'est pas certain de vouloir quitter sa couette. Je crois que je vais me faire un plateau-télé et me coucher tôt. Je te souhaite la plus fantastique soirée de la décennie.

— Au moins !

— Et sois prudente sur la route.

Les trajets quotidiens agaçaient Pascale, mais ce soir elle se sentait légère, gaie, prête à passer un moment agréable en compagnie d'un homme qui lui plaisait beaucoup. Elle prit l'autoroute jusqu'à Toulouse puis gagna le centre-ville et laissa sa voiture au parking de la place Saint-Étienne. Le quartier était fait de rues étroites et paisibles, semées d'hôtels particuliers. Rue Ninau, elle s'arrêta devant une porte cochère si imposante qu'elle vérifia l'adresse avant de sonner.

Deux minutes plus tard, Laurent vint lui ouvrir une petite porte latérale et la fit entrer dans une cour pavée au fond de laquelle se dressait une belle maison de brique et de pierre. Sans doute l'une de ces demeures construites par les Capitouls à la Renaissance.

— Le ministère de la Santé vous loge bien ! plaisanta-t-elle en pénétrant dans un vaste hall orné d'un dallage à cabochons.

— À vrai dire, c'est une maison de famille, mes grands-parents étaient toulousains.

Il la précéda jusqu'à un petit salon, où une flambée brûlait dans une cheminée de bois sombre. Deux gros canapés de velours bleu se faisaient face et il l'invita à y prendre place après l'avoir aidée à ôter son manteau.

— Le problème, dans mon métier, ce sont ces nominations qui vous expédient d'un bout de la France à l'autre. Lorsqu'on m'a offert d'administrer le CHU de Purpan, j'ai été ravi de ce retour aux sources, mais je ne sais pas combien de temps il durera.

— Êtes-vous obligé d'accepter ce qu'on vous propose ?

— Il s'agit toujours d'une promotion et, en principe, ça ne se refuse pas. Enfin, tout dépend de la manière dont on envisage sa carrière !

Souriant, détendu, il portait un pantalon noir et une chemise blanche à col ouvert. Sur la table basse, il avait disposé une bouteille de champagne dans un seau plein de glace pilée, des coupelles d'olives au piment, des dés de saumon mariné à l'aneth, deux verres en cristal de Bohême.

— Je suis très heureux de vous recevoir, et pas

uniquement pour vous rendre votre invitation à Peyrolles, dit-il en débouchant le champagne.

Une manière directe de lui signifier ses intentions. Elle prit le temps de l'observer quelques instants, le trouvant toujours aussi séduisant, puis elle leva son verre.

— À cette soirée, alors…

La chaleur du feu de bois rendait l'atmosphère du petit salon particulièrement agréable. Pascale se laissa aller contre le dossier moelleux du canapé et sirota deux gorgées. Elle avait beau avoir confiance en elle, le tête-à-tête avec Laurent l'intimidait un peu. Quand un homme et une femme se plaisent et le savent, les premiers mots sont les plus délicats à trouver.

— Je vous ai fait une poularde à la toulousaine, annonça-t-il.

— Vous-même ?

— Bien sûr ! Sinon, où serait le plaisir ? Je ne me mets pas souvent aux fourneaux, mais je tiens cette recette de ma grand-mère et c'est une merveille. Du moins, je l'espère.

— Racontez-moi ça.

— Eh bien, il faut juste du foie gras, des truffes, des champignons et des ris de veau pour préparer la garniture…

Pascale éclata de rire, amusée par la tournure que prenait leur conversation. En guise de romantisme, Laurent choisissait la gastronomie, une approche moins conventionnelle que prévu.

— Puis-je vous poser une question indiscrète ? demanda-t-elle.

— Allez-y.

— Qu'est-ce qu'un homme comme vous fait tout seul dans la vie ?

— Un « homme comme moi », c'est quoi ? La situation ? L'hôtel particulier ?

— Plutôt la gentillesse, le charme, corrigea-t-elle en le regardant droit dans les yeux.

Le compliment parut le mettre mal à l'aise, néanmoins il s'efforça de sourire.

— Merci pour le charme. En tout cas, la gentillesse ne m'a pas précisément aidé avec les femmes jusqu'ici. J'ai dû mal tomber et ça me rend assez… méfiant.

— Des chagrins d'amour ?

— Disons deux grosses désillusions.

Il se leva pour aller remettre une bûche dans la cheminée et resta un moment de dos, occupé à tisonner les braises. Quand il se retourna, son regard bleu acier transperça Pascale.

— Et vous ?

— Samuel vous a raconté notre divorce, je suppose ?

— Oui, en gros. Mais il est toujours très tendu lorsqu'il parle de vous. Je ne crois pas qu'il se soit consolé. En conséquence, je ne lui ai pas caché cette invitation à dîner, j'espère que vous ne m'en voudrez pas.

— Vous aviez peur qu'il le prenne mal ? s'étonna Pascale.

— Il l'a mal pris.

L'idée que Sam soit encore amoureux d'elle l'attendrissait tout en l'exaspérant, et elle refusa d'y penser. Aujourd'hui, il avait Marianne, leurs chemins s'étaient séparés.

— Venez avec moi, dit doucement Laurent.

À regret, elle quitta le canapé pour le suivre dans les profondeurs de la maison. Ils traversèrent un autre salon, moins intime, puis longèrent un couloir sombre avant de déboucher dans une vaste cuisine séparée de la salle à manger par un grand comptoir de drapier.

— Pour l'instant, c'est la seule pièce que j'ai eu les moyens d'arranger à mon goût. Est-ce qu'elle vous plaît ?

Le mobilier, en pin ciré, était chaleureux et se mariait bien avec la peinture jaune pâle des murs, mais l'ensemble avait quelque chose de trop dépouillé, trop neuf.

— Elle me plaît beaucoup, sauf qu'elle manque un peu de désordre ! Quand je pense à la cuisine de Peyrolles…

Et à la joyeuse pagaille qui y régnait en permanence. Avec Aurore, elles se tenaient là durant toutes leurs soirées de filles, ayant déserté le jardin d'hiver, plus difficile à chauffer, depuis la mi-novembre. Pendant que l'une essayait une nouvelle recette, l'autre vérifiait ses comptes bancaires sur la vieille table. Les nombreux placards métalliques, démodés mais indestructibles, étaient bourrés d'une vaisselle dépareillée descendue peu à peu du grenier, et toutes sortes de robots ménagers s'étalaient sur les grands plans de travail de chêne marqués de mille et un coups de couteau. Sur les appuis des fenêtres traînaient en permanence des magazines, des livres de poche, des trousseaux de clefs.

— Vous avez la maison dont tout le monde rêve, elle est magique, déclara très sérieusement Laurent.

— Je la trouve parfois un peu inquiétante. J'ai toujours cru que nous y avions été très heureux, mais il semble que ma mère ne l'ait pas été. Tous les gens qui l'ont connue à cette époque me parlent de son air triste… Et je suis sûre que les lieux sont empreints de souvenirs, ils renvoient de bonnes ou de mauvaises ondes. S'il y a eu un drame quelque part, on peut presque toujours le sentir.

— La mémoire des murs ?

— Peut-être. La première femme de mon père a brûlé vive dans une des dépendances, qu'il a fait raser par la suite.

Laurent se tourna vers elle, le couvercle d'une marmite à la main, et la scruta deux ou trois secondes.

— Si vous vous mettez des idées pareilles en tête, vous finirez par ne plus vous plaire à Peyrolles, et ce serait dommage. Tenez, ici, il a dû se passer des tas de choses depuis la Renaissance ! Des morts violentes, de grands chagrins, des duels, que sais-je ? Eh bien, les pierres ne me parlent pas, elles me laissent dormir en paix.

Une délicieuse odeur était en train de se répandre dans la cuisine. Pascale s'approcha des fourneaux pour jeter un coup d'œil à la poularde qui mijotait doucement. Sur une desserte, un saladier était rempli de roquette parsemée de cerneaux de noix et de brins de ciboulette. Laurent semblait s'être donné beaucoup de mal pour tout préparer lui-même. Avait-il le désir de lui plaire ou voulait-il seulement échapper aux commérages en restant chez lui ? Cherchant un ustensile dans un tiroir, il recula d'un pas et heurta Pascale.

— Oh, je suis désolé !

Il l'avait machinalement saisie par le bras, comme pour la retenir, mais au lieu de la lâcher il l'attira à lui.

— Pascale…

Les bras de Laurent se refermèrent autour d'elle, puis elle sentit qu'il caressait ses cheveux, la faisant tressaillir. L'étreinte ne dura que deux ou trois secondes avant qu'il s'écarte d'elle.

— Vous êtes tellement jolie, dit-il avec un sourire d'excuse.

Un peu déçue – et agacée de l'être –, elle se dirigea vers la table où le couvert était dressé. Là aussi il avait tout prévu : un bouquet de fleurs champêtres épanouies dans un vase, plusieurs sortes de pains présentés dans une corbeille en argent, des sets et des serviettes en lin couleur cassis.

Il la rejoignit, déposa le plat fumant près de leurs assiettes.

— Que voulez-vous boire ? Un vin de Loire un peu frais ? Sinon, j'ai un excellent bourgogne, ou alors nous pouvons dîner au champagne.

— Oui, je préférerais ne pas mélanger.

Elle aurait près de quatre-vingts kilomètres à faire pour rentrer à Peyrolles et ne tenait pas à conduire en état d'ivresse.

— Si c'est le retour qui vous inquiète, je peux vous héberger, ou vous ramener chez vous.

— C'est gentil à vous mais…

— Je ne suis pas spécialement gentil, Pascale, je suis en train d'essayer de vous séduire, vous le savez très bien.

Sa franchise avait de quoi déconcerter Pascale, aussi s'empressa-t-il d'ajouter :

— Cette première soirée est importante pour moi, j'aimerais que tout soit parfait.

— Eh bien, ça l'est ! répondit-elle en souriant.

— Pourtant il reste deux problèmes, et de taille ! Le premier est que j'ai pour règle absolue de ne pas mélanger mon travail et ma vie privée, or vous êtes un médecin de Purpan, et à ce titre je n'aurais pas dû vous inviter. Le second est que je suis incapable de draguer, je ne connais même pas le mode d'emploi. C'est vous dire si notre dîner me cause du souci…

Cette fois, elle éclata de rire. Elle trouvait Laurent amusant, attendrissant, et toujours aussi séduisant. Deux minutes plus tôt, dans ses bras, elle avait eu envie de rester contre lui, envie qu'il l'embrasse et la touche.

— Parlez-moi un peu de vous, suggéra-t-elle en lui tendant son assiette.

Il choisit avec soin un morceau de poularde dans la marmite, puis le nappa de sauce.

— Parcours très classique. HEC et Sciences-Po, j'ai accumulé les diplômes avant de me lancer dans la fonction administrative. J'aime organiser, gérer, avoir des responsabilités, mais je ne voulais pas commencer au bas de l'échelle. Mes grands-parents étaient des bourgeois, et mes parents se croyaient révolutionnaires parce qu'ils avaient « fait » 1968. En ce qui concerne ma vie privée, j'ai eu une histoire merveilleuse avec une jeune fille rencontrée lors de ma première année d'études, qui m'a quitté sans la moindre explication au bout de cinq ans pour suivre un Australien. Ensuite, j'ai attendu d'avoir la trentaine pour croire de nouveau à l'amour, malheureusement je suis tombé sur une garce, le genre louve déguisée en agnelle, qui m'a coûté très cher et m'a trompé avec presque tous mes copains. J'ai rompu il y a dix-huit mois.

Il s'assit en face d'elle, lui servit un peu de champagne et lui souhaita bon appétit.

— Votre manière de résumer les choses semble un peu… détachée, fit-elle remarquer.

— Pourquoi voudriez-vous que je m'apitoie sur ma propre bêtise ? Je suis bien trop orgueilleux pour ça !

Pascale goûta une bouchée, immédiatement séduite par la finesse des arômes.

— C'est un délice… Vous me donnerez la recette ?

— Non, je ne crois pas.

— Secret de famille ?

— Pas du tout, mais il y a plus intéressant à se dire que la manière d'accommoder la poularde ! Je vous ai raconté ma vie, c'est votre tour.

— Non, je ne crois pas, répliqua-t-elle en reprenant délibérément sa phrase. À mon avis, vous devez tout savoir par Sam. Je me trompe ?

Beau joueur, il acquiesça d'un signe de tête, un peu gêné qu'elle ait deviné ; pourtant il avait avoué lui-même que Sam parlait beaucoup d'elle. Durant quelques minutes, ils se contentèrent de manger, et Pascale accepta volontiers d'être resservie parce qu'elle se régalait.

— C'est un plaisir de vous avoir comme convive, remarqua-t-il. D'habitude, les femmes chipotent, ce qui n'a pas l'air d'être votre genre. Mais vous n'appartenez à aucun genre précis, vous êtes… hors norme.

Cette constatation parut le réjouir car il lui adressa un sourire éblouissant.

— La dernière fois que nous nous sommes vus, dans mon bureau, vous m'avez dit que vous préféreriez travailler à Albi. C'est vrai ?

— Oui. Si surprenant que ce soit, j'aurais aimé trouver un poste à l'hôpital ou à la clinique Claude-Bernard.

— À cause des trajets ?

— D'abord, oui, parce que la route multiplie les risques et me fait perdre un temps fou, mais pas uniquement. Albi, c'est la ville de mon enfance, celle où je suis allée à l'école, celle où mon père et mon grand-père ont exercé la médecine avant moi. Si j'y travaillais, j'aurais l'impression d'être rentrée chez moi, d'être à ma place.

Et sans doute serais-je plus à l'aise dans une structure moins lourde et moins rigide. De toute façon, Albi est le second pôle hospitalier de la région, donc doté de moyens techniques importants.

— Vous êtes très convaincante. Pourquoi ne posez-vous pas votre candidature là-bas ?

— Je l'ai fait, il n'y avait aucun poste vacant.

— Oh, vous voulez dire que le CHU de Purpan n'est pour vous qu'un pis-aller ? ironisa-t-il.

— Jamais je n'irais dire ça à mon directeur ! riposta-t-elle sur le même ton.

— Pourtant, vous devriez, car s'il y a bien quelqu'un qui peut vous obtenir ce que vous désirez…

Il était redevenu sérieux et Pascale l'observa attentivement.

— Vous feriez ça ?

— D'autant plus volontiers que, dans ce cas, l'un de mes problèmes disparaîtrait.

— À savoir ?

— Si vous ne faites plus partie du personnel du CHU que je dirige, j'aurai le droit de vous faire ouvertement la cour.

Après un instant de stupeur, Pascale se mit à rire. L'idée que Laurent pouvait intervenir pour elle ne l'avait pas effleurée jusque-là, de toute façon elle ne le lui aurait pas demandé.

— J'aimerais vraiment, dit-elle en pesant ses mots.

Sa réponse sous-entendait qu'elle n'était pas non plus indifférente aux avances de Laurent et elle se tortilla sur sa chaise, soudain embarrassée. Il en profita pour se lever, changea les assiettes et déposa devant elle un gâteau au chocolat.

Durant l'heure qui suivit, ils parlèrent de tout et de rien, comme s'ils avaient besoin de reprendre un peu de distance. Laurent restait un hôte attentif, il prépara du café, qu'il servit avec des violettes en sucre. Un peu avant minuit, quand Pascale décida qu'elle devait rentrer à Peyrolles, il enfila un blouson pour la raccompagner jusqu'à sa voiture.

Surpris par le froid polaire qui régnait dehors, ils se dépêchèrent de gagner le parking de la place Saint-Étienne, où Laurent insista pour descendre avec elle. Il attendit qu'elle soit installée au volant et ait baissé sa vitre pour se pencher vers elle.

— Est-ce qu'on se reverra ? demanda-t-il seulement.

Son visage était tout près de celui de Pascale. Avec une lenteur calculée, il s'approcha encore, l'embrassa au coin des lèvres. D'un geste impulsif, Pascale le prit par le cou pour le retenir et ils échangèrent un vrai baiser. Puis, sans ajouter un mot, elle mit le contact et démarra.

6

Fatigué, Henry raccompagna son dernier patient jusqu'à la porte du cabinet. Il ne consultait plus que deux jours par semaine, ayant peu à peu confié sa clientèle à Adrien. Entre son fils et lui, la passation de pouvoir s'effectuait en douceur depuis quelques années. Le moment venu, la clinique n'aurait pas à souffrir de l'absence de Henry, qui pourrait enfin se reposer. Mais en avait-il envie ? Ainsi qu'il l'avait redouté, ses parties de golf du dimanche ne l'intéressaient que médiocrement et, hormis pour quelques vieux amis fidèles, il n'aimait plus ni sortir ni recevoir.

Il retourna s'asseoir à son bureau, rangea le dossier dans l'un des nombreux tiroirs métalliques, à présent presque vides. L'exercice de la médecine, qui l'avait comblé si longtemps, ne parvenait plus à le mobiliser. Rien, en fait, ne le distrayait de l'absence de Camille. Tant qu'il avait pu s'occuper d'elle, même malade, même mutique, sa vie avait eu un sens précis. À présent, il subissait une espèce de vacance intellectuelle et affective qui le consternait. Sa maîtresse du moment, une femme de quarante-cinq ans encore très belle, se donnait pourtant beaucoup de mal pour lui plaire. Galant, il lui envoyait souvent des fleurs, l'emmenait dîner dans un grand restaurant une ou deux fois par mois, mais ensuite, lorsqu'il se retrouvait dans son lit, il éprouvait toutes les peines du monde à lui faire l'amour.

Baissant les yeux sur l'agenda ouvert devant lui, il lut : « Départ Peyrolles » à la date du 23 décembre. Dans quatre jours. Tout était prévu, y compris qu'Adrien vienne le chercher en taxi au pied de l'immeuble. Les places de TGV étaient réservées, et une voiture de location les attendrait à Toulouse. Quant aux cadeaux de Noël, Henry avait fait un saut à Paris et s'était promené faubourg Saint-Honoré jusqu'à ce qu'il se décide à entrer chez Hermès. Il y avait acheté un sac pour Pascale et une montre pour Adrien. De la folie, peut-être, mais il n'avait plus que ses deux grands enfants à gâter désormais. Avant de quitter le luxueux magasin, il s'était souvenu que l'amie de Pascale, Aurore, passerait le réveillon avec eux, aussi lui avait-il choisi un foulard.

Durant bien des années, Noël avait été une fête magnifique chez les Fontanel. Camille voulait toujours un sapin immense, passait des heures à le charger de guirlandes lumineuses, puis entassait à son pied une multitude de paquets. Elle accrochait des boules dorées dans toute la maison, décorait les fenêtres, peaufinait son menu, achetait de nouveaux bougeoirs. Henry la laissait faire, attendri, tandis qu'Adrien et Pascale battaient des mains, surexcités par ces préparatifs... Pascale allait-elle maintenir les traditions de sa mère ? La connaissant, c'était probable, elle voudrait fatalement rendre à Peyrolles l'atmosphère de son enfance.

Descendre à Peyrolles était un cauchemar pour lui. Pourquoi ne l'avait-il pas vendu sans rien dire à personne ? Sa fille ne serait pas partie s'exiler là-bas et il n'aurait pas été contraint d'y retourner ! Il essaya encore une fois de chercher un prétexte valable pour échapper à ce voyage, en vain. Pascale ne comprendrait pas, Adrien non plus. C'était pourtant si simple ! Peyrolles contenait trop de souvenirs, certains atroces et d'autres merveilleux ; Peyrolles était trop chargé de l'histoire des Fontanel en général et de son histoire à lui, Henry, en particulier ; Peyrolles le ramenait sans pitié vers son passé, l'obligeant à se rappeler ce qu'il avait commis.

Une faute ? Un crime ? Quel nom donner à cette décision qu'il n'en finissait pas d'expier ? Camille avait fini par le regarder avec horreur, alors qu'elle avait librement consenti.

Librement ? Un petit rire amer lui échappa. À l'époque, Camille était perdue, elle n'avait plus aucun repère, sa seule certitude tenait à son amour pour Henry, il aurait pu lui faire accepter n'importe quoi. Autour d'eux, les gens avaient cru qu'ils joignaient leurs deux solitudes. Lui était veuf et cherchait une mère pour son petit garçon, quant à elle, l'éternelle abandonnée, elle trouvait refuge auprès d'un homme solide qui lui ouvrait les bras. Mais la vérité était bien différente de cette image d'Épinal ! D'abord, ils se connaissaient depuis longtemps, ils s'étaient déjà aimés d'un amour impossible. Et n'était-ce pas le destin de Camille que de se heurter à des choses impossibles ? Les Montague l'avaient rejetée, Raoul Coste l'avait rejetée…

D'un revers de main furieux, Henry balaya son agenda, qui atterrit à l'autre bout du bureau. Il était entièrement responsable, il n'avait aucune excuse. Aucune ! En voulant préserver Camille, il s'était surtout préservé lui-même, en bon égoïste, et au bout du compte il avait condamné la seule femme qu'il eût jamais aimée.

Comment allait-il faire, à Peyrolles, pour ne pas se laisser asphyxier par les souvenirs, les regrets, la culpabilité ? Pourquoi Pascale lui imposait-elle ce calvaire ?

Devant lui, la pendulette indiquait sept heures. Il devait encore faire son petit tour habituel à travers la clinique avant de pouvoir rentrer chez lui. De plus en plus souvent, il s'attardait à chaque étage, bavardant avec les médecins de garde, échangeant des plaisanteries avec les infirmières. Il n'avait pas envie de retrouver son appartement désert, d'ailleurs il n'avait plus envie de rien.

Avec un sursaut, il réalisa qu'il avait encore un rendez-vous, pour dîner celui-là, et qu'il avait failli l'oublier. Il se leva, récupéra son agenda étalé sur la moquette. Oui, c'était bien aujourd'hui qu'il emmenait sa maîtresse au restaurant, or il n'avait réservé nulle part et devait d'abord se changer. Fatigué d'avance à l'idée de la soirée qui l'attendait, il haussa les épaules deux fois de suite, mais ce geste de mauvaise humeur ne lui apporta pas le moindre soulagement.

— Je tombe de sommeil ! déclara Aurore tout en se resservant un verre de sancerre.

— Avec ce que tu as bu, c'est normal, ironisa Pascale.

Installées dans la cuisine, comme de coutume, elles avaient traîné longtemps à table, occupées à échafauder les projets de Noël. Pour le réveillon, Aurore comptait sur la présence de Georges, mais n'allait-il pas se sentir piégé par cette réunion de famille trop intime ? Pascale avait trouvé la parade en conviant Sam et Marianne, et à présent elle s'interrogeait sur l'opportunité d'inviter Laurent, si toutefois il n'avait pas déjà d'autres engagements.

— À mon avis, il viendra ici ventre à terre, prédit

Aurore. Tu sais bien que tu le fais complètement craquer !

Elle désigna les roses blanches reçues la veille, qui trônaient dans un vase chinois. La carte d'accompagnement était encore posée sur la table et Aurore la saisit pour la relire.

— « Merci d'être venue, et merci d'être vous. » *Être vous...* C'est pas mignon, ça ? Je trouve ce type formidable, même s'il t'obtient une place à Albi et que je me retrouve condamnée à faire la route seule ! Georges ne m'a jamais envoyé de fleurs, je lui ai fait tout un plat avec les tiennes ce matin, sans préciser l'identité de l'admirateur, rassure-toi. J'espère qu'il a saisi l'allusion et qu'il trouvera le chemin d'Interflora...

Son verre étant de nouveau vide, elle le contempla d'un air surpris.

— Bien, j'arrête pour ce soir, sinon j'aurai la migraine demain matin. En tout cas, on n'a pas réglé le problème, je maintiens que la dinde est un plat trop conventionnel, en plus affreusement sec, farce ou pas.

Elle se leva, s'étira, tituba légèrement sous le regard indulgent de Pascale.

— Je vais me coucher, chérie, il est grand temps. Oh, ce sancerre, quelle merveille !

Penchée au-dessus de la table, elle récupéra son sac à main abandonné sur le banc.

— Tiens, j'ai ramassé le courrier dans la boîte en rentrant, j'avais oublié de te le donner mais ce n'est rien d'important, s'excusa-t-elle en tendant deux enveloppes à Pascale.

Elle l'embrassa en s'appuyant lourdement sur elle, puis gagna la porte d'un pas hésitant. Pascale l'entendit traverser l'office, se cogner dans un placard, et elle faillit éclater de rire. Comme Aurore ne buvait que rarement, elle tenait assez mal l'alcool, dont elle se méfiait en général. Ce soir, elle s'était laissée aller ; une bonne nuit de sommeil effacerait tout.

En dix minutes, Pascale débarrassa la table, rangea la cuisine. Contrairement à Aurore, elle se sentait en forme et décida de gagner la bibliothèque, un endroit où elle aimait se tenir pour faire ses comptes, régler ses factures ou lire des revues de médecine. Elle alluma la lampe bouillotte, qui laissait la majeure partie de la pièce dans l'ombre, et s'installa à son bureau. Autour d'elle, le silence de la maison endormie semblait si absolu qu'un soudain cri de chouette, dehors, la fit tressaillir. Le froid était trop vif pour entrouvrir une fenêtre et laisser entrer les bruits de la nuit. Durant quelques instants, Pascale tendit l'oreille sans rien percevoir d'autre que de sourds craquements émis par les boiseries ou les parquets. L'isolement de Peyrolles était parfois pesant, presque inquiétant certains soirs, et pourtant Pascale aimait de plus en plus cette trop grande maison.

Elle prit les deux enveloppes, dont l'une portait le cachet de l'hôpital, et l'autre, le logo d'un commerçant d'Albi. Négligeant la publicité, elle ouvrit le courrier de Purpan, persuadée qu'il s'agissait d'une quelconque note administrative. En fait, l'enveloppe en contenait une autre, plus petite, entourée d'un feuillet manuscrit. Intriguée, Pascale déplia le papier et reconnut aussitôt l'écriture de Laurent.

Ma chère Pascale, ci-joint la réponse qui m'a été envoyée et que je vous fais suivre aussitôt. Il m'est pénible de vous apprendre qu'il s'agit d'une mauvaise nouvelle. D'avance, je devine et comprends l'importance que vous allez lui accorder mais, avant toute démarche, prenez le temps de réfléchir. Si vous éprouvez le besoin d'en parler, je suis à votre entière disposition, n'hésitez pas à m'appeler, quel que soit le moment je serai heureux de vous entendre. Je vous embrasse.

Avec une angoisse indicible, Pascale observa l'enveloppe en provenance de la caisse primaire et adressée à M. Laurent Villeneuve, directeur de l'hôpital Purpan. Une mauvaise nouvelle ? De quelle sorte ? Lentement, elle souleva le rabat qui avait déjà été décacheté, extirpa la feuille dactylographiée. Tout d'abord, les phrases ne signifièrent rien pour elle et elle fut obligée de les relire.

Dans le silence de la bibliothèque, elle entendit sa propre respiration qui s'accélérait, devenait bruyante, puis elle éclata en sanglots.

Un long moment, elle resta prostrée, les coudes sur le bureau et la tête dans les mains. Les implications de ce qu'elle venait de découvrir étaient inenvisageables, absurdes. Julia Nhàn Coste, née avec une anomalie congénitale, était soignée depuis toujours dans différents centres pour handicapés.

Soignée ? Julia Nhàn, sa demi-sœur, Julia Sans soucis, atteinte de trisomie 21, n'avait jamais connu une vie normale. Essayant de refouler ses larmes, Pascale eut l'impression d'étouffer et elle se leva brusquement. Handicapée… Dans quelle mesure ? Et comment sa mère avait-elle pu abandonner une enfant malade et sans défense ? C'était tout bonnement inconcevable !

Marchant de long en large, Pascale essayait de réfléchir sans y parvenir, les pensées les plus chaotiques se bousculant dans sa tête. La tristesse de Camille, dont tout le monde parlait, ses dernières années de mutisme complet qui l'avaient conduite au bord de la démence… S'était-elle rongée de remords jusqu'à se laisser mourir, quarante ans après ? Non, pas elle, surtout pas elle, qui avait tant souffert de ne pas connaître sa propre mère, Anh Dào, comment aurait-elle pu infliger le même sort à sa fille ? De toute façon, Julia avait aussi un père, alors qu'était devenu ce Raoul Coste ?

Trop agitée pour tenir en place, Pascale se précipita hors de la bibliothèque et grimpa au premier quatre à quatre. Si elle ne parlait pas à quelqu'un, elle allait devenir folle ! Elle frappa et entra chez Aurore, qui dormait à poings fermés, sa lampe de chevet allumée. Pascale la regarda quelques instants puis renonça à la réveiller. Avec tout ce qu'elle avait bu ce soir, Aurore avait besoin de dormir et serait d'ailleurs incapable de soutenir une discussion.

Après avoir éteint, Pascale quitta la chambre en silence et redescendit. Il était trop tard pour appeler Laurent. Elle pouvait téléphoner à Adrien, mais ne valait-il pas mieux attendre qu'il soit là, avec leur père, pour déballer toute cette histoire ?

Elle fit un détour par la cuisine, fouilla dans le placard où elle rangeait une bouteille d'armagnac destiné aux sauces et s'en versa deux doigts, qu'elle avala cul sec. Ensuite, elle regagna la bibliothèque, où elle reprit ses allées et venues entre les fenêtres obscures et la cheminée. Depuis la découverte de ce satané livret de famille, combien d'heures avait-elle passées à penser à Julia, à s'imaginer ce que serait leur première rencontre ? Elle s'était interrogée sur les traits de Julia Nhàn, curieuse de découvrir en elle ce type asiatique que Camille lui avait probablement transmis, comme à elle-même. Parmi toutes les hypothèses et supputations, elle s'était promis de réparer une éventuelle injustice si jamais Julia manquait de quoi que ce soit… Quelle dérision !

De nouveau, les larmes coulaient sur ses joues, elle se sentit soulevée de dégoût à l'idée de cet abandon. La vue brouillée, elle prit le téléphone et composa le numéro de Samuel. Malgré l'heure tardive, il décrocha presque tout de suite.

— Sam, c'est moi… Je suis désolée de t'appeler comme ça, j'espère que je ne te réveille pas ?

— Non, répondit-il à voix basse, je ne dormais pas. Qu'est-ce qui t'arrive ?

— Écoute… Ne t'inquiète pas mais je… je viens d'apprendre quelque chose d'abominable et je… je ne sais pas à qui en parler…

Elle renifla, avala sa salive, essaya en vain de poursuivre.

— Pascale ? Bon sang, tu pleures ? Tu veux que je vienne ?

— J'ai besoin de le dire à quelqu'un ! Oh, Sam…

— Tu es à Peyrolles ?

— Oui.

— Alors, j'arrive. Le temps de faire la route et tu me raconteras tout. En attendant, calme-toi, d'accord ? Et pense à m'ouvrir la grille !

Elle commença à protester mais il avait déjà raccroché.

Bien entendu, Marianne l'avait très mal pris. Tandis que Samuel s'habillait en hâte, elle s'était réveillée, et en apprenant qu'il filait à Peyrolles au milieu de la nuit pour voler au secours de son ex sans même savoir quel était le problème, elle avait piqué une crise de rage. De rage ou de jalousie, peu importait, il n'était pas disposé à l'écouter.

Tout en fonçant sur l'autoroute, il revit Marianne

assise sur son oreiller, furieuse, échevelée, bêtement persuadée qu'elle pourrait l'empêcher de sortir. *In extremis*, elle avait ravalé l'ultimatum qu'elle était prête à lancer, néanmoins le mal était fait : Samuel venait de constater qu'il n'était plus vraiment libre.

Son blouson à peine enfilé, il avait franchi la porte sans un mot. Et à présent, au volant de son Audi, il se sentait presque détaché de Marianne, comme si elle appartenait déjà à son passé.

Mais enfin, qu'avait-il dit ou fait pour que Marianne s'imagine avoir des droits sur lui ? Pas de serments d'amour, pas d'engagements – il s'en était bien gardé. Certes, depuis quelque temps, ils étaient plus proches l'un de l'autre, se voyaient plus souvent. De façon insidieuse, Marianne établissait entre eux une sorte de vie de couple, et Samuel laissait faire. Par lâcheté, parce qu'il ne voulait pas la voir pleurer, par égoïsme aussi, parce qu'il était indéniablement content d'avoir une belle femme aimante dans son lit plutôt qu'y ruminer seul en songeant à Pascale. Et cette obsession-là, Marianne parvenait à l'atténuer.

Il prit la sortie de Marssac, franchit le Tarn et s'engagea sur la départementale 18. Pascale accomplissait ce trajet matin et soir, c'était de la folie. Pourtant, lorsque Laurent avait vaguement évoqué la possibilité de lui obtenir un poste à Albi, Sam s'était senti dépossédé.

Non, le mot n'était pas trop fort : qu'un autre homme puisse aider Pascale le rendait amer. Aurait-il voulu être son unique sauveur, son seul ami ? Il n'était plus rien d'autre qu'un soutien pour elle, voire un confident, et il s'accrochait à ce rôle, le dernier qu'il avait à jouer à son côté.

En tout cas, c'était vers lui qu'elle se tournait ce soir,

pas vers Laurent. Qu'avait-il donc pu arriver qui justifie son appel au secours ? Pascale était une femme sensée, solide, elle ne le faisait pas venir en pleine nuit pour chasser une chauve-souris !

Il longea le mur d'enceinte, aperçut la grille ouverte et tourna dans l'allée. Peyrolles le fascinait, il comprenait très bien pourquoi Pascale avait absolument voulu y vivre. En principe, les grandes propriétés ne l'intéressaient pas, il préférait de loin les joies du ciel aux commandes d'un hélico. Mais Peyrolles possédait un attrait particulier qui tenait sans doute à son architecture, à son isolement, au charme mélancolique de son parc si bien planté.

Dans la lumière des phares, il découvrit Pascale en haut du perron, emmitouflée dans une parka fourrée. Elle descendit les marches tandis qu'il sortait de sa voiture, et elle vint se jeter dans ses bras.

— Tu es gentil d'être venu…

Ses cheveux le frôlèrent, il reconnut immédiatement son parfum : *Addict.* Il le lui avait offert dès son lancement, quelques années plus tôt, et elle y était restée fidèle.

— Je n'aurais pas dû te déranger, j'espère que ça n'embête pas Marianne ? Viens, allons nous mettre au chaud, je faisais les cent pas sur la terrasse en t'attendant parce que j'étouffais dans la maison, mais maintenant j'ai froid.

Elle parlait vite, d'une voix un peu hachée, et à la lumière des lanternes de la façade, Sam vit ses traits tirés, ses yeux cernés. Il la suivit à l'intérieur, jusqu'à la bibliothèque dont elle referma soigneusement la porte. Lorsqu'elle ôta sa parka, il ne put s'empêcher de détailler sa silhouette élancée. Elle portait un pull irlandais écru à grosses torsades, un jean gris ajusté et des boots noirs.

— Ce que je vais te raconter ne doit pas sortir de cette pièce, Sam…

Devant les rayonnages de merisier, deux fauteuils Voltaire au velours fatigué se faisaient face. Pascale alla s'asseoir et lui fit signe de la rejoindre.

— En venant m'installer à Peyrolles, commença-t-elle, je voulais un peu retrouver mon enfance, comme tu le sais, mais c'est à une sorte de voyage dans le temps que j'ai eu droit ! Le grenier est plein de vieux meubles et nous avons fouillé gaiement dans ce bric-à-brac avec Aurore…

Elle s'interrompit une seconde, releva la tête. Ses grands yeux noirs, étirés vers les tempes, semblaient d'une tristesse insondable. Il eut envie de se lever et de la prendre dans ses bras, pourtant il se força à rester assis, attendant la suite.

— J'ai trouvé un livret de famille au fond d'un tiroir. C'était celui de maman, son premier, délivré par la mairie du XIIe arrondissement de Paris lors de son mariage avec un certain Raoul Coste, en avril 1966.

Éberlué, Sam réfléchit quelques instants puis haussa les épaules.

— Bon, très bien, ta mère avait eu un premier mari, ce que tu ignorais. Et ensuite ?

— J'y ai également appris la naissance de leur enfant, en août de la même année. Une fille prénommée Julia Nhàn.

— Julia quoi ?

— Nhàn, cela signifie « Sans soucis ». C'est la seule chose que maman avait conservée de son origine vietnamienne. Elle-même s'appelait Camille Huong

Lan, sa propre mère Lê Anh Dào, et manifestement elle a voulu perpétuer la tradition avec son premier enfant.

Cette fois, Sam resta muet. Il avait bien connu Camille et, si bizarre qu'elle ait pu être, l'avait beaucoup appréciée. Mais ni elle ni Henry, avec qui Sam entretenait d'excellents rapports, n'avaient jamais évoqué l'existence de cette Julia.

— J'ai voulu en savoir plus, soupira Pascale. D'abord, j'ai découvert que Julia est toujours en vie, et à partir de là j'ai échafaudé des tas de projets imbéciles… Je me voyais faisant la connaissance de ma demi-sœur… et trouvant l'explication de ce mystère absolu. Parce que personne n'en a soufflé mot devant moi, en trente-deux ans d'existence !

— Que t'a dit ton père ?

— Rien ! Je ne lui ai pas parlé. Pas encore… Mais je compte le faire, il sera ici à Noël, il doit arriver après-demain. Seulement, il y a autre chose.

Pascale prit un élastique dans la poche de son jean et, machinalement, rattacha ses cheveux. Sam avait toujours adoré la regarder faire ce genre de geste.

— À force de chercher, je viens d'obtenir une information qui change tout. Tout ! Tu comprends, Sam, je croyais qu'il y avait forcément une bonne raison, une justification quelconque… Maman était si jeune, à l'époque ! Son… mari, ce Raoul Coste, aurait pu garder l'enfant, ou…

— C'est sans doute ce qui est arrivé, fit remarquer Sam d'un ton calme.

Il devinait l'exaspération de Pascale, sa colère, son amertume, et il essaya d'endiguer le flot de paroles qu'il sentait venir.

— Ma chérie, dans ce temps-là, les erreurs de jeunesse se payaient cher. Ta mère a dû…

— Elle l'a abandonnée, Sam ! Elle a abandonné officiellement son bébé à la DDASS, or Julia n'est pas… elle est atteinte du syndrome de Down.

Trop stupéfait pour répondre, Sam vit que Pascale était au bord des larmes. Elle avait pourtant l'habitude de se maîtriser, en pneumologie elle côtoyait des drames et du désespoir à longueur de journée.

— Tu m'as consolée quand j'ai enterré ma mère, mais en réalité, quel genre de monstre était-elle ?

— Pascale… attends, pas de jugement à l'emporte-pièce, tu ne connais pas les tenants et les aboutissants de cette histoire. Et ce n'est pas *ton* histoire. Ta mère a existé avant toi, et avant de rencontrer ton père.

— Ils m'ont menti !

— Ils t'ont sans doute préservée.

— Pas Julia, en tout cas ! Elle, ils l'ont sacrifiée sans états d'âme !

— Tu n'en sais rien.

— Je sais qu'il y a des choses qu'on ne peut pas faire, Sam. C'est d'ailleurs ma mère qui m'a inculqué ces valeurs absolues. Tu te rends compte ? Elle !

Pascale jaillit de son fauteuil comme si elle ne supportait pas d'y rester une seconde de plus et se mit à arpenter la bibliothèque plongée dans la pénombre. Seule la lampe bouillotte, sur le bureau, formait une tache de lumière. Samuel observa la jeune femme un moment, séduit malgré lui par sa démarche souple, ses longues jambes, ses hanches de gamine. Mais il n'était pas là pour l'admirer, il devait trouver quelque chose à dire pour l'apaiser un peu.

— Camille n'avait pas connu sa mère, rappela-t-il. Peut-être a-t-elle répété inconsciemment un schéma qui…

— Pourquoi la défends-tu ?

— Pourquoi la condamnes-tu d'office ?

Elle s'arrêta, s'appuya aux rayonnages et parut réfléchir à la question. Au bout de quelques instants, il demanda doucement :

— Que veut dire Huong Lan ?

— Parfum d'orchidée. C'est curieux qu'elle ne m'ait pas donné l'un de ces prénoms vietnamiens, à moi aussi…

— Sans doute a-t-elle jugé qu'en définitive ils ne portaient pas bonheur. Ni à sa mère, ni à elle-même, encore moins à cette petite Julia.

Gardant la tête baissée, Pascale ne fit pas de commentaires. Elle devait se sentir blessée, trahie par ses parents, dont elle n'avait jamais douté jusque-là. Henry avait été un père exemplaire, et Camille une mère très présente, douce, féminine, aimante. Leur image cadrait mal avec cet abandon sordide, que Samuel ne s'expliquait pas.

— Si je n'avais pas acheté Peyrolles, grâce à toi, si les meubles avaient été vendus quand nous avons quitté la région, si Aurore n'avait pas ouvert ce tiroir, je n'aurais rien su. Tu vois tout le concours de circonstances qu'il aura fallu ? Je ne peux pas croire que papa ait cautionné cette horreur, c'est inimaginable.

— Il va s'expliquer, affirma Sam, qui n'en était pas sûr du tout.

— Oui, c'est bien ça qui m'effraie. Ce qu'il dira…

— Adrien est au courant ?

— Non. J'ai essayé de le sonder, je lui ai posé quelques questions, mais le passé de la famille ne l'intéresse pas. Enfin, c'est ce qu'il prétend… Sauf que sa réaction a été excessive quand j'ai décidé de m'installer ici. J'ai même eu l'impression que papa et lui me cachaient des choses.

— Probablement pas. Ton père et ton frère t'adorent. D'ailleurs, ils auraient très bien pu faire disparaître ce livret de famille.

— À condition de connaître son existence, oui. Maman l'avait conservé dans une vieille pochette de plastique gris qui n'attirait pas spécialement l'attention. Mais ce n'est pas un oubli, ni un acte manqué, elle l'a bel et bien gardé. Peut-être désirait-elle sauver une preuve afin que Julia ne tombe pas dans l'oubli ?

— Tu affabules…

— Oui, admit Pascale avec une grimace. Et j'ai même imaginé pire que ça ! À force d'essayer de comprendre, je pense à n'importe quoi, tout me paraît suspect. Y compris cet incendie où la mère d'Adrien a brûlé vive.

Sa dernière phrase, prononcée à contrecœur, traduisait l'étendue de son malaise.

— Ce n'est pas une accusation, Sam. Juste une question supplémentaire.

— C'est à Henry que tu dois les poser. Enfin, pas celle-ci, bien sûr.

Pour la première fois de la soirée, Pascale lui adressa l'ébauche d'un sourire.

— Bien sûr…

Elle essayait de faire front, de chasser les doutes qui l'accablaient, et elle lui parut soudain très vulnérable, loin de l'image de la femme forte qu'elle donnait la plupart du temps. Comment réagirait-elle si jamais le pire se vérifiait ? Était-il possible que Henry soit un salaud ? Et Camille ? Difficile à concevoir, mais au fond pas impossible, et dans ce cas Pascale allait subir une déception à laquelle il préférait ne pas penser.

— Tu me ferais un café, ma belle ?

— Oui, évidemment. Tu dois me trouver très égoïste de t'avoir fait venir pour te déballer tout ça !

— Tant que tu auras besoin de moi, je serai là pour toi.

Alors qu'elle était déjà à la porte, la main sur la poignée, elle se retourna.

— Oh, Sam…

Voulait-elle le remercier ? Lui répéter qu'il était son meilleur ami ? Il franchit la distance qui les séparait, la prit dans ses bras. Son étreinte était celle d'un homme amoureux, sans équivoque, et Pascale aurait très bien pu le repousser ; au contraire, elle se serra contre lui. Depuis combien de temps ne l'avait-il pas tenue ainsi ?

— Ne me laisse pas faire, chuchota-t-il, jette-moi dehors.

Sans la lâcher, il la prit par le menton, l'obligea à lever la tête.

— Pascale ? J'ai tellement envie de toi…

Un désir intense, douloureux, qui rendait sa voix rauque. Il glissa une main sous le pull irlandais, sentit la peau satinée sous ses doigts.

— Sam, souffla-t-elle, c'est mal…

Avec une bouffée d'orgueil, il comprit qu'elle était prête à céder et l'embrassa passionnément. Collée à lui, elle reprit sa respiration avec difficulté. L'entente physique avait été immédiate entre eux, dès la première fois, et ne s'était jamais démentie malgré leurs querelles. La veille du jour où leur divorce avait été prononcé, ils faisaient encore l'amour avec désespoir, accrochés l'un à l'autre comme deux naufragés.

— Je ne veux pas, Sam. On va trop le regretter.

Il dut faire un effort considérable pour s'écarter d'elle. L'attirance qu'elle venait d'éprouver pour lui – indéniable, il la connaissait trop pour s'y tromper –

n'était peut-être due qu'à sa solitude ? Elle n'avait sûrement pas couché avec Laurent, elle prendrait son temps avant de se lancer dans une relation sérieuse, ce qui ne l'empêchait pas d'avoir des envies de plaisir. Cette idée-là suffit à lui rendre un peu de sang-froid.

— Tu as raison… Et mon café ?

Le merveilleux sourire qu'elle lui adressa alors acheva de le démoraliser. Ne lui restait-il aucune chance de la reconquérir ? Était-il définitivement passé à côté du bonheur en acceptant que cette femme le quitte, trois ans plus tôt ? Oh, il voulait bien être le père de ses enfants, douze si elle le souhaitait ! Il l'avait toujours voulu…

— Viens, Sam.

D'autorité, elle lui prit la main et l'entraîna hors de la bibliothèque.

Une fois de plus, Marianne avait beaucoup pleuré. À quatre heures du matin, elle était rentrée chez elle, bien décidée à ce que Samuel ne la trouve pas en larmes. Une longue douche chaude, puis tiède, l'avait un peu apaisée, ensuite elle s'était préparé un petit déjeuner pantagruélique. Tant pis pour sa ligne, tant pis pour tout !

Son studio, où elle ne vivait plus qu'à moitié puisqu'elle passait une nuit sur deux chez Sam, était affreusement en désordre. Une bonne heure de ménage accompli avec furie l'avait ramenée sous la douche, puis elle s'était habillée, maquillée. Si malheureuse qu'elle soit, elle devait aller travailler. Au moins, elle n'avait pas de grosses responsabilités, et même si la fatigue lui faisait commettre des erreurs ce ne serait pas très grave, tandis que Samuel, lui, allait jouer avec la vie de ses patients après sa nuit blanche ! Car il n'avait probablement pas dormi. Y penser la rendait folle. Il suffisait que son ex-femme siffle et il accourait, trop heureux d'être corvéable à merci. Non content d'avoir trouvé un emploi à Pascale, de lui avoir prêté de l'argent, il la promenait en hélico dès qu'elle s'ennuyait et lui tenait la main au moindre signe d'angoisse. Et tout ça pourquoi ? Par altruisme ? Bien sûr que non. Marianne ne croyait pas une seconde à cette prétendue amitié entre eux, à ce qu'il appelait de la tendresse pour mieux dissimuler ses sentiments.

Au contraire, elle en avait l'absolue conviction : Samuel était toujours éperdument amoureux de cette garce aux allures de sainte-nitouche. « Mal remis » de son divorce – selon l'expression qu'il utilisait – voulait dire vraiment malade ! Comment avait-elle pu s'imaginer le guérir ?

Dans l'autobus qui la conduisait à Purpan, elle essaya de prendre une décision. Aurait-elle la force de le quitter sans le rappeler dans trois jours ? Probablement pas. Chaque fois qu'elle était partie de chez lui en claquant la porte, elle était revenue d'elle-même. Une vraie loque !

À huit heures moins le quart, elle descendit devant l'hôpital. Il faisait très froid et elle se hâta vers le bâtiment administratif. Une longue journée l'attendait, insipide et morne, avec des courriers à taper, les conversations futiles de ses collègues, un déjeuner infâme à la cantine. Et ce soir, elle rentrerait seule chez elle, probablement déjà prête à marcher sur son orgueil, surtout lorsqu'elle constaterait l'absence de message sur son répondeur...

En tout cas, réconciliée ou pas avec Samuel, elle ne passerait pas le réveillon de Noël à Peyrolles ! Au moins, cette corvée lui serait épargnée, il pourrait bien la supplier, pas question d'y aller. Elle préférait encore rester seule ou accepter l'invitation de ses parents, qui seraient ravis de l'accueillir, même à la dernière minute.

— Bonjour, Marianne ! Je vois que vous êtes toujours ponctuelle, c'est une qualité qui se perd.

Elle s'arrêta pour rendre son salut à Laurent Villeneuve. D'après les bavardages du personnel – et un homme comme lui en suscitait énormément ! –, il arrivait presque toujours avant tout le monde à son bureau. Qu'il se soit arrêté pour lui dire bonjour était vaguement flatteur, après tout il était le directeur de cet immense CHU et elle, une simple secrétaire administrative parmi tant d'autres. Mais elle n'avait aucune illusion, cette faveur ne tenait qu'à son amitié pour Samuel.

— Vous avez une petite mine, dit-il gentiment. Allez vite vous mettre au chaud.

Sa sollicitude attrista Marianne au lieu de la réconforter, et elle se contenta de hocher la tête, la gorge serrée.

— Et faites une bise à Sam de ma part. Je crois qu'on se voit tous le 24 chez Pascale Fontanel ?

Il affichait un sourire réjoui qui fut insupportable à Marianne. Sans réfléchir, elle répliqua d'une traite :

— Ce sera sans moi ! Pascale passe son temps à appeler Sam au secours, elle n'hésite pas à le tirer du lit en pleine nuit, c'est l'ex la plus encombrante de la Création ! Moi, j'en ai soupé, ils n'ont qu'à se remarier, ce serait plus simple, mais je ne passerai pas Noël avec eux. Désolée…

Laurent la regardait, médusé, et elle regretta son éclat. Bredouillant une excuse, elle s'éloigna à grandes enjambées maladroites.

Pascale s'était endormie à l'aube et n'avait pas entendu Aurore partir. Elle ouvrit un œil vers neuf heures, étonnée de constater qu'il faisait grand jour. Par bonheur, elle ne prenait son service qu'à midi, pour une garde de vingt-quatre heures qui risquait d'être épuisante.

Elle enfila une robe de chambre et descendit à la cuisine en bâillant. Aurore avait posé un petit mot à côté de la cafetière isotherme. *Tu as reçu du monde cette nuit ? Cachottière... Bonne journée quand même. Je rapporterai de l'aspirine, j'ai tout avalé.*

Amusée, Pascale se souvint qu'elle avait laissé les tasses sur la table. Après avoir longtemps discuté avec elle, Sam était parti vers cinq heures. Sur le pas de la porte, il avait refusé qu'elle sorte, promettant de bien refermer la grille derrière lui, et il l'avait de nouveau serrée dans ses bras, sans ambiguïté cette fois.

Elle se versa un grand bol de café fumant, ajouta deux sucres. Le temps qu'il refroidisse, elle s'approcha de la porte-fenêtre et jeta un coup d'œil au-dehors. Le ciel était plombé, comme annonciateur de neige. Elle n'avait pas souvenir d'en avoir souvent vu à Peyrolles, même lors d'hivers rigoureux, mais elle se mit à espérer un Noël tout blanc.

— Et la route, alors ? bougonna-t-elle.

D'où elle était, elle apercevait la serre et les grands hibiscus dénudés, plantés par son père à l'emplacement de l'atelier incendié. Comment avait-elle pu émettre, devant Sam, une idée aussi monstrueuse qu'une quelconque responsabilité de son père dans ce drame ? Allait-elle se mettre à le suspecter des pires crimes uniquement parce qu'il lui avait caché l'existence de Julia ? Avec de semblables hypothèses, elle finirait par se méfier de tout le monde et par voir des fantômes partout. Non, décidément, les sages conseils de Samuel représentaient la voie de la raison, avant tout une explication s'imposait, et cette conversation trop longtemps différée avec son père aurait lieu d'ici peu. En attendant, elle devait cesser de se torturer avec cette histoire.

Elle retourna s'asseoir, but quelques gorgées de café. Tout à l'heure, à l'hôpital, Aurore ne manquerait sûrement pas de l'interroger à propos du mystérieux visiteur nocturne. Un visiteur bien innocent… enfin presque !

Bon, se retrouver dans les bras de Samuel lui avait procuré un plaisir indéniable. Du désir aussi, inutile de s'aveugler. Et si, depuis quelques jours, elle s'endormait en pensant à Laurent, elle avait bel et bien eu envie de faire l'amour avec Sam hier soir.

Étrange de découvrir que ces deux hommes pouvaient la séduire tour à tour. Était-ce dû à une trop longue période d'abstinence ou à l'état de fragilité dans lequel la plongeait le mystère de Julia ? Se réfugier contre Sam était si naturel, si évident, si rassurant… et vraiment très sensuel. Le considérer comme un ami revenait peut-être à se mentir à elle-même. Pourquoi avait-elle fait la sourde oreille le soir où il lui avait affirmé : « Quand un homme a vraiment aimé une femme, pour lui l'histoire n'est jamais finie » ?

Songeuse, elle se resservit un peu de café. Il était délicieux, Aurore le préparait très corsé et dosait avec soin son propre mélange d'arabicas. Pascale prit le temps de le savourer avant de monter se glisser sous la douche. Ensuite, elle mit un tee-shirt blanc en prévision de sa garde – il régnait une chaleur suffocante dans le service de pneumo –, enfila par-dessus un pull à col roulé beige et choisit un jean en velours prune. Retrouver ses patients et l'atmosphère de l'hôpital allait lui permettre de ne plus penser à ses problèmes. Julia, son père, Sam,

Laurent, et Noël qui arrivait trop vite, avec la maison à décorer et tous les achats à prévoir. D'ailleurs, puisqu'elle était en avance, elle n'aurait qu'à s'arrêter dans Toulouse pour faire quelques courses.

Dehors, le froid piquant la fit s'engouffrer dans sa voiture. Elle laissa le moteur chauffer et mit la ventilation en route tout en regardant le parc à travers le pare-brise. La végétation luxuriante de l'été avait laissé la place à des arbres nus, et quelques feuilles mortes ayant échappé au râteau constellaient la pelouse de taches brunes. La vigne vierge avait disparu de la serre, aucune fleur ne poussait plus.

Fouillant sa mémoire, elle essaya de se souvenir du prénom de la mère d'Adrien. Alexandra ? Une belle femme blonde, un peu fade, dont elle avait vu une ou deux photos. Son père n'en parlait pas, comme si elle n'avait jamais existé, et lorsque Pascale était née, Adrien appelait Camille « maman » depuis longtemps. À quel moment avait-elle appris qu'Adrien était son demi-frère ? Cette vérité-là, si naturelle, faisait partie de l'histoire des Fontanel, on ne la lui avait jamais cachée, contrairement à Julia. Pourquoi ?

Avec un soupir excédé, Pascale s'engagea sur la route. Trop de questions et aucune réponse, mais peu importait, elle finirait par tout savoir parce qu'elle l'avait décidé. Têtue comme elle l'était, elle y arriverait fatalement. Ensuite, à elle de juger si elle pourrait pardonner.

7

Une fine couche de neige recouvrait tous les toits de l'hôpital Purpan, mais les cours et les abords, sablés dès l'aube, n'offraient plus qu'un triste aspect de gadoue.

À l'étage de la pneumo, surchauffé, une paix relative s'était établie dans le service après la visite du patron, menée tambour battant comme à l'accoutumée. Nadine Clément avait bien posé quelques questions perfides aux externes, s'était opposée à Pascale à propos d'un cas difficile de bronchite, mais sans insister, comme si elle aussi était pressée d'aller faire ses derniers achats de Noël.

Installées par l'équipe des kinés, des guirlandes égayaient un peu les couloirs, et Aurore avait décoré un minuscule sapin qui trônait dans la salle de repos des infirmières.

Au chevet d'une de ses patientes, une femme âgée dont le cancer du larynx en était au stade terminal, Pascale venait de prescrire de la morphine à volonté, distribuée par une pompe dont le malade usait selon ses besoins.

— Ma fille a laissé ça pour vous, docteur…

De sa main libre, toute parcheminée, la vieille dame

désigna une boîte de chocolats posée sur la table roulante.

— Que c'est gentil !

— Je sais que vous êtes gourmande…

La voix était éraillée, à peine audible ; Pascale hocha la tête avec conviction.

— Très gourmande, oui. Votre fille revient vous voir, aujourd'hui ?

— Elle passe tous les jours. Elle ou mon gendre. Je suis bien entourée…

Elle le disait avec reconnaissance, pourtant son regard était affreusement triste. Ce serait son dernier Noël, peut-être ne le verrait-elle même pas. Avec un serrement de cœur, Pascale s'obligea à sourire. La souffrance physique ou morale des malades l'atteignait toujours trop malgré les années, sans doute ne parviendrait-elle jamais à y être insensible.

— Reposez-vous un peu, dit-elle en effleurant l'épaule de la vieille dame.

À travers la chemise de nuit, elle sentit les os qui saillaient.

— Avez-vous besoin d'autre chose ? En tout cas, n'hésitez pas à appuyer sur cette poire, vous ne devez pas avoir mal.

La douleur ne servait à rien, sinon à affaiblir davantage et à paniquer, mais l'ensemble du corps médical avait mis longtemps à en tenir compte.

Alors qu'elle quittait la chambre, des éclats de voix s'élevèrent dans le couloir, du côté de la salle de repos des infirmières.

— Où vous croyez-vous donc ? criait Nadine Clément, apparemment hors d'elle.

Pascale faillit s'éloigner en vitesse, puis elle aperçut Aurore et s'arrêta net.

— Allez faire ça ailleurs, c'est scandaleux !

Derrière Aurore, Georges Matéi, les mains dans les poches de sa blouse, laissait passer l'orage en gardant la tête basse.

— Du balai, ouste, quittez mon service, je ne veux plus vous y voir ni l'un ni l'autre ! Et si on doit se servir de cette salle de repos comme d'un bordel, je la ferai fermer !

Deux externes, pétrifiés, ne savaient plus où aller et restaient collés le dos au mur tandis que Nadine vociférait. Pascale s'approcha, ignorant encore ce qu'elle pourrait faire pour la défense d'Aurore, mais bien décidée à intervenir. Nadine se tourna vers elle et la toisa.

— J'espère que vous ne participez pas à ces bacchanales, Dr Fontanel ?

Pascale ignora la provocation, qui ne pouvait qu'envenimer l'incident.

— La malade de la chambre 8 ne passera sans doute pas la nuit, déclara-t-elle posément. Je lui ai laissé de la morphine à volonté.

— À volonté ? répéta Nadine, suffoquée. À son âge et dans son état, cette patiente ne sait pas ce qu'elle fait ! Vous voulez qu'elle succombe d'une overdose ?

— Je ne crois pas que ce soit très important. De toute façon, c'est la fin.

— Vous n'avez aucun droit d'en décider. Demandez plutôt à une infirmière de faire des injections ponctuelles.

Elle jeta un dernier regard courroucé en direction d'Aurore avant d'ajouter, d'une voix différente :

— Je passerai moi-même voir Mme Lambert tout à l'heure.

Pascale nota le ton plus humain, presque las. Nadine

Clément avait tous les défauts du monde, elle pouvait se montrer tyrannique, agressive, injuste, mais c'était aussi un médecin exceptionnel, qui détestait la maladie et l'échec, qui connaissait par cœur le dossier de chaque cas et qui appelait les malades par leur nom.

Dès qu'elle eut disparu au bout du couloir, Aurore laissa échapper un long soupir de soulagement, suivi d'un petit rire nerveux.

— Bon sang, tu es arrivée comme la cavalerie, juste à temps !

— Je suis désolé, murmura Georges en posant sa main sur l'épaule d'Aurore.

Son air piteux amusa Pascale, qui le suivit des yeux tandis qu'il s'éloignait.

— Il n'est pas seul responsable, on a eu un moment de… d'égarement. On flirtait, et puis on est allés un peu loin… Tu sais ce que c'est.

— Moi oui, mais Nadine Clément, ça m'étonnerait !

— Pourquoi ? Elle a été mariée, elle n'est pas de glace.

— Va savoir. En tout cas, dans son service, mieux vaut se tenir à carreau, c'est toi-même qui me l'as conseillé quand j'ai débarqué ici.

— Tu as raison… Ce n'était pas l'heure ni le lieu, d'accord.

En tant que médecin titulaire, Pascale était investie d'une certaine autorité sur le personnel soignant, toutefois elle n'avait pas l'intention de donner une leçon de morale à Aurore. Elle lui adressa un clin d'œil tout en remarquant, à l'autre bout du couloir, un homme d'un certain âge dont la silhouette élégante lui était vaguement familière. Il s'arrêta quelques instants devant le bureau de la surveillante de l'étage, puis se dirigea vers la salle d'attente qui faisait face au bureau de Nadine.

Avec un peu d'étonnement, Pascale reconnut Benjamin Montague. Était-il malade ? Ce n'était pas l'heure des consultations. Intriguée, elle décida d'aller le saluer avant de se rendre à la radiologie, où elle comptait demander des résultats urgents.

Une sonnerie stridente se mit soudain à retentir, et Pascale fit volte-face. Elle repéra la lumière rouge clignotant au-dessus d'une des portes et se précipita, suivie d'Aurore, qui lança aux deux externes toujours immobiles :

— Dépêchez-vous donc !

Penchée sur le planning des gardes de la dernière semaine de décembre, Nadine inscrivit Pascale pour la nuit du 31.

— Bonne année..., railla-t-elle à voix haute.

En principe, elle ne s'occupait pas de l'emploi du temps des médecins, se bornant à le superviser, comme tout ce qui touchait de près ou de loin à son service. Elle signa le document avant d'appeler sa secrétaire par l'interphone. La période des fêtes de fin d'année l'irritait au plus haut point, avec ses jours fériés et les têtes de déterrés de tous ceux qui abusaient du champagne en ces occasions.

Dix minutes plus tôt, elle avait parfaitement entendu la sonnerie d'alarme déclenchée par un appareil de surveillance d'un des malades, et toute l'agitation qui s'était ensuivie, mais là encore il ne lui incombait pas de s'en mêler, il y avait suffisamment de médecins dans son service pour le faire, avec des équipes parfaitement rodées à traiter les urgences.

Devant elle, un bloc-notes ouvert attendait qu'elle poursuive la rédaction d'un article destiné à une très sérieuse revue médicale. Comme tous les patrons, elle devait publier et enseigner afin de justifier ce titre de professeur qu'elle avait si ardemment désiré.

Un coup discret frappé à sa porte précéda l'entrée de sa secrétaire, qui déposa un gobelet de café fumant sur le coin du bureau. Nadine lui remit des documents et la congédia d'un geste.

— M. Benjamin Montague est dans la salle d'attente, madame.

Saisie, Nadine resta muette une seconde, puis elle se leva d'un bond et sortit dans le couloir. Elle vérifia d'abord qu'il n'y avait personne en vue, ensuite elle alla chercher son frère qu'elle ramena en vitesse jusqu'à son bureau.

— Qu'est-ce qui te prend de venir ici ?

— Rien de spécial, se défendit-il, sans doute surpris par son accueil. Je voulais juste te dire au revoir, je pars en voyage.

— Encore ? Tu es *toujours* en voyage !

— Oui, mon horizon ne s'arrête pas aux murs de Toulouse, ricana-t-il.

— Où vas-tu, cette fois ?

— En Tanzanie. Passer Noël avec des amis…

À l'entendre, Benjamin possédait d'innombrables relations dans le monde entier. Après tout pourquoi pas ? De toute façon, le goût de l'exotisme n'entrait pas dans l'univers de Nadine.

— Joyeux Noël, alors, fit-elle d'un ton rogue.

Elle souhaitait qu'il s'en aille le plus discrètement possible, de préférence sans rencontrer Pascale Fontanel.

— Tiens, mon cadeau pour toi, dit-il en posant un petit paquet sur le bloc-notes.

Déconcertée, elle contempla le papier argenté et le ruban doré.

— Pour moi ? Je te remercie, mais…

Mais elle n'avait évidemment rien prévu pour lui. De temps à autre, elle allait dîner chez son autre frère, Emmanuel, ingénieur en aéronautique retraité avec qui elle entretenait de vagues relations familiales. À son intention, et puisqu'elle devait réveillonner chez lui, elle avait acheté quelques babioles.

— Ouvre-le, suggéra Benjamin.

Surmontant sa gêne, Nadine défit le paquet, qui contenait un écrin de velours. En découvrant le bracelet de perles, elle resta muette de stupeur. Le nom du joaillier ne permettait pas le doute, il s'agissait de vraies perles, pas de toc.

— Tu es devenu fou ?

Ces dix dernières années, elle avait dû voir Benjamin trois ou quatre fois, toujours en coup de vent et sans réelle affection.

— Il n'y a aucune raison, décréta-t-elle.

D'un geste sec, elle referma l'écrin, le poussa vers son frère.

— Garde-le pour l'une de tes conquêtes, essaya-t-elle de plaisanter.

— À mon âge, tu sais… Non, Nadine, prends-le, je te jure que ça me fait plaisir.

— Pourquoi, grands dieux ?

Il la dévisagea longuement avant de hausser les épaules.

— Franchement, je l'ignore. Une impulsion. Je n'ai guère de contacts avec Emmanuel, qui m'emmerde, et au fond pas davantage avec toi. Notre famille est non seulement restreinte mais carrément… usée. Sur sa fin.

Avec quatre enfants, les parents pouvaient espérer une autre pérennité, pourtant c'est le cul-de-sac.

Avec un haut-le-corps, Nadine recula sa chaise.

— Quatre ?

— Eh bien oui ! Camille a existé, qu'on le veuille ou pas.

Pourquoi fallait-il qu'il en parle ? Elle sentit que le moment d'attendrissement qui aurait pu avoir lieu était de nouveau impossible.

— C'est bien ça le malheur, siffla-t-elle. Tout aurait été si différent sans elle !

Benjamin se leva, reboutonna son pardessus.

— Je ne veux pas rater mon avion, déclara-t-il posément. Passe tout de même le bonjour à Emmanuel de ma part.

Il rouvrit l'écrin, prit délicatement le bracelet et, d'autorité, le mit autour du poignet de Nadine.

— Juste un petit souvenir, sois gentille, je ne saurais pas quoi en faire, dit-il en bouclant le fermoir.

Figée, elle n'eut aucune réaction lorsqu'il franchit la porte du bureau. Cinq minutes plus tard, sa secrétaire revint, chargée d'une liasse de documents administratifs. Nadine la vit jeter un regard intrigué à l'écrin, au papier froissé. Une bouffée de fureur la submergea dès qu'elle comprit que l'histoire allait faire le tour du service.

Un grand feu brûlait dans la cheminée de la salle à manger, où Pascale et Aurore concentraient leurs efforts de décoration. Après en avoir longuement discuté, elles étaient tombées d'accord pour ne pas utiliser le grand salon, trop difficile à chauffer. Le sapin avait été installé dans le jardin d'hiver, qui bénéficiait de radiateurs électriques et ferait office de pièce de réception pour l'apéritif et la traditionnelle remise des cadeaux. Quant au dîner, il aurait lieu dans la salle à manger, dont elles expérimentaient la cheminée.

— Excellent tirage, constata Aurore, très fière de sa flambée.

— Surtout avec du bois mouillé !

Sous une pluie glaciale, elles étaient allées chercher des bûches et avaient pris les premières, sur le haut du tas, sans se poser de questions.

— Pas demain la veille que nous serons de vraies campagnardes, soupira Pascale.

— On en apprend un peu plus chaque jour, non ?

Presque tous les soirs, Aurore consultait une encyclopédie du jardinage, dénichée dans la bibliothèque, et en lisait un passage à Pascale. Généralement, cette lecture dégénérait en fou rire.

— Il y a une grande bâche dans la serre, on pourrait couvrir le tas de bois pour le protéger, suggéra Pascale.

— Ah, oui ? Et avec quoi l'empêchera-t-on de s'envoler comme une voile au vent ?

— Avec des bûches, tiens !

Il était à peine sept heures mais il faisait nuit noire et elles se sentaient bien à l'abri dans la grande salle à manger illuminée, tandis que la pluie continuait à s'abattre sur les vitres.

— On n'avait pas connu depuis longtemps un hiver aussi rigoureux dans la région, fit remarquer Aurore.

— Tu me fais penser à la cuve de fioul, il faut qu'on la jauge pour savoir ce qui nous reste.

Une véritable épreuve de force, qui consistait à soulever une dalle de fonte, dévisser le sommet de la cuve et y faire descendre une longue tige de métal gradué.

— Rien n'est jamais prévu pour les femmes, si on ne dispose pas d'un Hercule à la maison…

— Tu as raison, je demanderai ça à mon frère quand il sera là.

Lucien Lestrade avait proposé de le faire, la dernière fois qu'il était venu, mais Pascale avait été très ferme avec lui : elle ne souhaitait plus le voir à Peyrolles.

— Comment trouves-tu mes guirlandes ? s'enquit Aurore.

Perchée au sommet de l'échelle, elle manquait de recul, et Pascale traversa la salle à manger pour juger de l'effet.

— Magnifiques… Vraiment !

Au lieu de se cantonner à une décoration conventionnelle, Aurore avait tressé de larges rubans rouge cerise avec des branches de sapin, installant une sorte de frise qui égayait toute la pièce.

— Ce que je voudrais, maintenant, c'est qu'on aille couper du houx, je vais en faire une couronne pour la cheminée.

— Maintenant ? Avec ce temps ?

— Allez, on met des blousons, des bonnets et des gants, en cinq minutes ce sera fait et ça nous ouvrira l'appétit !

Pascale éclata de rire, gagnée par l'enthousiasme inépuisable d'Aurore.

— Tu as raté ta carrière, tu aurais été une formidable décoratrice.

— J'aurais adoré… J'ai parfois l'impression de m'être trompée, même si j'aime beaucoup mon métier. Et toi ?

— Moi ? Oh, à part médecin, je me serais bien vue pilote de chasse !

— Sérieux ?

— Oui. Mais je l'ai découvert trop tard, quand j'ai commencé à voler. C'est une sensation unique.

Pour la première fois, Pascale exprimait clairement des regrets, dont elle n'avait pas eu tout à fait conscience jusque-là. Secouant la tête, elle refoula cette inutile nostalgie. Par chance, elle avait la possibilité de piloter de temps en temps, et pour le reste elle se sentait à sa place dans un hôpital. Soigner et lutter contre la maladie demeurait sa véritable vocation, elle n'en souhaitait pas d'autre.

— La pluie a cessé, remarqua-t-elle, profitons-en pour aller chercher ton fichu houx !

Elles passèrent par l'office pour se munir de gros gants de jardinier, d'un sécateur et d'une lampe torche, puis enfilèrent leurs parkas avant de se risquer dehors. La terre mouillée commençait déjà à geler en surface et Aurore faillit tomber.

— Saloperie de temps ! grogna-t-elle en se raccrochant à Pascale.

Bras dessus bras dessous, elles se dirigèrent vers le fond du parc, où se trouvaient les arbustes repérés par Aurore. Malgré les lanternes de la façade, dès qu'elles s'éloignèrent de la maison elles éprouvèrent l'impression désagréable d'être englouties par l'obscurité. Un petit animal – sans doute un rongeur – s'enfuit à leur approche en faisant rouler des graviers.

— C'est franchement sinistre, non ? souffla Aurore.

— Oui, mais on ne va pas faire demi-tour comme deux gourdes !

Parvenues au tournant de l'allée, elles coupèrent à travers la pelouse, toujours serrées l'une contre l'autre. Dans le noir, le parc semblait plus grand, moins familier.

— Alors, où est-il, ce houx ?

— Près du mur, du côté de la vasque en pierre.

Le cri soudain d'une chouette les fit sursauter. Presque tout de suite, Pascale se força à rire.

— Nous avons droit à la version intégrale du film d'horreur, on ferait bien de se dépêcher !

Elle plaisantait sans conviction, sensible à l'atmosphère un peu inquiétante de cette nuit trop sombre. À la lumière de la torche, elles virent enfin les arbustes aux feuilles luisantes, comme vernies, semées de fruits rouges.

— Voilà tes décorations, je te laisse te servir…

Avec le sécateur, Aurore commença à couper des branches tandis que Pascale l'éclairait. Quand elle en eut tout un bouquet, tenu à bout de bras pour ne pas se piquer, elle se déclara satisfaite.

— Dépêchons-nous de rentrer, on gèle !

Elles retournèrent vers la maison, dont les lanternes étaient toujours allumées, mais d'un coup tout s'éteignit.

S'arrêtant net, Pascale jura entre ses dents.

— Encore une de ces maudites coupures de courant ! En principe, ça ne dure que quelques instants…

Elles patientèrent une minute, toujours immobiles, les yeux braqués dans la direction de la maison qu'elles ne voyaient plus.

— Allez, viens, chuchota Aurore.

— Tu peux parler à haute voix, tu ne dérangeras personne, railla Pascale, qui se sentait pourtant vaguement inquiète.

Seule la lueur de la torche trouait l'obscurité devant elles, pourtant elles se retrouvèrent sans encombre sur l'allée de gravier. À la hauteur de la rangée d'hibiscus, Pascale pressa le pas sans même s'en rendre compte.

— Attends-moi ! protesta Aurore.

Pascale s'obligea à ralentir, néanmoins elle était

gagnée par une nervosité incompréhensible. L'espace d'un instant, elle songea à l'incendie de l'atelier, à la mort tragique de la mère d'Adrien dans les flammes, mais elle repoussa aussitôt cette pensée avec horreur. Ce n'était vraiment pas le moment d'avoir des idées pareilles ! Peyrolles était sa maison, un endroit merveilleux qu'elle connaissait par cœur et qu'elle adorait. Butant sur la première marche du perron, elle poussa un soupir de soulagement.

— Sauvées ! lança-t-elle d'un ton léger. On va allumer des tas de bougies…

— Pas celles de Noël, en tout cas. Il doit y en avoir d'autres à la cuisine.

Au moment où Pascale ouvrait la porte, la lumière revint. Clignant des yeux, elles échangèrent un regard perplexe avant d'éclater de rire.

— Nous ne sommes pas vraiment prêtes pour entrer dans les commandos ! fit remarquer Aurore.

Pascale poussa le verrou, éteignit sa torche. La brassée de houx était magnifique, mais pourquoi n'avaient-elles pas attendu le lendemain matin pour aller la cueillir ? Pour jouer à se faire peur ?

— Si tu nous réchauffes un bol de soupe, je me mets tout de suite à ma couronne, décréta Aurore en se dirigeant vers la cuisine.

— Réchauffer une de tes soupes en boîte ? Pas question, je vais en cuisiner une moi-même, avec des pommes de terre et des pois cassés. Potage Saint-Germain, ma jolie, agrémenté de quelques petits lardons, tu m'en diras des nouvelles !

— C'est très judicieux de dîner léger une veille de réveillon…

Elles se remirent à rire, heureuses d'être à l'abri, d'être en congé, et d'être ensemble pour préparer Noël.

Jamais Samuel n'avait pris le temps de vraiment regarder sa maison. Achetée en vitesse lorsqu'il était venu s'installer dans la région, il l'avait choisie pour son emplacement – à deux pas de l'aéroclub – et la considérait comme fonctionnelle. Or elle était froide, anonyme, dénuée d'intérêt. Connaître Peyrolles le rendait-il plus exigeant, plus sensible à l'architecture ou au charme d'un lieu ? Bien sûr, il vivait peu chez lui, ne rentrait que pour dormir et passait tous ses loisirs à voler, pas à rester enfermé entre quatre murs. Des murs blancs, lisses, percés de baies vitrées. Une grande pièce à vivre, agencée à l'américaine, occupait tout le rez-de-chaussée. Au premier étage, deux chambres, une vaste salle de bains et une lingerie pleine de placards offraient tout le confort possible. L'ensemble, moderne et clair, ne nécessitait que peu d'entretien.

Naturellement, Marianne adorait cette maison, séduite par son aspect bien ordonné, par la pelouse carrée et la rangée de sages rosiers. Rien ici de gigantesque ni d'exubérant, rien qui soit à l'abandon, tout à fait le contraire de ces grandes propriétés en perpétuelle rénovation.

« Pascale a bien du courage, elle va en voir de toutes les couleurs à Peyrolles, ce doit être un gouffre ! » Ce commentaire narquois, Marianne l'avait répété à deux ou trois reprises sans que Samuel réagisse. À quoi bon ? Tout ce qui concernait Pascale faisait rager Marianne, et au bout du compte elle avait eu raison. Oui, Pascale était sa rivale, oui, Samuel pensait toujours à elle, et même de plus en plus depuis la nuit où elle l'avait appelé au secours.

Il s'étira avant de se décider à sortir de son lit. Aucune intervention n'était prévue sur son planning ce 24 décembre, néanmoins il était d'astreinte et pouvait être bipé à tout moment. Ce qui ne l'empêcherait pas de se rendre à Peyrolles dans la soirée, en espérant qu'aucune urgence ne l'obligerait à regagner Purpan sur les chapeaux de roues.

Aller réveillonner sans Marianne était plutôt un soulagement. Elle ne lui avait pas donné de nouvelles et il s'était abstenu de l'appeler, n'ayant rien à lui dire. Qu'elle ait mal vécu l'incident l'attristait, cependant il se refusait à lui mentir pour la consoler. À sa place, sans doute aurait-il agi de la même manière, avec le même sentiment de jalousie.

Où réveillonnerait-elle ? Avec ses parents ? Il ne voulait pas l'imaginer seule dans son studio en train de pleurer, l'idée lui était insupportable. Marianne méritait d'être heureuse avec un homme qui l'aime vraiment, et il en était incapable, ou du moins le serait tant que Pascale continuerait à le hanter. Pourquoi ne se résignait-il pas à l'avoir perdue ? La reconquérir semblait aussi impossible que l'oublier, il se trouvait dans une impasse.

En haut de l'escalier, il considéra son living d'un œil critique. Était-il vraiment agréable de mélanger le salon et la cuisine ? Serrant la ceinture de son peignoir en éponge, il frissonna. Ces baies vitrées étaient glaciales, au sens propre comme au sens figuré. Dehors, le ciel de plomb semblait chargé de neige et il n'y avait pas un souffle de vent. Le calme avant la tempête ?

Il descendit, mit la bouilloire en route et prépara une petite flambée. La cheminée était à l'image du reste de la maison, trop moderne avec son foyer fermé d'une vitre et encastré dans l'un des murs, à mi-hauteur. Regarder le feu dans ces conditions revenait à regarder la télévision. Amusé par cette comparaison, il prit la télécommande de sa chaîne hi-fi et chercha une station de musique classique. À l'instant où les accords d'une symphonie éclataient dans la pièce, le carillon de la porte retentit.

— Et merde…

En allant ouvrir, il s'attendait à n'importe qui sauf à Marianne. Engoncée dans un gros blouson matelassé dont elle avait rabattu la capuche, elle paraissait transie.

— Je peux entrer ?

La voix et le sourire manquaient tellement d'assurance qu'il en fut ému.

— Bien sûr. Viens te réchauffer, je suis en train de faire du thé.

Elle le suivit, se débarrassa du blouson et passa sa main dans ses boucles blondes pour les discipliner.

— J'ai pris une journée de congé, annonça-t-elle comme si cette explication justifiait sa présence chez lui.

Il posa deux tasses sur le comptoir et mit du pain à griller en attendant que le thé infuse.

— Je pensais que tu me téléphonerais, lâcha-t-elle d'un ton de défi.

Sans répondre, il poussa devant elle le beurrier, un pot de confiture et le sucrier.

— Il faut qu'on parle, Sam.

— Je t'écoute.

Il patienta quelques instants tandis qu'elle cherchait ses mots.

— Peut-être me trouves-tu odieuse, ou mesquine…

— Non, pas du tout. Je crois seulement que nous ne sommes pas faits pour nous entendre parce que nous ne voulons pas la même chose.

— Mais toi, tu ne veux rien ! s'exclama-t-elle. En tout cas, tu ne veux pas de moi. Tu me rejettes, tu me considères comme quantité négligeable, c'est difficile à accepter.

Durant deux ou trois secondes il soutint son regard, et ce fut elle qui baissa les yeux la première.

— Tu ne m'as rien promis, je sais, dit-elle d'une voix étranglée.

Elle était pâle, les traits marqués par l'effort qu'elle accomplissait. Venir le relancer, exiger d'inutiles explications, devait lui coûter mais, la connaissant, il savait très bien qu'elle continuait d'espérer malgré tout. Depuis qu'ils s'étaient rencontrés, elle passait son temps à recoller les morceaux, à se raconter des histoires.

— Marianne… Je suis vraiment dans la peau du méchant, avec toi. Je ne peux pas te donner ce que tu souhaites et j'en suis désolé, crois-moi. Ce serait tellement plus simple si nous étions sur la même longueur d'onde ! Mais ça ne se commande pas, je ne t'apprends rien.

Il avait parlé avec beaucoup de douceur, pour ne pas la blesser davantage. Dans le silence qui suivit, il versa le thé, alla chercher du lait. La seule solution consistait à être ferme, à ne pas se laisser attendrir, à ne pas retomber dans le piège d'une vaine réconciliation.

— Qu'est-ce que je représente pour toi, Samuel ?

À cette question directe, il s'autorisa à répondre sincèrement.

— Tu es une très jolie femme, très désirable. Et aussi très vulnérable parce que tu es gentille, tendre, pleine d'illusions. Chaque fois que je te vois, j'ai l'impression pénible de profiter de toi et je veux que ça s'arrête, voilà. Je ne suis pas un salaud, Marianne.

— Je ne te l'ai jamais reproché !

Frémissante d'indignation, elle le saisit par le poignet.

— Attends, Samuel. Ce n'est pas une scène, je ne suis pas venue pour t'accabler ni te demander des comptes. Alors ne me chasse pas de ta vie. S'il te plaît.

Elle le lâcha, s'assit résolument sur l'un des hauts tabourets du comptoir et parvint à esquisser un sourire presque crédible. Consterné, il la dévisagea en silence. Offrait-il la même vision navrante à Pascale lorsqu'il s'accrochait à elle ?

— Je ne te chasse pas de ma vie, dit-il en pesant ses mots. Je tiens à conserver mon indépendance, c'est tout. Tu n'as pas envie de ce genre de relation, Marianne. Sortir ensemble de temps en temps ne présente aucun intérêt pour toi. Pour personne, d'ailleurs, mais quand il ne s'agit pas d'amour, à quoi bon faire semblant ?

Contrairement à ce qu'il craignait, elle ne se mit pas à pleurer. La tête penchée, elle tournait sa cuillère dans sa tasse d'un mouvement mécanique. Au bout d'un moment, elle murmura :

— On peut rester amis, tout de même ?

La similitude devenait frappante. N'était-ce pas très exactement ce qu'il avait obtenu de Pascale, cette prétendue amitié qui permettait de ne pas tout à fait perdre l'autre ?

— Si tu veux, accepta-t-il à voix basse.

Son thé était froid, il le vida dans l'évier et se resservit.

— Ne fais pas cette tête-là, Sam. Je ne t'ennuierai plus, je te le jure. Et pour te le prouver, je vais t'accompagner à Peyrolles ce soir. Je m'étais promis de ne pas y mettre les pieds, mais c'est ridicule. Au retour, si tu veux tu me déposeras chez moi. Un réveillon en copains, ça te va ?

Pris de court, il ne trouva strictement rien à répondre.

Henry et Adrien franchirent les grilles de Peyrolles à trois heures. Le coffre de la voiture louée à l'aéroport était plein de sacs contenant les cadeaux de Noël, qu'Adrien alla directement déposer au pied du sapin, dans le jardin d'hiver. Il en profita pour se récrier devant la décoration de la maison et embrasser Aurore avec un peu trop d'insistance.

Nerveuse, Pascale les laissa s'installer, leur servit ensuite du café accompagné d'un cake qu'elle venait de sortir du four, puis elle entraîna son père vers la bibliothèque, incapable d'attendre cinq minutes de plus. L'explication qu'elle différait depuis si longtemps lui devenait soudain urgente. Elle ne s'imaginait pas passant toute une soirée à rire et à s'amuser alors que tant de questions graves demeuraient sans réponse. Son père était là, il pouvait lui répondre, lui livrer enfin la vérité.

— Tu as très bien arrangé cette pièce aussi, apprécia-t-il en regardant autour de lui.

— Je n'ai pas touché à grand-chose… J'en ai fait mon bureau, comme toi à l'époque.

— Le mien était devant la fenêtre, et il était moins original que celui-ci !

— Je l'avais déjà à Paris, Sam me l'a offert pour mes vingt-cinq ans, tu ne t'en souviens pas ?

— Non. Il doit être mieux là que dans votre appartement. Et puis tu as changé l'éclairage, aussi. C'est plus chaleureux… Oh, par exemple, voilà ma bergère !

Il alla directement s'asseoir dedans et ses mains se mirent à caresser le velours fané des accoudoirs.

— Je ne m'attendais pas à la revoir un jour. Au fond, ta mère a été bien inspirée de sauver ces vieilleries puisque tu en profites.

Son sourire triste faillit décourager Pascale, mais elle s'accrocha à sa résolution.

— C'est justement de maman que je veux te parler, annonça-t-elle d'un ton ferme.

Sourcils froncés, il la regardait sans comprendre et elle sentit son cœur se serrer. Comment allait-il réagir, confronté à ses propres mensonges ? Pour s'épargner un préambule maladroit, elle alla ouvrir le tiroir du bureau, en sortit le livret de famille et vint le lui remettre. Il ne devait pas savoir de quoi il s'agissait car il prit le temps d'ajuster ses lunettes sans paraître troublé.

— Qu'est-ce que c'est que… ?

Sa voix mourut tandis qu'il lisait. Pendant une longue minute, il resta silencieux, puis il ferma le livret et le laissa tomber sur ses genoux.

— Bien, souffla-t-il.

— Bien ?

Incrédule, elle recula et s'assit à son tour, mettant ainsi le bureau entre eux.

— Une erreur de jeunesse que tu aurais beaucoup de mal à comprendre, avec la meilleure volonté du monde.

— Pas si tu me l'expliques, papa.

— De quel droit ? Ce n'est pas ma vie, c'était celle de ta mère. Son premier mariage ne lui avait apporté que du malheur, elle ne voulait pas s'en souvenir, encore moins en parler.

— Mais je me moque de ce mariage, c'est l'enfant qui m'intéresse ! La petite fille…

— Elle est décédée.

— Non !

— Si, je t'assure, elle…

— Ne me mens pas ! hurla Pascale. Tu l'as fait par omission jusqu'ici, alors maintenant n'invente pas n'importe quoi, ce serait pire.

Suffoqué par sa virulence, Henry amorça un mouvement pour se lever mais y renonça. Le silence tomba entre eux sans que l'un ou l'autre parvienne à le rompre. Finalement, Henry ôta ses lunettes et se massa les tempes du bout des doigts.

— Pourquoi es-tu en colère ? murmura-t-il. Nous n'avons fait que te protéger, ta mère et moi. À quoi t'aurait servi de connaître l'existence de Julia ? Certains fardeaux ne se partagent pas.

Il prononçait le prénom de Julia facilement, comme s'il en avait l'habitude. Pascale supposa qu'il devait y penser souvent.

— Pourquoi l'a-t-elle abandonnée, papa ?

— Elle ne pouvait pas faire face. Elle était seule, sans ressources.

— Et le père de Julia ?

— Parti au loin dès qu'il a vu le bébé.

Atterrée, Pascale continuait à scruter son père. Les événements dont il lui livrait des bribes avaient eu lieu quarante ans plus tôt, bien avant qu'elle ne vienne au monde. C'était l'histoire de sa mère et elle voulait la comprendre, mais elle se sentait indiscrète, importune.

— Ne juge surtout pas ta mère, Pascale. Souviens-toi qu'elle avait été en quelque sorte abandonnée par sa propre mère, puis par la famille Montague dès la mort d'Abel, enfin par son mari. À vingt ans, elle n'avait vécu que ça, le rejet, la trahison, l'abandon. Elle n'a pas su faire autrement avec Julia. Elle n'arrivait déjà pas à s'occuper d'elle-même, comment aurait-elle pu prendre en charge une enfant aussi lourdement handicapée ? Julia avait besoin de soins et de structures que ta mère n'était pas en mesure de lui offrir. La seule solution pour elle a été de confier Julia à la DDASS, afin qu'elle devienne pupille de l'État et soit placée dans un établissement spécialisé.

— Comment se fait-il que Julia ait conservé son nom ?

— Au nom du droit à l'origine, l'état civil de l'enfant ne change pas, sauf s'il est adopté. Dans le cas de Julia, l'adoption était hors de question.

— Mais maman a continué à recevoir de ses nouvelles, à aller la voir, à…

— Bien sûr que non. Un abandon officiel fait perdre tous ses droits à la mère. De toute façon, Camille devait se débarrasser de son passé pour avoir une chance de refaire sa vie.

— Alors, elle a tourné la page comme ça ? Une fois Julia casée, elle l'a oubliée ?

— Ne dis donc pas de sottises ! jeta Henry d'un ton mordant. Oubliée ! Elle y a pensé chaque jour de sa vie, évidemment.

— C'était trop tard, quand elle t'a rencontré ? Elle ne pouvait plus rien faire pour reprendre contact avec sa fille ?

— Je viens de t'expliquer que c'est impossible.

Il semblait se durcir, se fermer à la discussion, pourtant il fit un effort visible pour continuer à parler.

— Ta mère s'est tout de suite attachée à Adrien. C'était un beau petit garçon en pleine santé, elle s'est mise à l'adorer… Ensuite, elle t'a attendue, et ta naissance a représenté une véritable rédemption pour elle. Un temps, elle a été mieux.

De nouveau, Pascale le vit presser ses doigts sur ses tempes et elle eut l'impression de l'avoir mis à la torture. Il y eut un autre silence, qui s'éternisa.

— J'aurais voulu ne pas découvrir les choses par hasard, murmura-t-elle enfin.

— Si tu n'avais pas acheté Peyrolles…

Il en revenait toujours là, obstinément. Que lui cachait-il encore ? Elle désirait l'interroger sur sa rencontre avec Camille, savoir pourquoi il n'avait pas été rebuté par une femme capable d'abandonner un enfant sans défense, mais, effectivement, elle n'avait peut-être pas le droit de fouiller le passé de ses parents.

— Est-ce qu'Adrien est au courant ? se borna-t-elle à demander.

— En partie. On lui avait dit, comme à tout le monde, que cette enfant était décédée. Plus tard… Bon, mais pour lui elle n'est rien, ils n'ont pas de sang commun.

— En fait, elle n'est rien pour personne, n'est-ce pas ? Maman n'est plus là, Raoul Coste a disparu comme s'il n'avait jamais existé, les Montague s'en sont lavé les mains, tu n'as pas voulu t'en mêler et Adrien n'est pas concerné… En somme, il ne reste que moi ?

— Quoi, toi ?

— Je vais essayer de… de la voir. Il doit y avoir un moyen.

— Si c'est ce que tu veux ! Tu espères te découvrir une sœur qui va te tomber dans les bras ? Bon Dieu, Pascale, tu es médecin, tu sais ce que tu vas trouver ! C'est déjà inimaginable qu'elle ait vécu jusque-là, je ne t'apprends rien. Julia a le cerveau d'une enfant de deux ans, alors que tu ailles lui tenir la main, toi qui es une parfaite inconnue pour elle, ne lui apportera pas le moindre réconfort. Redescends sur terre, ma petite fille !

Martelant ses mots, soudain furieux, il ne supportait apparemment pas l'idée qu'elles se rencontrent.

— C'est ce que ta mère voulait t'éviter à tout prix et cela explique son silence.

— Pas le tien, papa. Après la disparition de maman, tu aurais dû me parler.

— Ah, tu es trop têtue, à la fin ! J'ai l'impression de m'adresser à un mur… Tu vois Julia comme une victime et ta mère comme un bourreau, le beau résultat ! Maintenant, écoute-moi bien, Pascale : si c'était à refaire, je ne te dirais rien de plus mais je prendrais soin de détruire ce foutu livret de famille. Depuis combien de temps rumines-tu à t'en rendre malade ? Est-ce que quelqu'un en tire un bénéfice quelconque ? Tu n'as aucune idée du drame qu'a vécu ta mère, et quand tu oses dire qu'elle l'a oublié, moi je te réponds qu'elle en est morte au bout de quarante années de remords. Aujourd'hui, où qu'elle soit, elle est délivrée. Et moi aussi, figure-toi ! Alors, ne viens pas jouer au censeur, s'il te plaît.

Abandonnant la bergère, il marcha jusqu'au bureau, sur lequel Pascale avait reposé le livret. Il l'ouvrit rageusement et désigna une page d'un doigt tremblant.

— Julia Nhàn. Tu sais ce que ça signifie ?

— Sans soucis, chuchota Pascale.

Étonné qu'elle le sache, il laissa retomber sa main.

— Mon Dieu…, soupira-t-il.

Il plongea son regard dans celui de sa fille, attendit un peu puis se détourna.

— Je suis fatigué, je vais me reposer jusqu'au dîner.

D'un pas lourd, il quitta la bibliothèque et monta directement à sa chambre. Malgré le froid, il ouvrit la fenêtre, s'appuya à la rambarde. L'occasion d'être sincère, d'être *absolument* sincère, lui avait été donnée, mais il ne l'avait pas saisie.

« C'était trop tard quand elle t'a rencontré ? Elle ne pouvait plus rien faire pour reprendre contact avec sa fille ? » Bien entendu, il s'était abstenu de répondre à cette question. Pascale n'avait pas besoin d'en apprendre davantage, elle en savait déjà beaucoup trop. Maudit livret de famille. Pourquoi Camille l'avait-elle conservé et, surtout, si mal caché ?

La nuit tombait et le parc commençait à être envahi par les ombres. Henry se pencha pour apercevoir les grands arbres. Des boules de gui envahissaient les plus hautes branches, évoquant par leur forme des nids d'oiseaux. Pascale devrait faire appel à un élagueur avant que cette saleté de plante parasite n'attaque toute la rangée d'érables. Lestrade le lui avait-il signalé, au moins ? La dernière fois que Henry l'avait appelé, ils s'étaient expliqués vertement. Ficher la paix à Pascale et ne pas l'envahir, tels étaient les ordres de Henry, moyennant quoi il continuerait à lui envoyer un chèque annuel pour les plantations d'automne. Celles-là étaient sacrées, Lestrade le savait.

Il se pencha un peu plus, cherchant du regard la rangée d'hibiscus. En été, l'alternance des fleurs blanches et mauves avait beaucoup d'allure. Il se souvenait encore du jour où il s'était décidé pour ces arbustes tropicaux destinés à faire oublier l'emplacement de l'atelier incendié. Une photo, sur le catalogue d'un pépiniériste, l'avait séduit. À ce moment-là, il s'intéressait au parc, à la maison, et dépensait sans compter. La disparition d'Alexandra n'y avait pas changé grand-chose, sauf que ce choix de rester à Peyrolles après la tragédie qui faisait de lui un jeune veuf en avait surpris plus d'un. Mais pourquoi serait-il parti ?

Avec l'hiver, les hibiscus ne ressemblaient plus qu'à des buissons de bois mort. Un peu plus loin, la serre était à peine visible dans la nuit. Enfant, il y avait joué à l'apprenti jardinier, et plus tard Adrien et Pascale s'y étaient amusés à leur tour. Combien de matinées Camille avait-elle passées là, penchée sur des godets pleins de terreau où elle semait des graines soigneusement sélectionnées ? Il ne se rappelait pas exactement à quel moment la passion des fleurs s'était emparée d'elle. Très tôt, sans doute, car dans bon nombre de ses souvenirs elle avait toujours un sécateur à la main ou un panier au bras. Dieu qu'elle était belle avec son canotier posé de travers sur ses cheveux de jais ! Belle au point de faire disparaître Alexandra de sa mémoire : en épousant Camille, il avait eu l'impression de se marier pour la première fois.

Un mariage différé – il l'aurait volontiers épousée sur-le-champ ! – parce qu'il avait bien fallu la faire divorcer d'abord. L'ignoble Coste ayant abandonné femme, enfant et domicile conjugal, la procédure pour faute avait finalement rendu Camille libre de convoler. Mais, avant cela, elle s'était installée à Peyrolles.

À l'époque, l'extrême fragilité de Camille bouleversait Henry. Ses larmes, ses cernes, la manière dont elle pressait ses mains l'une contre l'autre, ses grands yeux noirs qui appelaient à l'aide... Comment aurait-il pu résister ? La protéger faisait de lui un homme, il se sentait grandi, viril, indispensable. Déterminé à être le rempart dont elle avait un besoin vital, il l'entourait d'amour et la guidait pas à pas. Quand elle se blottissait contre lui, la nuit, il se jurait d'en faire une femme heureuse. Hélas ! les années passant, il avait dû se rendre à l'évidence de son échec.

Le froid le fit frissonner et il ferma la fenêtre. Dans la chambre obscure, il hésita un moment puis alla s'allonger sans allumer. La colère de Pascale le hérissait. Il estimait ne pas avoir de comptes à rendre à sa fille, qui d'ailleurs ne disposait pas des éléments nécessaires pour porter un jugement. Certes, il aurait pu les lui fournir, *tout* lui raconter.

Tout ? C'était si complexe, si irrationnel… Pascale avait beau être intelligente, ouverte, elle risquait de rejeter ses arguments en bloc. Et malgré ou à cause de tout l'amour qu'il lui vouait, il refusait d'avance d'être traité comme un monstre.

L'était-il ? Oh, Dieu, non ! Il avait fait ce qu'il prenait pour le bien, même s'il s'en était mordu les doigts par la suite. À trente ans, il ne savait rien de la vie. Fils de notable, il avait mis ses pas dans ceux de son père, de son grand-père, sans se poser de questions. Marié dès la fin de ses études, établi à Peyrolles dans la demeure familiale, son avenir semblait tracé. Exerçant la médecine avec rigueur, papa d'un beau petit garçon, il était le respectable Dr Henry Fontanel…

Seulement, il y avait Camille. Le grain de sable de son existence. Cette jeune fille, dont il était tombé amoureux à l'adolescence, allait de nouveau croiser sa route. Ce jour-là, il avait sombré dans le tumulte d'une véritable passion. Enfer et paradis, il ne regrettait rien.

À tâtons, il chercha l'interrupteur de la lampe de chevet. La chambre où il se trouvait avait été celle de Pascale enfant et ne lui évoquait pas grand-chose. Tant mieux. Il n'aurait pas voulu se retrouver dans celle qu'il avait occupée durant tant d'années avec Camille.

Où allait-il puiser la force de descendre réveillonner avec ses enfants ? Pourquoi sa fille, qu'il aimait pardessus tout, le soumettait-elle à semblable torture ? Être ici, à Peyrolles, contraint à se souvenir du passé jusqu'à revoir le visage de la pauvre Julia…

Il ferma les yeux tandis qu'une angoisse aiguë lui serrait la gorge. Il n'était pas innocent, il ne pouvait pas y prétendre, mais il vieillissait et la lassitude le gagnait. Camille avait purgé sa peine, pas lui.

8

Samuel et Marianne arrivèrent les derniers, vers neuf heures. Le champagne, servi en apéritif dans le jardin d'hiver, était accompagné de toasts au foie gras et de petits boudins grillés. Très élégant dans un costume bleu nuit, Adrien passait les plateaux de l'un à l'autre, veillant à ce que les coupes restent pleines.

Pascale avait fait l'effort de surmonter le malaise provoqué par sa discussion avec son père. Décidée à sourire malgré tout afin de ne pas assombrir cette soirée de réveillon, elle s'était préparée avec soin : maquillage lumineux, chevelure relevée en chignon, courte robe fluide de satin ivoire.

— Tu es tellement plus belle en femme qu'en jean ! s'était écrié Henry en la voyant.

Plus réservé mais tout aussi admiratif, Laurent semblait avoir du mal à détacher d'elle son regard.

— Tu as réussi à décorer cette maison comme quand nous étions gamins, constata Adrien en s'arrêtant devant elle. J'adorais les Noëls ici…

Désignant le sapin et les dessins au blanc d'Espagne sur les vitres, il eut un sourire attendri.

— Je t'offre un abonnement pour les années à venir,

répondit Pascale. Je compte rester à Peyrolles un bon moment !

— Au moins le temps de rembourser ta banque et ton mécène, ironisa son frère.

Samuel, qui se trouvait à côté d'eux, leva les yeux au ciel.

— Je ne serai pas un créancier trop exigeant, promis, à condition d'avoir un abonnement aussi. Plus je viens dans cette maison, plus je l'aime.

— Ah, ça ne m'étonne pas ! lança Aurore. Habiter Peyrolles est un vrai bonheur, on s'y amuse comme des folles.

— Vous n'êtes pas mortes de peur, seules toutes les deux, les soirs d'hiver ? interrogea Marianne avec curiosité.

— Si, bien sûr ! D'ailleurs, nous avons joué au train fantôme dans le parc, l'autre nuit, pour aller cueillir du houx. Frissons garantis !

— Où se trouvent les plus proches voisins ?

— Largement hors de portée de voix.

Aurore éclata de rire en tapotant l'épaule de Marianne.

— Mais nous ne sommes pas des petites natures, ni Pascale ni moi…

Pascale savait qu'Aurore n'appréciait pas Marianne. « Elle a une façon de te regarder, quand elle pense que tu ne la vois pas… Elle est jalouse de toi et, si elle le pouvait, elle te fâcherait avec ton ex. » Moins sévère, Pascale comprenait les réticences de Marianne depuis qu'elle s'était retrouvée dans les bras de Sam.

— Le problème des maisons anciennes, trancha Henry, c'est qu'on est toujours en train de faire ou de prévoir des travaux.

— Tu exagères, protesta Pascale.

— Non, ma chérie, tu t'en rendras vite compte. En vingt ans de location, des tas de choses ont dû se dégrader. L'électricité est vétuste, la chaudière, n'en parlons pas…

— C'est ça, n'en parlons pas, sois gentil, pas ce soir.

Avec un soupir volontairement exagéré, Henry tendit son verre à Adrien.

— Toi, n'en profite pas pour m'oublier.

Une douce chaleur régnait dans le jardin d'hiver, grâce aux radiateurs électriques et à la multitude de bougies rouges et vertes disposées un peu partout.

— Où est Georges ? demanda Pascale à Aurore.

— Il ranime le feu dans la cheminée de la salle à manger, sinon on va mourir de froid pendant le dîner.

— À propos, qu'est-ce qu'on mange, les filles ? s'enquit Adrien.

— Une gasconnade, annonça fièrement Aurore.

— C'est quoi ?

La question de Marianne arracha un sourire apitoyé à Aurore.

— Pascale va vous expliquer, moi il faut justement que j'aille brancher le four !

— Il s'agit d'un gigot aux anchois et à l'ail. On va vous le servir avec des truffes cuites sous la cendre.

— Oh, quelle bonne idée d'y avoir pensé ! s'exclama Laurent. Vous les faites avec une petite barde de lard et…

— Dans du papier d'argent, oui, c'est la recette.

— Vous n'avez pas eu trop de mal à en trouver ?

— Si. Mais nous avons une gentille voisine, à un kilomètre d'ici, qui a pu nous en dénicher chez un paysan.

— De qui parles-tu ? s'étonna Henry. Pas de cette vieille emmerdeuse de Léonie Bertin ?

— Pourquoi la traites-tu d'emmerdeuse ? Elle est très aimable.

— Et très bavarde, surtout !

— Elle nous a donné des gâteaux à la violette que vous aurez en dessert.

Henry haussa les épaules, apparemment contrarié, mais Pascale l'ignora.

— Pas de fromage ? railla Adrien.

— Bien sûr que si. J'ai pensé à toi, j'ai choisi un gâtis.

— C'est vrai ? Ah, je t'adore !

De nouveau, Marianne semblait perdue à l'énoncé de toutes ces spécialités régionales. Elle lança un regard interrogateur à Samuel, qui expliqua avec une pointe d'agacement :

— Une fondue de cantal et de roquefort dans une pâte à brioche.

— Maman avait l'art de composer des dîners de ce genre, se rappela Adrien. Je ne crois pas que nous ayons jamais mangé de dinde ou de bûche un soir de Noël ! Je me souviens d'une année où elle nous avait fait une tranche de foie gras frais, à peine poêlée, avec du raisin blanc…

Une ombre de mélancolie passa sur son visage mais il se reprit tout de suite, sans doute par égard pour son père.

— Votre menu est somptueux, les filles !

Henry regardait ailleurs, l'air perdu dans de sombres pensées. Laurent profita du silence pour demander l'autorisation de prendre quelques photos avec son appareil numérique.

— Si vous ne les aimez pas, je ne les conserverai pas, donc elles seront toutes formidables… Et d'abord le sapin, j'en ai rarement vu d'aussi original !

— Aurore aurait dû être décoratrice, affirma Pascale.

— Purpan y aurait perdu une excellente infirmière, rétorqua Laurent avec un de ces sourires chaleureux dont il avait le secret.

Il fit signe à Pascale de venir poser devant l'arbre et elle se prêta au jeu de bonne grâce.

— Vous êtes sublime dans cette robe, murmura Laurent en baissant son objectif.

À l'évidence, c'était elle qu'il voulait photographier plutôt que le sapin.

— Je vous ai apporté un cadeau de Noël virtuel, Pascale. Du genre qu'on ne peut pas envelopper.

— À savoir ?

— L'hôpital d'Albi a besoin d'un pneumologue, qui sera engagé début février. Si vous êtes toujours intéressée, je peux vous obtenir ce poste.

Saisie, elle resta d'abord sans réaction, puis elle se précipita impulsivement vers lui et le prit par le cou pour l'embrasser. Un baiser chaste, qui fit toutefois ricaner Samuel.

— Tu appelles ça un cadeau ? En tout cas pas une promotion, j'imagine !

Aussi troublé par le contact de Pascale que par l'ironie de Sam, Laurent bredouilla :

— Je ne fais que lui faciliter les choses, c'est son choix.

— Tu dois être cinglée, ma parole ! lâcha Sam avec une certaine agressivité. Lui encore, ça se comprend, si tu ne fais plus partie du personnel de Purpan il a les mains libres pour te…

— Samuel, s'il te plaît !

L'intervention de Marianne, à la fois timide et déterminée, permit à Sam de faire marche arrière.

— Oh, bon, je plaisantais.

Laurent lui jeta un regard indéchiffrable sans lâcher Pascale, qu'il avait prise par la taille.

— L'idée n'est pas mauvaise, ma petite fille. D'abord, tu pourras t'épargner tous ces risques inutiles sur la route, ensuite tu seras très bien à Albi. Les Fontanel y sont connus, tu verras, et l'hôpital est devenu important.

Content de lui, Henry considéra successivement Laurent puis Samuel. Avait-il envie de les dresser l'un contre l'autre ? À moins que ça ne l'amuse de voir ces deux hommes, qu'il estimait, prêts à s'affronter pour conquérir sa fille.

— Les truffes seront cuites dans dix minutes, annonça Georges.

— L'agneau aussi, nous sommes synchronisés !

Aurore lui adressa un sourire plein de tendresse et, l'espace d'une seconde, Pascale les envia. Ils allaient bien ensemble, leur relation semblait les épanouir et ils réussissaient le prodige de conserver malgré tout une certaine indépendance. Était-ce la recette du bonheur ? Elle s'aperçut que Laurent la tenait toujours, ce qui lui procurait une sensation agréable, mais elle s'écarta de lui en avisant la tête renfrognée de Sam.

— Je vous propose de passer à table, déclara-t-elle d'un ton léger.

La place des convives avait été un véritable casse-tête, néanmoins elle pensait avoir fait pour le mieux. Adrien se retrouvait entre Marianne et Aurore, dont l'autre voisin était Georges, tandis que Pascale avait pris son père à sa droite, Laurent à sa gauche, avec Samuel presque en face d'elle. Des pommes de pin et des étoiles argentées décoraient la nappe, ainsi que des bougies en forme de père Noël. Profitant du chahut accompagnant l'arrivée du gigot, Pascale se pencha vers Laurent.

— Merci pour ce cadeau, c'est le plus beau qu'on pouvait me faire.

— La perspective de ne plus voir Nadine Clément, je suppose ?

Elle secoua la tête en riant, ce qui eut pour effet de dénouer son chignon. Alors qu'elle récupérait à tâtons deux ou trois épingles pour rattacher ses cheveux, Laurent effleura sa nuque, comme s'il voulait l'aider.

— Le Pr Clément ne risque pas de me manquer, admit Pascale.

— Tant mieux. En tout cas, Sam n'a pas tort, à partir de février je pourrai vous inviter où je veux sans déchaîner les commérages.

À l'autre bout de la table, Adrien multipliait les efforts pour mêler Marianne à la conversation, et la jeune femme semblait se dérider. Pascale espéra qu'elle arriverait à passer une bonne soirée malgré l'indifférence dont Sam faisait preuve à son égard. Quelques jours plus tôt, il avait annoncé qu'il viendrait seul, puis s'était ravisé aujourd'hui en téléphonant pour demander si Marianne pouvait l'accompagner. Lors de cet appel, il ne devait pas être seul car il n'avait donné aucune explication à ce changement de programme.

Pascale s'aperçut que Sam était justement en train de la regarder et elle lui sourit.

— Tu veux bien servir le vin ?

À peine prononcée, elle regretta sa phrase, pourtant anodine. À l'époque où ils étaient mariés, c'était toujours Sam qui s'occupait du vin. Ils aimaient recevoir leurs copains avec des crus de qualité, et Sam achetait régulièrement du vin pour constituer leur cave. Conciliant, il lui avait même proposé d'en garder une partie lorsqu'ils avaient divorcé mais, à ce moment-là, les bouteilles de bordeaux ou de bourgogne millésimés étaient le cadet des soucis de Pascale.

Elle le vit se lever pour emplir les verres avec précaution. En connaisseur, il évitait de verser trop vite. Lorsqu'il arriva derrière elle et se pencha au-dessus de son épaule, elle éprouva une impression étrange, qui ressemblait presque à un regret. Ils avaient été très amoureux, très heureux, et si Pascale était tombée enceinte ils ne se seraient jamais quittés. Jamais !

Comment pouvait-elle penser à ça alors que Sam était en passe de refaire sa vie et qu'elle-même se laissait séduire avec délice par Laurent ? Reportant son attention sur ce dernier, elle constata qu'il l'observait d'un air interrogateur.

— Pascale, ma chérie, c'est tout simplement divin ! décréta son père, qui venait de goûter une bouchée de truffe.

— Félicite Aurore, c'est elle le chef cuistot.

— Heureusement pour nous, ironisa Sam, parce que tu n'es pas tout à fait un cordon-bleu, si mes souvenirs sont bons.

— Essaie de t'empêcher d'être désagréable, au moins le temps du dîner, répliqua-t-elle en lui adressant une grimace.

— Il n'y peut rien, c'est sa nature ! lança Marianne avec un petit rire censé atténuer son propos.

Dans le bref silence qui suivit, Pascale surprit l'expression exaspérée de Samuel. Elle se leva et prit la corbeille de pain pour aller la remplir à la cuisine.

— Je vais découper le reste du gigot, je pense que tout le monde voudra se resservir, proposa Georges.

— Je m'en charge, tu as assez travaillé pour ce soir !

Déjà debout, Sam saisit le plat et suivit Pascale.

— Tu me trouves vraiment désagréable ? demanda-t-il dès qu'ils furent seuls.

— Un peu tendu.

— Désolé. Marianne me tape sur les nerfs. Elle a trop bu et elle ne supporte pas l'alcool.

— Laurent aussi paraît te taper sur les nerfs !

— C'est différent. Je l'aime beaucoup, mais voir sa tête de merlan frit dès qu'il pose les yeux sur toi…

— Et alors ?

Tournée vers lui, elle le toisa des pieds à la tête.

— Alors… rien. Tu as raison, excuse-moi.

Quand il était dans son tort, Sam savait le reconnaître et faire amende honorable.

— Je ne dois pas avoir l'air plus intelligent que lui, admit-il. D'autant que tu es éblouissante, ce soir. Enfin, tu l'es toujours…

Il reposa le couteau à trancher et leva les yeux sur elle. Pendant deux ou trois secondes, leurs regards restèrent rivés l'un à l'autre.

— Allons-y avant que ce soit froid, murmura Pascale, mal à l'aise.

Chaque fois, il parvenait à provoquer en elle toutes sortes d'émotions. N'était-elle pas détachée de lui ? Dans ce cas, elle se livrait à un jeu dangereux en continuant à le voir. Et pour Marianne, la situation était intenable, inadmissible.

De retour dans la salle à manger, où la conversation était animée, Pascale retrouva le sourire et décida de se consacrer à Laurent. Elle bavarda un moment avec lui, évoquant ce poste à Albi qui la tentait tellement.

— Je me sens très bridée par Nadine Clément, presque ramenée à mes années d'internat. Comme elle ne m'aime pas, elle contrôle tout ce que je fais, diagnostics, prescriptions, sans compter son obsession des examens superflus ! Et pas question de passer trop de temps au chevet d'un malade, elle est capable de venir vous tirer par la manche pour vous expédier ailleurs. Souci de rentabilité et d'efficacité, peut-être, mais d'une part ça entretient une assez mauvaise ambiance, d'autre part on se sent déresponsabilisé. En revanche, ses qualités professionnelles sont indiscutables, ce serait un plaisir de travailler avec elle si elle était moins… acariâtre.

Laurent souriait en l'écoutant, apparemment ravi de pouvoir l'aider à obtenir un meilleur statut.

— Albi est une plus petite structure que le CHU de Purpan, à mon avis vous y aurez toutes les responsabilités que vous souhaitez, et peut-être même trop à votre goût.

— Rassurez-vous, je ne viendrai jamais vous le reprocher ! affirma-t-elle en riant.

Après le gâtis, plus personne n'avait faim, aussi Aurore proposa-t-elle de servir les gâteaux à la violette en même temps que le café, dans le jardin d'hiver.

— On en profitera pour ouvrir les cadeaux ! s'écria Marianne d'une voix haut perchée.

Elle semblait effectivement avoir beaucoup bu, et Pascale lança un regard interrogateur à Sam. Résigné, celui-ci alla prendre Marianne par le bras, lui chuchota quelques mots à l'oreille puis l'aida à quitter la salle à manger.

— Tu n'as pas passé ton temps à lui remplir son verre, au moins ? demanda Pascale à Adrien.

Son frère prit un air innocent, mais il était parfaitement capable de ce genre de mauvaise blague.

— On rangera plus tard, dit Aurore en passant à côté d'elle. Viens, allons nous amuser avec les autres.

Pascale la suivit, ignorant la table dévastée.

Sa montre, qu'il avait pris soin d'enlever, était accrochée à la poignée de la fenêtre, au-dessus de l'évier. Il pencha la tête de côté pour voir l'heure. Six heures moins le quart et il ne se sentait toujours pas fatigué. D'un coup d'œil, il s'assura qu'il n'y avait plus rien à laver, ensuite il saisit un torchon pour essuyer les derniers plats.

Une soirée abominable… Réussie, en fait, mais qui lui laissait une impression de gâchis, d'amertume, de regrets. Henry avait été adorable avec lui, comme si Samuel était toujours son gendre, mais il avait également fait tout un numéro destiné à épater Laurent, qu'il voyait peut-être comme son *prochain* gendre. Le géniteur possible de ses futurs petits-enfants.

— Laurent est mon ami, Marianne a été ma maîtresse, et je suis en train de les détester tous les deux : bravo !

Était-ce pour se punir qu'il avait préféré s'attaquer à cette montagne de vaisselle plutôt qu'essayer de dormir ? À moins que l'idée de s'allonger près de Marianne ne l'ait fait fuir, tout simplement. Pascale leur avait octroyé une chambre d'amis agréable, sommairement meublée, sans doute persuadée qu'ils étaient toujours amants. Sam était resté au chevet de Marianne, après l'avoir déshabillée et obligée à avaler un bol de café, jusqu'à ce qu'elle sombre dans un profond sommeil. Une fois certain qu'elle ne se réveillerait pas de sitôt, il était redescendu mais tout le monde était parti se coucher, hormis Pascale et Laurent. Seuls dans le jardin d'hiver, assis devant le sapin allumé, ils parlaient à mi-voix et Samuel n'avait pas voulu les interrompre. Il s'était réfugié dans la bibliothèque, où il avait feuilleté distraitement bon nombre d'ouvrages de médecine. Certains d'entre eux, annotés de la main de Pascale, dataient de l'époque où elle préparait son internat. Obnubilé par une foule de souvenirs dont chacun l'accablait davantage, il n'avait pas vu le temps passer. Lorsqu'il était sorti de la bibliothèque, toute la maison était plongée dans le noir. Bien entendu, il n'avait pas pu s'empêcher de vérifier que la voiture de Laurent était partie. Ensuite, écœuré de sa propre mesquinerie, il s'était mis à ranger.

Passer le réveillon de Noël attablé en face de Pascale, chez Pascale, et n'être plus rien pour elle le désespérait. Jamais il n'aurait envie de fonder une famille avec une autre femme, or il arrivait à un âge où la question allait devenir cruciale. Bien sûr qu'il voulait des enfants ! Des fillettes aux grands yeux noirs, comme elle.

Pendant le dîner, quand son chignon s'était défait, il avait éprouvé une irrésistible envie de toucher ses cheveux. Brillants, soyeux, parfumés, les caresser était un geste sensuel, hélas ! c'était Laurent qui avait posé sa main sur la nuque de Pascale. À cet instant-là, Samuel s'était senti non seulement dépossédé mais aussi submergé d'une jalousie viscérale. Cette femme avait été *sa* femme, comment avait-il pu être assez fou pour la laisser s'en aller ?

Il ouvrit les placards de la cuisine au hasard, essayant de trouver où se rangeaient les assiettes, les verres. Dans cette maison, même les placards étaient pleins de charme, avec leurs portes anciennes, leur incroyable profondeur, leurs crochets de cuivre chargés d'ustensiles.

— Tiens, je devrais m'acheter une vraie maison…

Pour y vivre seul ? Non, autant rester chez lui, en espérant que Marianne veuille bien ne plus débarquer à l'improviste.

Pauvre Marianne ! Il savait très bien pourquoi elle

avait tant bu, et il s'en voulait de la rendre malheureuse, mais là encore, que faire ? Se montrer plus ferme et la tenir à distance ? C'était facile de prendre ce genre de décision quand on ne souffrait pas.

— Une vraie fée du logis ! s'exclama Adrien. Je n'en crois pas mes yeux…

Il entra dans la cuisine en bâillant, vêtu d'un invraisemblable pyjama de flanelle parsemé d'éléphants roses.

— Tu es trop mignon, je t'assure, ironisa Samuel. Veux-tu que Cendrillon te fasse du café ?

— Ce serait merveilleux.

Adrien s'affala sur une chaise, se passa la main dans les cheveux, s'étira.

— J'ai eu la même idée que toi, je voulais ranger ce foutoir avant que les filles ne s'en chargent. Merci de m'avoir devancé, tu es un frère.

Encore une expression surgie du passé, de l'époque où Sam était le beau-frère d'Adrien.

— C'est amusant de prendre le petit déjeuner ici, j'ai l'impression d'avoir rajeuni de vingt ans !

— Si je comprends bien, tu n'es plus vraiment contrarié que ta sœur ait racheté Peyrolles ?

Sourcils froncés, Adrien parut réfléchir sérieusement à la question.

— Je ne sais plus trop… La maison est pleine de bons et de mauvais souvenirs.

— Et c'est pour cette seule raison que Henry et toi étiez si violemment opposés au projet de Pascale ?

— Oh, dès qu'il s'agit d'elle, tu deviens chiant ! Tu imagines qu'elle a besoin de quelqu'un pour se défendre ? Elle n'en fait qu'à sa tête, tu es bien placé pour le savoir.

— Ne m'agresse pas ou je te fais du jus de chaussette.

Adrien se mit à rire et leva les mains en signe de reddition.

— Comment va ton amie ?

— Elle dort.

— À mon avis, elle n'est pas près de se réveiller ! Pense à lui monter de l'aspirine avec son café. Je la trouve très gentille, tu sais, et aussi très séduisante. Tu devrais mieux t'en occuper, sinon elle finira par te quitter.

— C'est fait, nous avons rompu.

Ouvrant de grands yeux, Adrien le dévisagea.

— Je croyais que vous étiez amoureux et que tu pensais à te remarier…

— Non, pas du tout.

— Tu vas rester vieux garçon, Sam ?

— Et toi ? Si tu veux, on peut fonder un club !

Sa mauvaise humeur revenait mais Adrien, impitoyable, se remit à rire.

— Je parie que tu soupires encore après Pascale.

— Soupirer n'est peut-être pas le bon mot, mais…

Adrien hocha la tête d'un air apitoyé, toutefois il ne fit pas de commentaire. Après avoir mis deux sucres et un peu de lait dans son café, il le but en silence.

— D'accord, dit-il enfin, ma sœur est une sacrée bonne femme, pourtant personne n'est irremplaçable. Crois-moi sur parole !

— Pourquoi ? Tu as de l'expérience en matière de chagrins d'amour ?

— Plus que tu ne le penses.

Perplexe, Samuel le contempla quelques instants. Personne n'était plus discret qu'Adrien sur sa vie privée.

Même Pascale ne savait rien de lui alors qu'ils étaient très proches, et elle s'en était souvent étonnée.

— Ne me regarde pas comme ça et garde tes conclusions pour toi, lâcha Adrien d'une voix soudain tranchante.

Quelles conclusions ? Adrien avait-il un problème dont il ne voulait pas parler ? Samuel retourna chercher la cafetière et la posa entre eux sur la table.

— Tu es au courant de toutes les interrogations de Pascale au sujet de sa mère ?

— Vaguement. Papa m'en a dit deux mots avant d'aller se coucher, hier soir. Ce qui me surprend c'est que *toi*, tu sois au courant.

— Elle était bouleversée, elle m'a appelé au secours.

— Bien sûr... À qui veux-tu qu'elle se confie, à part toi ? Dans quelque temps, ce sera sans doute sur l'épaule de Laurent Villeneuve qu'elle s'épanchera, mais pour l'instant elle compte sur toi. Normal, tu es *toujours* là.

Son ton narquois fut insupportable à Sam, qui réagit aussitôt.

— Tant mieux pour elle ! Parce que ton père et toi, vous n'avez pas été très présents quand elle a voulu changer de vie. On aurait cru qu'acheter Peyrolles était un crime de lèse-majesté, et c'est pareil quand elle demande des précisions sur l'histoire de sa famille. Vous avez donc tant de choses à vous reprocher ?

— Ne parle pas de ce que tu ignores ! hurla Adrien en tapant du poing sur la table.

Dressés l'un contre l'autre, ils se dévisagèrent avec fureur jusqu'à ce que la voix de Pascale les fasse sursauter.

— Vous êtes malades ou quoi ? Pourquoi vous disputez-vous comme ça ?

Samuel se tourna vers elle et, instantanément, sa

colère disparut. Enveloppée d'un peignoir en velours bleu ciel, ses cheveux défaits tombant sur ses épaules, bien qu'à peine réveillée elle resplendissait. Où puisait-elle son énergie, sa sérénité ?

— Oh… Vous avez tout rangé ! s'exclama-t-elle gaiement.

— Lui tout seul, bougonna Adrien.

Elle s'approcha de son frère, le prit par le cou et l'embrassa.

— Tu m'as l'air ronchon, ce matin.

— Maintenant que je sais où tout se trouve, tu veux une tasse ou un bol ? demanda Samuel.

Connaissant ses préférences, il lui avait déjà sorti une tasse et elle le remercia d'un sourire radieux.

— Tu m'as évité une sacrée corvée avec cette vaisselle. Je voulais faire la surprise à Aurore, je me suis levée exprès. Évidemment, je ne pensais pas tomber sur un meeting dans la cuisine…

Aucun des deux ne jugea utile de répondre et Pascale but son café avant d'enchaîner :

— Il a neigé cette nuit. Vous avez vu ?

Samuel s'approcha de la porte-fenêtre et colla son front contre la vitre. Le jour n'était pas encore levé mais tout semblait recouvert d'une couche blanche.

— Incroyable…

Dans la bibliothèque, dont les volets étaient fermés, il ne s'était rendu compte de rien.

— Ils auront salé l'autoroute, mais peut-être pas la départementale de Labastide à Marssac, et encore moins la vicinale qui part d'ici. Surtout un 25 décembre !

— De toute façon, on voit si rarement de la neige dans la région qu'ils seront débordés, affirma Samuel.

Être obligé de rester un peu à Peyrolles ne l'aurait pas dérangé s'il avait été seul, mais Marianne finirait par se réveiller et il n'imaginait pas passer une journée ici avec elle.

— Je peux conduire là-dessus, dit-il, à regret.

— Non, pas question ! protesta Pascale. Vous n'avez qu'à déjeuner avec nous, on mangera les restes, et tout aura fondu cet après-midi. Je sais que tu es un merveilleux pilote, Sam, néanmoins je ne veux pas que tu prennes de risques. Rien ne te presse ?

La fatigue de la nuit ne se faisait pas encore sentir et il n'avait pas vraiment envie de partir, surtout lorsqu'il entendit Adrien déclarer :

— Bon, je file m'habiller, ça sent le concours de boules de neige !

Sam attendit qu'il soit sorti puis il resservit du café.

— C'était quoi, le sujet de votre querelle ? s'enquit Pascale.

— Les cadavres cachés de la famille Fontanel. Tu avais raison, ton frère devient très chatouilleux dès qu'on parle du passé.

— Papa aussi. Susceptible et triste. Hier, il a voulu me faire croire que Julia était décédée, c'est la version qu'il a racontée à tout le monde, à l'époque.

— Sans doute avait-il peur qu'on juge sa femme. On éprouve forcément de la compassion pour une mère qui a perdu son enfant, mais on regarde d'un mauvais œil celle qui l'a abandonné. Aujourd'hui encore, il n'admettrait pas que tu condamnes ta mère, comprends-le...

— Pourquoi le défends-tu toujours ? s'étonna-t-elle.

— Parce que c'est un type bien. Du moins je le crois, même si je continue à me demander pourquoi il t'a vendu Peyrolles au lieu de te le donner.

Pascale hocha la tête, songeuse. Sam la connaissait suffisamment pour savoir qu'elle allait tout faire pour rencontrer sa demi-sœur, que Henry soit d'accord ou pas. Dans quel état ressortirait-elle d'un face-à-face avec cette femme de quarante ans, handicapée depuis sa naissance ? Et de quelle manière imaginait-elle réparer l'injustice subie par la malheureuse ?

— Je vais m'habiller aussi, j'ai froid, décida-t-elle.

Le jour se levait enfin, un ciel gris fer éclairait peu à peu l'épaisse couche de neige.

— Tu n'as pas dormi de la nuit, Sam ? Tu devrais prendre une bonne douche, tu as l'air crevé.

— Attends ! s'écria-t-il alors qu'elle se dirigeait vers la porte. Est-ce que tes affaires… avancent, avec Laurent ?

Elle fit volte-face et s'appuya d'une main au chambranle pour le dévisager.

— Mes affaires ?

— Disons, votre flirt.

— En quoi es-tu concerné ?

— Simple curiosité, répliqua-t-il avec une parfaite mauvaise foi.

— Eh bien, pour la satisfaire, je t'avouerai que Laurent est plutôt mal à l'aise vis-à-vis de toi ! Il a l'impression d'être en train de chasser sur ton territoire et j'ai dû lui rappeler que je ne suis plus ta femme, seulement ton amie. Pourquoi lui fais-tu croire le contraire ?

— Mais non, pas du tout, je…

— Oh, arrête, Sam ! Tu ne veux pas que je refasse ma vie, c'est ça ? Ou alors, tu trouves que Laurent n'est pas un homme pour moi ?

Pris en faute, empêtré dans ses contradictions, Samuel secoua la tête en cherchant ses mots.

— Si… Laurent t'irait très bien… Je l'estime beaucoup.

Il essaya de trouver quelque chose de plus convaincant mais y renonça. Pascale parut hésiter une seconde entre la colère et le rire ; finalement elle s'approcha de lui, le prit par les épaules et déclara, en le regardant droit dans les yeux :

— Garde-moi ta tendresse intacte, Sam.

Incapable d'interpréter cette phrase sibylline, il se contenta de lui sourire.

Juste après le déjeuner tardif, servi à la cuisine dans une joyeuse ambiance, Pascale réquisitionna Adrien pour aller rendre une visite de politesse à Léonie Bertin.

Non seulement la neige n'avait pas fondu, mais un brusque refroidissement la transformait en glace. Pestant derrière sa sœur, Adrien dérapait sur le chemin.

— Et tu appelles ça une petite promenade digestive ! Mes chaussures seront foutues…

— Marche au milieu de la route au lieu de t'enfoncer dans les congères, aucune voiture ne roule aujourd'hui.

— Les gens ne sont pas fous, ils restent chez eux ! C'est encore loin ?

— Là-bas. Tu vois le toit de la maison ?

Chaudement vêtue, Pascale était heureuse de prendre l'air après tous ces abus de bonne chère.

— Pourquoi dois-je porter ce paquet ? s'indigna Adrien, qui venait de trébucher. Je ne sais même pas ce qu'il y a dedans !

— Un châle en laine des Pyrénées, ce n'est pas lourd, arrête de te plaindre.

— Un châle… Méfie-toi, tu pourrais bien finir dame patronnesse. À moins que tes adorateurs ne t'en empêchent.

— Tu parles de qui, là ?

— Eh bien, de tout le monde ! Ton ex-mari, ton

directeur, même le petit copain d'Aurore lorgne tes jambes au passage.

— Georges ? Tu dis n'importe quoi, il est amoureux d'Aurore et ça se voit.

— L'un n'empêche pas l'autre, ma puce, on dirait que tu ne connais pas les hommes !

Pascale s'arrêta et se retourna pour observer son frère.

— Tu es bien cynique, Ad. Qu'est-ce que tu as ?

Elle était certaine qu'il allait répondre d'une boutade mais il se crispa.

— Rien. Sauf que j'en ai marre de tout. Je n'aime pas les fêtes et je n'ai plus envie d'être seul.

— Toi ?

— Qui d'autre ? Nous sommes combien, sur cette route ?

Son instant de sincérité était passé, il retrouvait déjà son ton sardonique, pourtant Pascale insista.

— Adrien ? Si quelque chose ne va pas, je ne demande qu'à t'aider…

— Tu n'y peux rien, ma pauvre ! explosa-t-il.

Interloquée, elle n'osa pas lui poser d'autres questions et se remit en marche. Il ne l'avait pas habituée à exposer ses problèmes, toujours de bonne humeur malgré son ironie mordante. Quelle mouche venait donc de le piquer ? Sa discussion de l'aube avec Samuel l'avait-elle mis de mauvaise humeur ?

Elle entendit crisser ses semelles dans la neige tandis qu'il la rattrapait.

— Ne m'en veux pas, dit-il doucement, j'ai des soucis.

— Papa ?

— Non, je m'occupe beaucoup de lui et je crois qu'il va bien. À la clinique aussi, tout est sur des rails, les lits sont occupés et les comptes équilibrés, ce qui devient un prodige par les temps qui courent !

— Alors quoi, Ad ? Chagrin d'amour ?

— Je suppose que ça s'appelle comme ça, admit-il du bout des lèvres, mais je n'ai aucune envie de te raconter mes malheurs. Je suis ton grand frère, c'est moi qui suis censé veiller sur toi, te conseiller et te consoler, pas le contraire. On me l'a assez répété !

De plus en plus étonnée, elle s'abstint de tout commentaire jusqu'à ce que, de lui-même, il enchaîne :

— C'est vrai, on peut au moins parler de ça puisque tu veux tellement tout savoir du passé. Maman – que j'adorais, soyons clairs – te voyait comme la huitième merveille du monde. Pas parce que tu étais son enfant et moi pas, non : parce que tu étais une fille. Une fabuleuse petite fille devant laquelle elle était en admiration et qu'il fallait protéger comme le saint sacrement. Pour me rassurer, papa m'a expliqué très tôt que maman avait perdu une petite fille. Je dis bien « perdu ». Je n'ai eu que cette version durant des années. Ensuite, quand maman a été vraiment malade, papa m'a avoué que cette enfant n'était pas morte, que maman avait choisi de la confier à l'Assistance publique, incapable de gérer son handicap.

— Il te l'a dit à toi, mais pas à moi !

— Non, bien sûr que non. Te connaissant, tu n'aurais pas pu t'empêcher d'en parler à maman, or le sujet était enterré depuis longtemps, il n'y avait aucune raison de la torturer avec ça.

— Tu t'entends, Adrien ? Avec « ça » ? C'est d'un être humain qu'il est question !

La colère de Pascale revenait, attisée par le fait de ne plus rien comprendre à son père, à son frère. Leur cynisme la révoltait, elle se sentait soudain différente de tous les membres de sa famille, étrangère à eux, seule à défendre une évidence qu'ils refusaient de voir.

Parvenue à la grille de Léonie Bertin, elle s'arrêta, un peu essoufflée.

— Bon, c'est une très gentille vieille dame et elle se souvient de nous, enfants. Inutile de hurler, elle n'est pas sourde.

Adrien éclata d'un rire spontané, inattendu.

— Ah, ma puce, tu es impayable avec tes leçons de morale, je te jure…

Pascale le dévisagea une nouvelle fois, un peu éberluée, cependant elle se mit à rire aussi, gagnée par sa gaieté.

La neige tenait toujours, mais un paysan du voisinage avait sorti son tracteur et répandu du sable sur les petites routes. Vers cinq heures, juste avant la nuit, Samuel décida qu'il était grand temps de partir. Jusque-là, il n'avait pas réussi à en convaincre Marianne, qui voulait absolument dire au revoir à Pascale et à Adrien.

Lorsqu'ils revinrent de leur visite à Léonie Bertin, les joues rougies par le froid et l'air tout joyeux, Samuel les attendait avec impatience pour prendre congé, mais Marianne le devança.

— C'était un Noël magnifique, Pascale ! Merci de nous avoir accueillis si gentiment, et pardon d'avoir un peu abusé de vos excellents vins. J'ai dormi comme un bébé, et quand je me suis réveillée il y avait de la neige partout, un vrai conte de fées !

Elle souriait sans se forcer, naturelle, enthousiaste, chaleureuse avec Pascale comme si elle remerciait une amie du fond du cœur. Or elle avait passé une très mauvaise soirée, Sam en était conscient, et plusieurs comprimés d'aspirine n'avaient toujours pas calmé sa migraine.

— J'ai été ravie de vous recevoir, affirma Pascale.

— Vous comptez énormément pour Sam, il était fou de joie de venir réveillonner ici, et il avait bien raison ! Encore merci.

Partagé entre la surprise et l'agacement, Samuel la prit par le bras pour interrompre ces effusions.

— Repose-toi, tu le mérites, dit-il en se penchant vers Pascale.

— Tu étais vraiment « fou de joie » ? chuchota-t-elle tandis qu'il l'embrassait dans le cou.

Ils échangèrent un coup d'œil amusé, complices malgré eux.

— Sois prudent sur la route, ajouta Pascale à voix haute.

Elle les raccompagna jusqu'au perron et agita la main pour répondre aux signes d'adieu de Marianne.

— Bon, tu peux arrêter ton numéro de charme, grommela Sam en franchissant les grilles de Peyrolles.

— Au bout du compte, je la trouve très sympa, ton ex…

— Tant mieux.

— En revanche, sa maison n'est pas très bien chauffée, j'ai eu froid toute la nuit.

— Tu dormais trop profondément pour avoir la moindre idée de la température, fit-il remarquer.

— Ne sois pas désagréable, je me suis excusée. J'ai trop bu, et alors ? C'était Noël, non ? Et je ne crois pas avoir fait de scandale. De toute façon, nous ne sommes plus que des copains, toi et moi, et entre copains on a le droit de se soûler !

Constater qu'elle se souvenait de leur accord lui

procura un vague soulagement. Il allait pouvoir la déposer chez elle et rentrer seul.

— Ne t'en fais pas, fit-il d'une voix apaisante, ce n'est pas grave.

Rien ne l'était plus entre eux, d'ailleurs, puisque leurs chemins allaient se séparer. Sam négocia un virage et sentit la voiture déraper sur une plaque de glace. Le paysan n'avait pas dû sabler partout, la route restait dangereuse. En ce qui le concernait, la conduite ne lui posait aucun problème, mais il espéra ne pas croiser trop de chauffeurs débutants sur cette patinoire.

— Tu sais ce qui est grave, Sam ?

Les yeux rivés à la route, il secoua la tête en signe d'ignorance.

— Tout ce temps que tu perds à pleurer après elle. Tu n'acceptes pas de l'avoir perdue, alors tu t'accroches à n'importe quoi pour faire partie de son entourage malgré tout. Mais elle a un père, un frère, et aussi un soupirant qui semble très bien lui convenir. Hier soir, vu de l'autre bout de la table puisqu'on nous avait séparés toi et moi, tu me faisais de la peine à te chercher encore un rôle, à mendier ses regards… D'accord, elle est très belle, peut-être même très gentille, très brillante ou tout ce que tu veux, mais le problème c'est qu'elle ne te voit plus, il faudra bien que tu t'y résignes un jour et que tu arrêtes de gâcher tes autres chances d'être heureux.

Assommé par le discours qu'elle venait de lui servir d'un ton docte, il ouvrit la bouche puis la referma sans rien dire. Comment la convaincre que, quoi qu'elle dise ou fasse, elle ne serait jamais la femme sa vie ? Espérait-elle l'en persuader de force ? Ses arguments, imparables en ce qui concernait l'étrange rapport de Sam avec Pascale, devenaient stupides si elle croyait encore être celle qui le guérirait.

— Merci de tes conseils… d'amie, railla-t-il.

Pourquoi était-il si faible, pourquoi l'avait-il emmenée avec lui ? Parce qu'il ne voulait pas lui faire de peine ? Ridicule ! Il lui en avait fait bien davantage en cédant à son désir de passer Noël ensemble. La fin de leur liaison devenait grinçante et il en était seul responsable.

Elle ajouta quelque chose mais il n'y prêta pas attention, brusquement alerté par un camion qui descendait trop vite la côte, face à lui. Pleins phares, le semi-remorque était en train de se déporter. En une fraction de seconde, Sam comprit que le chauffeur perdait le contrôle, entraîné sur la pente verglacée.

— Samuel ! Il nous fonce dessus ! hurla Marianne.

Son cri se perdit dans les coups de Klaxon désespérés du camionneur. Sam avait déjà rétrogradé, il ne pouvait pas freiner brutalement sans prendre le risque de se mettre en travers lui aussi. À droite comme à gauche, la route était bordée d'arbres, et en donnant un léger coup de volant, Sam pria pour n'en percuter aucun.

Ponctuelle, Nadine Clément arriva à huit heures précises dans son service, le matin du 26 décembre. Elle s'arrêta au bureau de la surveillante de l'étage et lui confia une énorme boîte de chocolats destinée à tout le personnel. Le regard stupéfait de l'infirmière en chef ne pouvait pas lui avoir échappé, pourtant elle l'ignora. Tout comme elle ignorait certains coups d'œil intrigués vers le bracelet de perles offert par Benjamin, qu'elle avait décidé de garder au poignet.

Chaque Noël lui apportait une petite dose de mélancolie, qui s'estompait vite dans le travail, mais cette année le réveillon avait été particulièrement morose.

Emmanuel, son frère, ne parlait que d'aéronautique, il était assommant et ses amis aussi. Plus grave, il devenait neurasthénique avec l'âge, la retraite ne lui valait rien. Durant la soirée, interminable, Nadine avait retourné dans sa tête la terrible phrase de Benjamin : « Notre famille est non seulement restreinte mais carrément usée. C'est le cul-de-sac. »

Effectivement, les Montague n'avaient pas engendré une grande lignée. Elle, au début de son mariage avec Louis Clément, avait remis à plus tard les enfants, jusqu'au jour où elle s'était retrouvée veuve. Une ou deux fois, elle avait caressé l'idée de se remarier, mais l'hôpital était trop prenant, et la course au titre de professeur l'avait engloutie. Elle ne le regrettait pas et n'aurait changé sa place pour rien au monde, néanmoins elle se serait réjouie d'avoir des neveux ou des nièces.

En faisant quelques courses, l'avant-veille, elle s'était arrêtée rue Lafayette chez Olivier, le meilleur chocolatier de la ville, et avait fait composer pour elle-même un ballotin comprenant des capitouls, des Clémence Isaure – délicieux raisins à l'armagnac enrobés de chocolat noir – et des péchés du diable aux écorces d'orange et de gingembre. Au moment de payer elle s'était ravisée, demandant le même assortiment en beaucoup plus grand, destiné à son équipe de Purpan. La note, vertigineuse, l'avait laissée de marbre. À quand remontait sa dernière attention pour ses collaborateurs ? L'idée de leur surprise l'amusa sans l'attendrir. Dans son service, personne ne l'aimait, elle était sans illusions.

Le constat de ce manque d'amour autour d'elle avait contribué à lui gâcher Noël. Et en se couchant, dans la nuit du réveillon, elle s'était surprise à regarder le bracelet de Benjamin avec une certaine émotion. Pis encore, juste avant de s'endormir elle avait eu une pensée incongrue pour Camille.

Camille ! Elle se détestait d'y avoir songé. Les moments d'abandon, très rares chez elle, la mettaient toujours en rage. Une nature *colérique*... Plusieurs fois, son père avait utilisé cette expression méprisante pour la désigner, à son grand désespoir. Laide peut-être, soupe au lait sûrement, mais au moins très intelligente et menant sa carrière de main de maître ! Parce que Camille, elle...

Mon Dieu, paix à son âme. Avec toutes ces sottises du charabia abscons des psys à propos des enfants mal aimés, on pouvait sans doute imaginer que la bâtarde d'Abel Montague avait des excuses ? Nadine ne supportait pas les excuses, les justifications *a posteriori* qui absolvaient tous les incapables.

Décidément, les fêtes de fin d'année ne lui réussissaient pas. Pour que la Saint-Sylvestre ne ressemble pas à ce Noël sinistre, elle décida qu'elle resterait chez elle et en profiterait pour rédiger un article destiné à une publication médicale américaine. Le genre de chose qu'elle n'avait jamais le temps de faire, pourtant elle le devait.

— Bonjour, madame ! lança joyeusement Pascale en la croisant.

Une seconde, Nadine se figea. La responsable de son vague à l'âme était cette femme en blouse blanche, avec sa trace de métissage dans ses grands yeux étirés vers les tempes et les mêmes cheveux noirs que sa mère. Pourquoi ne s'en débarrassait-elle pas ?

— Je voulais vous avertir que je compte demander ma mutation à Albi en début d'année, annonça Pascale. Pour des raisons de convenance personnelle, puisque j'habite loin de Toulouse.

— Parfait, répliqua Nadine d'un ton sec.

Elle le pensait. La meilleure nouvelle de l'année. Mais à qui ou à quoi la devait-elle ? Pascale Fontanel allait vraiment disparaître de son service ? Un vrai cadeau tombé du ciel !

Samuel écoutait attentivement les explications du chirurgien orthopédiste qui se tenait de l'autre côté du lit.

— Je suis satisfait de l'intervention. La fracture du fémur se présentait avec un déplacement important, mais la broche a été posée sans problème.

Il baissa les yeux vers Marianne, à qui il s'adressa en souriant.

— Pour l'instant, pas question de bouger. Je vous laisse en de bonnes mains. Salut, Sam.

Pâle et défaite, elle se contenta de hocher la tête et attendit qu'il soit sorti. Ensuite, elle prit la main de Samuel.

— Combien de temps sans bouger ?

— Quelques jours. Ils te lèveront dès que possible.

— Tu ne veux pas t'asseoir cinq minutes ?

— Si, mais il faut que j'aille bosser. On doit déjà m'attendre au bloc.

L'accident, dont il était sorti indemne, lui laissait un souvenir très amer. Longtemps encore il entendrait les cris de terreur puis de souffrance de Marianne. Il avait diagnostiqué lui-même la fracture, appelé de son portable le SAMU d'Albi et couvert Marianne de son propre blouson. Tout s'était passé si vite qu'il avait eu du mal à comprendre. À l'instant où, quittant des yeux le flanc du camion qui arrivait sur lui tel un mur, il avait visé entre deux arbres, la voiture avait bien réagi et suivi la trajectoire qu'il lui imposait. Malheureusement, quinze mètres plus loin, elle était allée s'encastrer dans un muret de pierre qui ressemblait à un tas de neige. Le choc, très violent, avait défoncé la portière de Marianne.

— La rééducation sera longue ?

— Tout dépendra de la manière dont l'os se consolidera.

Surmontant son impatience, il s'assit sur l'unique chaise de la chambre et s'efforça de prendre un air désinvolte.

— As-tu besoin d'autre chose ? Je peux repasser à ton appartement ce soir et t'apporter des affaires demain.

Il avait fait le nécessaire pour qu'elle ait une chambre seule, était allé chez elle chercher des chemises de nuit et une trousse de toilette, avait même pensé à s'arrêter dans une épicerie de luxe pour lui acheter une corbeille de fruits exotiques.

— J'aimerais des magazines. Des trucs de femmes, surtout pas de politique.

— Je te trouverai ça à la boutique du hall.

Il décrocha le téléphone posé sur la table de chevet, vérifia qu'il y avait bien une tonalité, puis il prit la télécommande de la télévision et essaya plusieurs chaînes.

— Bon, tout fonctionne… Je vais te laisser te reposer !

Malgré son immense compassion pour elle, augmentée d'un pénible sentiment de culpabilité, il ne savait plus quoi lui dire et n'avait qu'une envie : sortir.

— À plus tard, murmura-t-il en se levant.

Après une légère hésitation, il se pencha et l'embrassa tendrement sur la joue.

— Ne te fais aucun souci, je me suis occupé des

papiers d'admission et de ton arrêt de travail. J'ai remis le dossier à ton père.

Il avait rencontré ses parents pour la première fois la veille, dans la salle d'attente des urgences. Des gens simples et chaleureux, qui ne semblaient pas lui tenir rigueur de quoi que ce soit. Il s'était senti embarrassé devant eux, persuadé que Marianne leur avait brossé un portrait de lui trop flatteur. Le voyaient-ils comme une sorte de fiancé de leur fille unique ? Cette idée le faisait frémir.

Il quitta le service d'orthopédie avec soulagement. Jusque-là, il n'avait pas estimé utile d'avertir Pascale, néanmoins il voulait lui parler avant qu'elle n'apprenne l'accident par d'autres. Comme il était moins pressé qu'il ne l'avait fait croire à Marianne, il bipa Pascale et attendit qu'elle le rappelle sur son portable.

Dix minutes plus tard, il la retrouva à la cafétéria. Ainsi qu'il le craignait, elle fut consternée de savoir Marianne hospitalisée et promit de passer un moment avec elle dans la journée.

— Mais tu n'as rien fait pour éviter ce tas de neige ?

— Non. La voiture avait encore beaucoup d'élan et je pensais que ça nous freinerait. Impossible de deviner qu'il y avait un muret de pierres dessous. De toute façon, tout va si vite dans ces cas-là…

— Tu ne t'es pas enroulé autour d'un arbre, c'est déjà un miracle. Mon Dieu, Sam, je ne supporterais jamais qu'il t'arrive quelque chose !

Un cri du cœur qui le bouleversa, mais presque aussitôt elle ajouta :

— Tu as dû avoir tellement peur pour Marianne ! Pourquoi n'as-tu pas appelé à Peyrolles ? On serait venus vous aider.

— On avait besoin d'une ambulance.

— Tu n'as pas été très raisonnable de partir alors que le jour baissait. Vous pouviez bien rester encore une nuit !

— Avec des « si »… Si ce camion n'avait pas roulé alors qu'ils sont interdits de circulation les jours fériés, s'il n'avait pas neigé la veille, si nous étions toujours mariés, toi et moi…

Interloquée, elle le contempla quelques instants en silence.

— Tu sais, dit-elle enfin, j'ai trouvé Marianne plus marrante, plus détendue. Où en êtes-vous, tous les deux ?

— Nulle part. En principe, nous avions rompu le matin du réveillon, mais elle a voulu m'accompagner quand même. Mauvaise idée !

— Pourquoi as-tu accepté ?

— Parce que les hommes sont lâches, et surtout parce qu'elle était triste.

— Qu'est-ce que tu vas faire, maintenant ?

— Tu veux dire, maintenant que j'ai une dette envers elle ? Rien. M'occuper d'elle le mieux possible jusqu'à ce qu'elle puisse rentrer chez elle. Pour la suite, elle a ses parents, ses amis.

Pascale hocha la tête d'un air peu convaincu. Le jugeait-elle égoïste ou indifférent ? En réalité, il était prêt à faire n'importe quoi pour adoucir le séjour forcé de Marianne à l'hôpital, cependant ses sentiments n'allaient pas au-delà. Consultant sa montre, il s'aperçut qu'il allait bientôt être en retard.

— Je file. Veux-tu déjeuner avec moi cette semaine ? Si tu n'as rien de prévu samedi midi, viens au club, je t'emmènerai faire un tour d'hélico.

Bizarrement, elle parut un peu embarrassée par sa proposition et finit par avouer, du bout des lèvres :

— Samedi, j'ai déjà promis à Laurent de déjeuner avec lui au club.

— Ah ! Très bien… Alors, je te verrai là-bas.

Il n'était pas certain d'avoir réussi à conserver une voix normale. L'aéroclub était son territoire ; s'il devait y rencontrer Pascale et Laurent ensemble, il allait avoir beaucoup de mal à le supporter. Se forçant à afficher un sourire amical, il quitta la cafétéria et se dirigea vers les ascenseurs. Ce qu'il éprouvait était violent, aigu, désespérant. Une bouffée de jalousie à laquelle il ne pouvait même pas prétendre mais qui lui donnait une furieuse envie de déclarer la guerre à Laurent. Un homme qui était son ami, son directeur, accessoirement son élève… et désormais son adversaire.

Anéanti, il se demanda s'il n'avait pas commis la pire bêtise de sa vie en encourageant Pascale à venir s'installer à Peyrolles. Sans lui, elle n'y serait jamais arrivée, il avait provoqué tout seul son propre malheur, bien fait pour lui !

À l'étage de la chirurgie générale, il fonça vers le vestiaire des chirurgiens. Il en avait marre de pratiquer des anesthésies, marre de l'hiver qui l'empêchait de voler à sa guise, marre de poursuivre en vain un amour perdu. Tout en se brossant avec soin les mains et les bras, il se remémora le dossier du patient qu'il allait endormir d'ici quelques minutes. En général, c'était le meilleur moyen pour oublier tout le reste, mais là ce fut insuffisant.

9

Pascale claqua la portière de sa voiture, tenant le sac de croissants à bout de bras car le papier était déjà couvert de taches de beurre. Ses rapports avec la boulangère se limitaient à deux mots, mais la viennoiserie était vraiment délicieuse.

Avant de gravir les marches du perron, Pascale se retourna. Elle avait pris l'habitude de regarder avec attention le parc et la maison, notant chaque détail. Refaire le joint de ciment entre deux pierres, sarcler quelques mauvaises herbes, ramasser avec une pelle un mulot mort de froid, ratisser les graviers que les roues des voitures projetaient sur la pelouse, et surtout repérer les signes avant-coureurs du printemps. En cette fin février, le temps était d'une exceptionnelle douceur et bon nombre de jacinthes et de crocus avaient fleuri. Palissé le long d'un mur, un jasmin d'hiver s'épanouissait avec exubérance.

— Je sais, c'est splendide ! lança Aurore en ouvrant la porte. Lucien Lestrade était peut-être envahissant mais, à mon avis, il nous a préparé un feu d'artifice, il y a de petites pousses qui sortent un peu partout. Allez, ne reste pas plantée en contemplation, je sens les croissants d'ici !

Pour une fois qu'elles n'étaient pressées ni l'une ni l'autre, elles avaient décidé de faire un petit déjeuner d'exception. Dans la cuisine, Aurore désigna la table d'un geste triomphal.

— Qu'en dis-tu ?

Sur des sets en lin vermillon, des assiettes et des bols très colorés, en faïence de Martres-Tolosane, voisinaient avec une coupe de fruits, des pots de confitures, une motte de beurre, des bâtonnets de sucre candi, un plateau de fromages, un pichet de jus d'orange et une cafetière fumante.

— Encore une trouvaille de là-haut ? interrogea Pascale.

Elle prit l'un des bols pour l'examiner, étonnée de le trouver si lourd.

— Le carton pesait un âne mort, j'ai voulu savoir ce qu'il contenait, avoua Aurore en riant.

Il lui arrivait encore d'aller fouiller au grenier mais Pascale ne l'accompagnait plus, redoutant peut-être d'y mettre les pieds depuis la découverte du livret de famille.

— Tu as rudement bien fait. Ce service me rappelle des tas de souvenirs, maman l'aimait beaucoup et on s'en servait souvent. Elle a dû penser qu'il serait inadapté à Saint-Germain, comme beaucoup d'autres choses…

— Passer d'une aussi grande maison à un appartement n'a sûrement pas été facile pour elle.

— Si, elle se réjouissait de changer de vie. C'est drôle, elle a fait le chemin dans un sens et moi dans l'autre.

Pascale reposa le bol et leva les yeux sur Aurore.

— Ta réflexion maison-appartement aurait-elle un rapport avec Georges ? demanda-t-elle doucement.

— Eh bien… Plus ou moins. Il commence à parler de vie commune et je ne me sens pas prête. Pas encore. Je suis tellement bien, ici ! J'ai envie d'y voir le printemps, et aussi l'été… Pas de me retrouver confinée dans trois pièces à me taper le ménage, les courses, le foot à la télé. Georges est adorable mais c'est un vrai macho, imagine-toi qu'il va porter ses chemises à sa mère pour qu'elle les lui repasse ! Je ne veux pas de ce rôle-là.

— C'est du rôle que tu ne veux pas ou de Georges ?

— Je l'aime, mais l'un n'ira pas sans l'autre.

D'un geste nerveux, Aurore renversa le sac de croissants au-dessus d'une corbeille. Elle se plaisait énormément à Peyrolles, où elle avait découvert les joies de la campagne, de l'espace et de la liberté. Laissant libre cours à son goût pour la décoration, la fête, elle s'en donnait à cœur joie, et sa cohabitation avec Pascale, plus raisonnable qu'elle, lui assurait l'équilibre dont elle avait besoin.

— Tant que tu me supporteras chez toi, j'y resterai, conclut-elle en s'asseyant sur l'un des bancs.

— Aussi longtemps que tu le désireras. Sincèrement, je ne sais pas comment j'aurais passé ce premier hiver sans toi.

Grâce à la présence d'Aurore, tout avait été plus facile, et surtout beaucoup plus gai.

— Oh, tu n'as pas vraiment besoin de moi, Pascale ! Tu es entourée d'hommes formidables qui ne demanderaient qu'à te tenir compagnie en se pliant à toutes tes conditions. Laurent est en extase, ton ex-mari est toujours fou de toi…

— Non, Sam éprouve juste de la tendresse, et peut-être un peu de nostalgie.

— Pas toi ?

— Je ne crois pas. Sauf que, effectivement, c'est un homme formidable. Quand je vivais avec lui, je n'ai jamais eu l'impression d'être avec un macho, au contraire, on se partageait équitablement les corvées, et à l'époque où j'ai préparé mon internat, il m'a déchargée de tout.

Attendrie par ces souvenirs, elle laissa échapper un soupir. Elle avait été heureuse avec Samuel, très heureuse.

— Tiens ! s'exclama Aurore en regardant par la fenêtre. Est-ce qu'on ne parlait pas du loup il y a cinq minutes ?

La silhouette de Lucien Lestrade, cisailles en main, apparut fugitivement du côté de la serre.

— Ne me dis pas qu'il revient travailler ! Il ne comprend donc rien ?

Décidée à en finir une fois pour toutes avec lui, Pascale se leva et attrapa son blouson avant de se précipiter dehors.

— Bonjour, Lucien ! cria-t-elle en dévalant les marches du perron.

Il se retourna, se fendit d'un large sourire.

— Quel bon vent vous amène ? poursuivit-elle aimablement. Vous avez oublié des outils ici ?

Sourcils froncés, il baissa la tête vers les cisailles, qu'il contempla une seconde.

— Non, ce sont les vôtres, enfin ceux de Peyrolles. Je viens tailler les rosiers. Comme on dit, rien ne vaut la taille de mars, seulement la nature est précoce cette année, c'est le moment.

— Lucien, je vous ai déjà expliqué à plusieurs reprises que je ne peux pas vous employer, mon budget ne me le permet pas.

— Je sais bien, mais votre père a payé d'avance, alors…

Sous son air bonhomme, elle crut déceler un peu d'ironie et elle se raidit.

— Mon père vous a payé ? répéta-t-elle d'un ton délibérément sceptique.

— C'est ce qu'il fait deux fois par an, jamais de retard. Bon, j'y vais, y a du boulot !

Il s'éloigna en ignorant le regard ulcéré de Pascale. Soit il mentait – mais dans quel but ? –, soit l'attitude de Henry était incohérente. Après avoir tellement répété à Pascale de se débarrasser de Lestrade, pourquoi lui enverrait-il des chèques ? Elle fouilla la poche de son blouson, prit son portable et composa le numéro de la clinique, à Saint-Germain. Au bout de cinq minutes de pourparlers, elle obtint qu'on lui passe enfin son père, à qui elle posa la question sans ménagement.

— Oh, Lestrade ? Ne t'inquiète pas de ça, ma chérie, je sais que tu as des dépenses plus urgentes que le jardin et autre chose à faire de ton temps. Considère qu'il s'agit d'un petit cadeau de ton vieux père ! Ma modeste contribution à ton gouffre de Peyrolles… Mais ne laisse pas Lestrade en prendre à son aise, il est censé venir à l'automne pour les plantations et à la fin de l'hiver pour les tailles, un point c'est tout. Histoire de conserver le dessin du parc. Ta mère s'était donné tellement de mal que ce serait dommage de tout laisser en friche, non ?

Désinvolte et pressé, son père raccrocha après quelques paroles affectueuses, la laissant tout à fait désemparée. Certes, il continuait à considérer Peyrolles comme un « gouffre » financier qu'elle n'aurait jamais dû prendre en charge, mais qu'il puisse s'intéresser aux fleurs était ridicule. En outre, il rugissait de fureur chaque fois qu'elle lui parlait de Lucien Lestrade et de ses incursions, et c'était lui qui les subventionnait. Pourquoi ?

À pas lents, elle regagna la cuisine où Aurore l'attendait en feuilletant un magazine. Elle lui résuma la situation, sans insister sur la bizarrerie du comportement de son père, puis alla jeter son café froid dans l'évier avant de remplir de nouveau son bol.

— Où en étions-nous ?

— On parlait des hommes, répondit Aurore avec une grimace. À ce propos, je dîne avec Georges ce soir, il vient d'appeler. Et toi ?

— J'ai invité Laurent ici, mais je comptais sur toi pour nous inventer une de tes délicieuses recettes.

— Il sera tellement ravi de se retrouver en tête à tête que tu peux bien lui faire du carton bouilli en ragoût !

Pascale se mit à rire, égayée par la perspective de cette soirée, comme chaque fois qu'elle avait rendez-vous avec Laurent. Depuis Noël, ils s'étaient vus régulièrement, le week-end à l'aéroclub, d'où Laurent l'emmenait faire un tour en avion, et certains soirs dans les restaurants qu'il affectionnait à Toulouse ou dans les environs. Mais quinze jours plus tôt, Pascale avait pris ses fonctions à l'hôpital d'Albi et elle avait été trop occupée pour penser à s'amuser. Elle voulait s'intégrer le plus vite possible à l'équipe de pneumo, qui l'avait très gentiment accueillie. L'ambiance du service était radicalement différente de celle qui régnait à Purpan sous la férule de Nadine Clément. Les médecins semblaient plus détendus, plus disponibles, moins respectueux d'une stricte hiérarchie, et malgré un travail considérable ils avaient tous pris le temps de mettre Pascale à l'aise. À la fin de la première semaine, elle s'était rendu compte qu'ils avaient dû travailler jusque-là en sous-effectif et qu'elle était forcément la bienvenue. De plus, son expérience des grands hôpitaux lui conférait une sorte de prestige sans provoquer de jalousie.

— Je commence à midi, déclara Aurore, il faut que j'y aille. Tu as bien de la chance d'être de repos !

— C'est la première fois que je prends une journée, j'ai bossé comme une folle ces temps-ci.

— D'accord, mais sans une Nadine Clément sur le dos. Je crois qu'elle est pire chaque année, et celle-ci ne fera pas exception à la règle. Tout le monde envie ta mutation à Albi, tu as trop de chance ! Et ça se voit, tu t'épanouis de plus en plus, on dirait la très jolie Chinoise de la série *Urgences*...

— J'ai l'air d'une Chinoise ?

— À peine. Juste ce qu'il faut. La petite touche d'exotisme, des yeux de velours et une peau de rêve.

Pascale éclata de rire, persuadée qu'Aurore plaisantait, mais celle-ci secoua la tête en restant sérieuse.

— Et tu n'en es même pas consciente, c'est bien ce qui te rend sympathique !

Elle voulut débarrasser la table, Pascale l'en empêcha.

— Vas-y, je m'en occupe.

Tandis qu'Aurore s'éclipsait, elle se mit à ranger les assiettes et les bols dans le lave-vaisselle. La journée de congé qui s'étendait devant elle était une véritable récompense dont elle comptait savourer chaque instant. Elle s'approcha de la porte-fenêtre et aperçut Lucien Lestrade en train de tailler les hibiscus. Il allait lui gâcher le plaisir d'une promenade dans le parc, sauf si elle décidait de faire contre mauvaise fortune bon cœur et d'aller le regarder travailler de plus près. Elle avait forcément des choses à apprendre de lui, et pas seulement sur le plan du jardinage.

Remettant son blouson, elle partit le rejoindre. Dans la brouette s'entassait déjà un gros tas de branches coupées, pourtant Lestrade continuait à manier ses cisailles en sifflotant.

— Vous en enlevez beaucoup !

— C'est pour réveiller les bourgeons inférieurs en dormance, expliqua-t-il. Sur ce genre d'arbuste, il ne faut pas hésiter à pratiquer une taille courte.

— Et pour les rosiers ?

— Ah, ça… D'un côté c'est facile, parce que les rosiers ne sont jamais que des ronces, et ça repart toujours même quand on fait des bêtises. Mais si on veut une belle floraison, faut s'y connaître un peu !

Il s'interrompit et se tourna vers elle. Peut-être était-il surpris de ses questions alors qu'elle s'était montrée très distante jusque-là.

— Votre mère s'en occupait très bien, dit-il de façon abrupte. Vous, vous êtes médecin, vous avez du travail ailleurs, tandis qu'elle, elle était toujours là…

— C'est vous qui lui avez appris, Lucien ?

— Elle savait certaines choses, d'instinct. Sinon, elle demandait. Moi, elle m'amusait avec ses idées très arrêtées sur les variétés, les couleurs. On a fait pousser de drôles de trucs ensemble ! Je ne voyais que le détail, mais c'est sur l'ensemble qu'elle s'acharnait, je n'ai pas réalisé tout de suite. Des fois, elle me disait le nom des fleurs dans la langue de son pays.

— Vous vous en souvenez ?

— Pas tout ! Voyons… L'orchidée, c'est Lan, le saule pleureur Duong Liêu, et la fleur du cerisier…

Il hésita un instant, sourcils froncés, fouillant sa mémoire, et Pascale acheva pour lui :

— Anh Dào.

— Oui, c'est ça !

Avec application, il répéta trois fois le mot afin de s'en rappeler. Anh Dào était le prénom de la grand-mère de Pascale, cette femme qui n'avait pas hésité à confier son bébé au capitaine Montague. Brusquement attristée, Pascale s'éloigna de quelques pas sous le regard intrigué de Lestrade. Quand obtiendrait-elle enfin le droit de rencontrer Julia ? Elle avait adressé un courrier officiel aux autorités concernées, faisant valoir son lien de parenté, et une sorte de conseil – en principe favorable au rapprochement familial – devait statuer sur sa demande. Majeure mais handicapée mentale, Julia n'était pas en mesure d'exprimer sa volonté à ce sujet, d'autres prendraient donc la décision à sa place.

Laurent avait aidé Pascale dans sa démarche, tout en se montrant réservé. S'il comprenait le désir de Pascale, il doutait qu'elle puisse sortir indemne de cette entrevue. À quoi ressemblait Julia ? Dans quelle mesure pouvait-elle communiquer ? Et quel genre d'aide Pascale espérait-elle lui apporter ?

— Je verrai bien, marmonna-t-elle entre ses dents, j'ai besoin de savoir…

Un besoin plus impérieux chaque jour.

— Vous avez dit quelque chose ? lança Lestrade derrière elle.

Il ne devait décidément rien comprendre à son attitude et elle s'obligea à lui sourire.

— Ah, ça fait plaisir de vous voir un peu gaie ! Sinon, je finirai par croire que Peyrolles rend toutes les femmes tristes.

La tristesse éprouvée par sa mère durant des années était à présent tout à fait évidente pour Pascale. Même avec Adrien, adorable petit garçon sur qui elle avait pu reporter son trop-plein d'amour, puis plus tard avec Pascale, son bébé bien à elle, sa fillette parfaitement normale, comment aurait-elle pu oublier Julia, dont le souvenir devait la ronger, la hanter, la détruire ?

Elle regarda autour d'elle et vit soudain le parc de Peyrolles avec les yeux de Camille. Prison et paradis. Parcourue d'un frisson, elle se dirigea en hâte vers sa voiture garée dans l'allée. Aller faire des courses à Albi, penser à son dîner avec Laurent, chasser ce cauchemar. Un jour, bientôt, elle verrait Julia, elle pourrait enfin mettre un visage sur le passé de sa mère, sur sa douleur.

Rien ne pressait Henry, il avait menti pour se débarrasser des questions de Pascale. En réalité, il travaillait de moins en moins, ne conservant que quelques patients de longue date avec lesquels il entretenait des liens privilégiés, ou à la rigueur de rares cas atypiques qui parvenaient encore à réveiller sa curiosité de médecin. Mais pour l'essentiel, il se reposait de plus en plus sur Adrien. Après lui, la clinique continuerait à prospérer, c'était le principal car il n'aurait rien d'autre à léguer à ses enfants.

Pour se déculpabiliser, Henry avait dépensé des sommes folles en dons. Cette générosité l'avait parfois apaisé, à d'autres moments elle n'avait servi qu'à lui rappeler sa faute. Et aujourd'hui, il se demandait s'il n'avait pas spolié ses propres enfants.

Trop pudique et bien trop gentille pour l'interroger sur ses finances, Pascale avait *acheté* Peyrolles sans protester, sans le taxer de radinerie ni d'injustice. Avare, il ne l'était pas, tant s'en fallait, il avait accédé à toutes les supplications de Camille, distribuant son argent, travaillant toujours plus. Mais c'était s'engloutir soi-même dans un puits sans fond tandis que les remords perduraient, intacts.

À la mort de Camille, il avait tout arrêté. Continuer à payer ne l'aurait soulagé en rien, il devait préserver Adrien et Pascale.

Ainsi qu'il le faisait dix fois par jour, son regard caressa la photo du mariage de sa fille, qui occupait le coin de son bureau. Sur les marches de l'église, Pascale et Samuel rayonnaient de bonheur. Derrière eux, Henry tenait la main de Camille. Une étreinte dont la tendresse inouïe, si évidente, lui serrait le cœur.

Dieu qu'il avait aimé cette femme ! Il aurait pu faire n'importe quoi pour elle, vraiment n'importe quoi… Sauf l'essentiel, mais ça, il l'avait découvert alors qu'il n'était déjà plus temps.

Ses yeux glissèrent de Camille à Pascale. Il ne voulait pas que sa fille sache, qu'elle le juge, et forcément le condamne. Il ne le supporterait pas. Mieux valait mentir, encore et toujours, se taire. Même Julia Nhàn ne savait pas – qu'aurait-elle pu savoir, la malheureuse ? – et, en admettant que les deux demi-sœurs finissent par se rencontrer, ce ne serait pas si grave. D'ailleurs, peut-être Julia avait-elle eu une meilleure vie dans un environnement médicalisé ?

Bien sûr que non… Il était médecin, il connaissait ce genre d'endroit et préférait ne jamais y penser. En abandonnant Julia à la DDASS, Camille avait perdu tous ses droits, impossible d'apprendre dans quels établissements l'enfant, devenue adolescente puis adulte, avait séjourné. Alors, ils s'étaient résignés à faire des dons aveugles aux associations chargées d'orphelins, d'enfants, de handicapés, tout ce qui évoquait le sort de Julia de près ou de loin.

Inlassablement, Camille psalmodiait, presque incrédule : « J'ai laissé mon bébé. » Elle ne comprenait pas comment elle avait pu répéter ainsi son propre drame.

Faire à Julia ce que Lê Anh Dào lui avait fait à elle-même. Dans ces moments-là, pour exorciser sa douleur, Henry lui rappelait qu'Abel Montague s'était comporté comme un père digne et responsable en se chargeant d'elle, ce qui n'était pas le cas de Raoul Coste ! Très vite, la colère prenait le pas sur la souffrance, et Camille crachait toute la haine que lui inspirait le souvenir de cet homme abject. Henry l'écoutait en dissimulant une amère satisfaction. Longtemps, il avait ressenti de la jalousie pour Coste parce que celui-ci avait été le premier à déshabiller Camille, à la toucher, à profiter de son corps de jeune fille. Un type qui, d'après elle, n'était ni intelligent ni bon, même pas séduisant, mais qui lui avait permis d'échapper aux Montague. Pauvre histoire, pauvre vie, pauvre fille ! Henry l'avait récupérée en aussi mauvais état qu'un chat écorché vif. Et il avait soigné ses blessures tout en ouvrant la pire…

La tête dans les mains, Henry se mit à pleurer.

— Remarquable, non ?

Contente d'elle, Marianne fit demi-tour et revint vers Samuel en ne s'aidant quasiment pas de sa canne. Depuis des semaines qu'elle s'échinait sur sa rééducation, elle avait accompli d'énormes progrès.

— Si le chirurgien trouve ma jambe assez consolidée, il me donnera son accord pour retravailler, non ?

— À lui d'en juger, répondit prudemment Samuel. Mais si tu veux mon opinion, tu as encore besoin d'un mois de convalescence.

Avec une grimace de déception, elle appuya sa canne contre le mur et s'assit à côté de Sam sur le canapé, tout en prenant garde de ne pas trop s'approcher de lui. Durant ces deux mois d'inaction forcée, elle avait eu tout le temps de réfléchir. Au début, il l'avait beaucoup entourée, s'était occupé d'elle très gentiment malgré leur rupture, mais elle savait bien qu'il se sentait responsable et se croyait obligé de faire des efforts. Habile, elle l'avait rassuré sans rien exiger de lui, s'arrangeant pour que chacune de ses visites dans sa chambre d'hôpital soit un plaisir au lieu d'un pensum.

Samuel était trop droit pour la laisser tomber dans ce genre de circonstance, elle ne se faisait pas d'illusions, néanmoins elle pouvait tirer parti de la situation, et elle l'avait fait. De retour chez elle, il avait continué à venir la voir alors qu'il aurait pu s'en abstenir. Deux ou trois fois par semaine, il passait à l'improviste, toujours porteur de fleurs ou d'un petit cadeau. Il lui donnait les dernières nouvelles de Purpan, la faisait rire avec des anecdotes, l'étreignait tendrement avant de s'en aller, et même s'il n'y avait rien d'ambigu dans son attitude, elle se plaisait à croire que, malgré lui, il était en train de s'attacher à elle.

— Si tu veux, je t'emmène dîner, proposa-t-il. Il est tard, je meurs de faim et je n'ai rien à manger chez moi.

Il se justifiait comme s'il ne voulait pas qu'elle prenne son invitation pour une proposition amoureuse, ce qui la fit sourire.

— Bonne idée ! Je suis restée enfermée toute la journée, sortir me fera vraiment du bien.

Jamais elle ne se plaignait, jouant la fille courageuse et gaie alors qu'il lui arrivait de fondre en larmes sitôt qu'il avait passé la porte. La partie était dure à jouer, pourtant elle s'accrochait de toutes ses forces. Elle récupéra sa canne et jeta un rapide regard sur la grande glace en pied censée agrandir son studio par effet d'optique. Avec cinq kilos de moins, elle avait perdu des rondeurs mais ne possédait toujours pas la silhouette dont elle rêvait, à savoir celle de Pascale.

— Tu devrais te remplumer un peu, dit-il en l'aidant à enfiler son manteau. Tu as les joues creuses, ce n'est pas joli.

Vexée, elle se mordit les lèvres sans répondre. Maigrir lui avait demandé des efforts considérables, et tout ça pour s'entendre assener une critique ? Tant pis, elle dévorerait devant lui puisqu'il aimait les femmes qui ne boudaient pas leur plaisir, quitte à faire un régime strict tout le reste du temps. Elle livrait la bataille la plus importante de son existence et ne se laisserait pas décourager.

— Où veux-tu aller ? s'enquit-il avec un sourire désarmant.

— Chez Fazoul, manger un cassoulet !

Le cadre était élégant, la cuisine généreuse, mais surtout l'éclairage intime, aux bougies, rendait l'ambiance très romantique. Or Sam l'était, elle en avait la certitude. N'avait-il pas aimé son ex-femme à la folie, au point de s'imaginer inconsolable ? Comme la plupart des hommes, Samuel cachait une grande sensibilité sous son apparence résolue et énergique. Il était moins sûr de lui qu'il ne voulait le faire croire, elle finirait bien par trouver le défaut de la cuirasse.

Une fois attablée sous les superbes poutres du restaurant de la place Mage, avec un foie gras cuit à l'ancienne dans son assiette, Marianne décida que la soirée était propice à une tentative de reconquête.

Un grand feu ronflait dans la cheminée de la bibliothèque. Assis sur les deux vieux fauteuils Voltaire,

Pascale et Laurent se faisaient face, bavardant à bâtons rompus.

— Vous obtiendrez votre autorisation, j'en suis certain, mais préparez-vous bien à cette rencontre, ce sera un moment très dur pour vous.

Il la considérait avec une sollicitude presque tendre qui l'encourageait à se confier, à formuler enfin son angoisse à l'idée d'affronter Julia.

— Mon père m'a déjà mise en garde et il aurait préféré me dissuader, alors il doit se faire du souci pour moi.

— Tout dépend de ce que vous attendez, de ce que vous espérez malgré vous.

— Oh, non, je ne…

— Bien sûr que si. Forcément.

Pascale renonça à se défendre : Laurent avait raison. Elle ne pouvait pas s'empêcher d'imaginer Julia, et chaque fois elle était obligée d'en repousser la vision. À quarante ans passés, sa demi-sœur se trouvait probablement proche du terme de son existence, et Pascale ne pourrait communiquer avec elle que de manière rudimentaire.

— J'essaie de ne pas me faire d'illusions, dit-elle seulement.

— Mais vous êtes impatiente, n'est-ce pas ?

— Très ! Même en sachant que je ne changerai plus le cours du destin, que je ne serai d'aucune utilité à cette femme, j'ai hâte de la voir.

— Vous allez être déçue, Pascale. Et frustrée. Car vous serez impuissante, vous venez de le dire…

Les bûches s'effondrèrent dans une gerbe d'étincelles et Laurent se leva pour arranger la flambée. Tandis qu'il tisonnait puis ajoutait du bois, Pascale versa du thé dans leurs tasses. Parler avec Laurent était facile, comme s'ils se connaissaient depuis longtemps tous les deux alors qu'ils ne savaient pas grand-chose l'un de l'autre.

— Impuissante, admit-elle, mais aussi vaguement coupable.

— De quoi ?

— D'avoir été aimée, choyée, préservée. Pourquoi moi et pas elle ?

— D'après ce que j'ai compris, votre mère n'était pas en état de s'en occuper à ce moment-là. Un enfant handicapé représente une immense responsabilité. Avoir confié son bébé à la DDASS lui a permis de refaire sa vie, grâce à quoi vous êtes là… Ce n'est pas moi qui vais m'en plaindre !

Il lui souriait si tendrement qu'elle s'arrêta de respirer une seconde. Jusque-là, elle n'avait pas cédé à l'attirance qu'elle éprouvait pour lui ; peut-être était-il temps de mettre fin au jeu de la séduction ? Soutenant son regard, elle resta silencieuse et, comme toujours, il se troubla le premier.

— Votre mère semble avoir eu une enfance difficile, reprit-il pour se donner une contenance.

— Elle était déracinée. Je ne sais pas le genre d'existence qu'elle aurait eue au Viêtnam si elle y était restée mais…

— La honte et la misère, rien d'autre. Qu'il s'agisse des Vietnamiens ou des Japonais qui les avaient envahis, la bâtarde d'un officier français n'avait aucune chance parmi eux à l'époque. Ni elle, ni sa mère. Son père a été bien inspiré de la ramener.

— Sauf qu'elle est mal tombée chez les Montague !

— Montague ? répéta-t-il d'un air intrigué.

— Le capitaine Abel Montague, mon grand-père. Il avait reconnu officiellement ma mère.

— Ce nom me dit quelque chose.

Il prit le temps de réfléchir puis finit par hausser les épaules.

— Je ne vois pas. Pourtant, j'ai une assez bonne mémoire… En tout cas, ce capitaine Montague avait le sens du devoir. À quel corps appartenait-il ?

— Artillerie légère, je crois. Ma mère ne parlait pas volontiers de sa famille, pourtant elle faisait une exception pour lui. Elle le décrivait comme un de ces militaires coloniaux qui, à force de passer tellement de temps loin de chez eux, finissaient par prendre des maîtresses sur place. Elle ne le jugeait pas, sans doute parce qu'il avait été le seul être au monde à lui montrer un peu d'affection. D'un certain point de vue, c'était un homme estimable, il avait obtenu toutes les décorations possibles pour ses campagnes. Malheureusement, il avait aussi rapporté de là-bas des séquelles de dysenterie, paludisme et autres saloperies qui l'ont tué trop tôt. Ma mère s'est retrouvée seule chez les loups… Quand elle a quitté les Montague, devenus odieux avec elle, elle n'a emporté à titre de souvenir qu'une minuscule boîte en carton où se trouvait la Légion d'honneur de son père.

Pascale s'interrompit, étonnée d'en savoir autant. Les confidences de sa mère avaient été si rares qu'elles avaient dû la marquer à son insu.

— Vous paraissez très concernée par cette histoire, constata Laurent avec un nouveau sourire. C'est normal, on voudrait toujours en savoir plus sur ses origines. Pourtant, on néglige d'interroger les membres de sa famille tant qu'il en est encore temps.

— C'est vrai. Par exemple, j'ignore tout de ma grand-mère, Anh Dào. Et je n'ai rencontré l'un de mes oncles Montague qu'il y a quelques mois. Peut-être n'aurais-je pas dû le faire, peut-être vaut-il mieux ne pas déterrer les secrets de famille ? Je ne m'y étais pas beaucoup intéressée avant de revenir à Peyrolles. Les choses me paraissaient simples grâce au côté Fontanel, la dynastie des médecins sans mystère ! Or, paradoxalement, c'est l'empreinte de ma mère que j'ai trouvée ici.

— Parce que c'est celle-là que vous cherchez depuis que vous êtes tombée sur le livret de famille.

Il revint s'asseoir en face d'elle, tout au bord de son fauteuil, leurs genoux se frôlant.

— Vous croyez à l'inconscient familial ? demanda-t-elle lentement.

— C'est-à-dire ?

— Cette espèce d'héritage moral de nos ancêtres, avec leurs émotions, leur vécu, et aussi les deuils qu'ils n'ont pas pu achever et qu'on reprend à son compte.

— Non ! s'exclama-t-il en riant. Le transgénérationnel, la psychogénéalogie, tout ce fatras ? Pas du tout… Le vocable des psys ne parvient pas à me convaincre, j'ai l'impression qu'il s'agit d'une mode. Il y a parfois des charges héréditaires, d'accord, mais toute interprétation ou extrapolation me rend sceptique.

D'un geste doux, il posa sa main sur celle de Pascale.

— En revanche, je suis amoureux de vous, là-dessus je n'ai pas le moindre doute.

L'atmosphère douillette de la bibliothèque et l'heure tardive l'avaient probablement aidé à trouver le courage de l'avouer, bien qu'il ait parlé trop vite, butant un peu sur les mots par timidité. À présent, son regard bleu intense scrutait Pascale avec inquiétude.

— Vous êtes un homme très séduisant, Laurent, dit-elle à voix basse.

De sa main libre, il la prit délicatement par la nuque et l'attira à lui. Hormis le léger bruissement des braises, le silence de la maison les isolait du reste du monde. Ils s'embrassèrent longtemps, sans la moindre gêne, curieux de découvrir le goût de l'autre, puis Pascale appuya son front sur l'épaule de Laurent en reprenant son souffle. Il en profita pour la serrer davantage contre lui et, du bout des doigts, ouvrir la pince qui retenait ses cheveux.

— Je mourais d'envie de les toucher, chuchota-t-il.

Il laissa glisser sa main le long d'une mèche, frôla un sein à travers le pull, s'attarda. Électrisée par ce contact, Pascale se leva brusquement, lui échappant.

— Venez, décida-t-elle.

Lovée sous la couette, Pascale jeta un coup d'œil au réveil, qui indiquait cinq heures et demie et n'avait pas encore sonné, puis elle reporta son attention sur Laurent. Il était en train d'enfiler son col roulé, dont il émergea tout ébouriffé.

— Est-ce que je peux t'appeler, aujourd'hui ? demanda-t-il. Je suis désolé d'être obligé de partir maintenant, mais…

— Ne t'excuse pas, c'est normal, je travaille aussi à huit heures.

— Je ne m'excuse pas, je suis désolé pour de bon, très égoïstement.

Il vint s'agenouiller à côté du lit, prit le visage de Pascale entre ses mains.

— Je ne désirais pas seulement faire l'amour avec toi, j'aurais voulu qu'on s'endorme ensemble.

Son sourire était empreint de la même douceur que la veille.

— Fais un petit somme d'une heure, ce sera mieux que rien…

Il l'embrassa au coin des lèvres, se releva et quitta la chambre. Songeuse, Pascale écouta son pas décroître dans l'escalier, le bruit de la porte d'entrée, puis celui du moteur qui démarrait. Aurore n'était pas rentrée – préférant sans doute passer la nuit chez Georges pour éviter un aller-retour – et ne risquait donc pas de venir s'asseoir au pied du lit pour bombarder Pascale de questions. Dommage, son humour aurait été bienvenu.

Repoussant la couette, elle se leva et fila prendre une douche. Pas question de dormir, elle n'avait pas sommeil, d'ailleurs elle voulait ranger la cuisine avant de partir. Habituée aux gardes de vingt-quatre heures, elle pouvait enchaîner une nuit blanche et une journée de travail sans problème.

Vêtue d'un pull rouge cerise, d'un jean en velours et de mocassins souples, elle descendit jusqu'à la bibliothèque, où le plateau du thé était resté près des fauteuils. Dans la cheminée, quelques braises rougeoyaient encore sous les cendres. Une seconde, Pascale resta immobile, son plateau à la main, regardant le décor de cette pièce qu'elle adorait. Avait-elle eu raison de céder au désir que lui inspirait Laurent ?

Elle gagna la cuisine, débarrassa la vaisselle et prépara du café. Ces dernières heures la laissaient perplexe, à la fois épanouie et déçue. Laurent était un amant délicat, extrêmement adroit, très sentimental, et elle avait pris un plaisir fou en faisant l'amour avec lui. Cependant elle le trouvait trop concerné, trop impliqué, il semblait parti pour une grande histoire sérieuse alors qu'elle en était encore au stade d'une simple attirance physique.

Avait-elle envie d'un homme dans sa vie ? De cet homme-là ? Était-elle prête à entamer une relation d'avenir, à bâtir avec lui ? Pour l'instant, il manquait à Pascale l'étincelle de la passion, comme celle qu'elle avait ressentie dès le début avec Samuel.

La première nuit dans les bras de Sam avait été une révélation immédiate, un éblouissement, elle avait su tout de suite qu'elle l'aimait d'amour, qu'elle ne voulait plus le quitter. Or ce matin, elle n'avait rien ressenti de tel.

Un moment intense, électrique, voilà ce qu'elle venait de partager avec Laurent, mais où étaient les fous rires, l'exaltation, l'impression d'être légère comme une plume ? Elle aurait dû être en train de fredonner dans sa baignoire pleine de mousse, songeant à leur prochain rendez-vous, au lieu de faire consciencieusement la vaisselle. Elle aurait dû être triste de le voir partir si tôt, malheureuse de ne pas prendre son petit déjeuner avec lui, les yeux dans les yeux. Et pourquoi venait-elle de penser à Sam, pourquoi lui comparait-elle toujours tous les autres hommes ? D'ailleurs, que devenait-il et depuis combien de temps n'avait-il pas téléphoné ?

Avec un soupir exaspéré, elle se versa un nouveau bol de café. Laurent était quelqu'un de bien, qui savait écouter, et il l'avait considérablement aidée jusqu'ici. Charmeur et charmant, intelligent, brillant, disponible, capable de la faire grimper au septième ciel, que demander de plus ? Enfin, pour elle qui avait tellement désiré des enfants, Laurent ne ferait-il pas un père idéal ? Elle laissa dériver ses pensées, essayant d'imaginer Laurent installé à Peyrolles, ou elle-même dans l'hôtel particulier de Toulouse.

— Non, je veux rester chez moi, marmonna-t-elle. Et lui, en tant que haut fonctionnaire, peut être muté n'importe où !

En réalité, elle n'en savait rien, mais cette perspective constituait une première explication à ses réticences.

— Ne te mens pas, ça ne sert à rien…

Peut-être n'était-elle pas en état de tomber

amoureuse, trop obnubilée par Julia, trop perturbée par le passé familial ? Fermant les yeux, elle revit Laurent quelques heures plus tôt, à l'instant où il était sorti de la salle de bains, une serviette autour des hanches, très beau dans la lumière tamisée de la chambre. Infiniment désirable avec sa peau lisse, son regard clair, son sourire hésitant. Pas un atome de graisse superflue – Sam était plus massif –, des joues de bébé – Sam devait se raser deux fois par jour – et des cheveux coupés très court, au contraire de Sam, qui oubliait systématiquement de passer chez le coiffeur.

— Eh bien, comme ça, il ne te rappelle personne !

Elle fit claquer le torchon avec lequel elle venait d'essuyer la table. Autant partir tout de suite, elle serait un peu en avance à l'hôpital et en profiterait pour reprendre un café avec l'interne de pneumo. Elle se plaisait beaucoup dans son nouveau service, où le travail ne manquait pas ; une fois là-bas, elle n'aurait sans doute plus l'occasion de penser à Laurent jusqu'à ce qu'il l'appelle. En entendant sa voix, elle verrait bien ce qu'elle ressentait et si son cœur battait plus vite.

Laurent annonça à la tour qu'il était prêt à décoller et le contrôleur lui indiqua sur quelle piste se rendre. Il fit rouler le Robin dans cette direction, impatient de rejoindre le ciel bleu azur. À cette heure matinale, il était l'un des premiers pilotes de l'aéroclub à voler et il y avait très peu d'activité autour des hangars ou sur les *taxiways*.

Après avoir effectué une dernière *check-list* à l'entrée de piste, il fit un essai moteur et reprit contact avec la tour.

— Alfa Fox au point d'attente O4, alignement et décollage.

— Alfa Fox autorisé à décoller, dernier vent zéro soixante, dix à douze nœuds, entendit-il dans son casque.

Il commença à accélérer, encaissant les vibrations de l'avion qui prenait de la vitesse. Quatre cents mètres plus loin, il quitta le sol en douceur.

Normalement, il aurait dû se trouver dans son bureau, à Purpan. C'était bien la première fois qu'il faisait l'école buissonnière et il ne s'était même pas donné la peine de chercher un prétexte valable lorsqu'il avait prévenu sa secrétaire.

En revenant de Peyrolles, il était pourtant rentré sagement chez lui afin de se changer, incapable d'aller travailler en pull. Sous sa douche, il n'avait pas cessé de siffloter, et en nouant son nœud de cravate il s'était carrément entendu chanter à tue-tête. Un quart d'heure plus tard, il avait capitulé, ôté sans remords costume et chemise blanche pour enfiler un jean, un sweat-shirt, son gros blouson d'aviateur. L'envie de caracoler aux commandes du Robin avait été la plus forte : tant mieux ! De toute façon, il n'aurait pas pu travailler, il avait trop la tête dans les nuages, il fallait d'abord qu'il se calme.

La tour lui communiqua les dernières instructions et lui souhaita un bon vol. Bon ? Oh, il le serait forcément ! Après un virage sur l'aile, un peu trop serré, il grimpa jusqu'à son altitude de croisière.

Il avait tenu Pascale dans ses bras, il lui avait fait l'amour, décidément, il n'en revenait pas. Depuis le jour déjà lointain où elle avait franchi la porte de son bureau, fraîchement débarquée de Paris et présentée par Samuel, il était amoureux d'elle. Dix fois, cent fois il avait cherché à la croiser dans les couloirs ou les cours de l'hôpital, se comportant comme un collégien immature. Plus tard, à chacune de leurs rencontres, il avait lutté pour ne pas brûler les étapes, et il s'était arrangé pour ne pas rater la moindre occasion de lui être agréable, de lui rendre service. Aux plaintes du Pr Clément, il s'était contenté de répondre que Pascale Fontanel était un excellent médecin.

Oui, un excellent médecin, une femme de caractère, une beauté exotique d'une rare séduction et… et quoi, encore ? En résumé, le genre de brune sublime qui le subjuguait tout en l'intimidant. Sauf que, plus il connaissait Pascale, plus il découvrait en elle une fragilité qu'il n'avait pas soupçonnée au début, ce qui la rendait plus accessible, plus attachante encore. Comment Samuel avait-il pu être assez fou pour la laisser partir ? D'accord, il s'en mordait les doigts, c'était l'évidence même, néanmoins il avait accepté de divorcer.

Laurent chassa Samuel de son esprit, conscient toutefois qu'il lui faudrait y repenser à un moment ou à un autre. Ce matin, il nageait dans le bonheur et il y était trop bien pour se laisser distraire.

Il s'obligea tout de même à regarder les cadrans, à vérifier ses instruments. Voler en avion était nettement moins exaltant qu'en hélicoptère, mais au moins il était seul à bord et pouvait hurler de joie ou exécuter un looping s'il en avait envie. Ce serait délicat de faire la même chose lorsqu'il serait assis à côté de Sam dans le Jet Ranger ! Mais allait-il pouvoir rester son élève si Sam prenait mal les choses ? Quant à leur amitié, qu'en subsisterait-il ? Dès qu'il avouerait être l'amant de Pascale, la guerre deviendrait inévitable.

L'amant de Pascale ! Il avait caressé sa peau, d'une

douceur extrême, pris à pleines mains ses cheveux de soie, senti contre lui ses hanches étroites et ses jambes interminables… Cette femme était sensuelle comme un bel animal, nerveuse et souple, impatiente et habile… Seigneur ! Il ne se souvenait pas d'avoir jamais été aussi comblé.

À un détail près, cependant. Un détail qu'il n'était pas assez aveugle pour l'ignorer : Pascale n'était pas amoureuse de lui. Tout au plus avait-il réussi à provoquer chez elle de l'intérêt, puis du désir. Il lui plaisait – de ça, au moins, il ne doutait plus –, il avait su répondre à tous ses souhaits et même au-delà, mais il ne lui inspirait pas de sentiment d'amour. Pas encore.

Il inclina l'avion pour regarder en dessous de lui. Seul au monde dans ce ciel limpide, il s'offrit quelques instants en piqué avant de relever le nez du Robin. Que fallait-il faire pour être aimé d'une femme comme elle ? Il était prêt à tout, à n'importe quoi ! Après s'être assuré une nouvelle fois qu'aucun autre appareil ne se trouvait dans les parages, il se lança dans un tonneau très réussi qui lui arracha une exclamation de joie. Les yeux rivés sur l'horizon, il laissa échapper un long soupir de satisfaction puis se détendit et vérifia machinalement ses cadrans. Tout au long de sa vie, jusqu'à présent, il avait su se battre pour obtenir ce qu'il voulait, et il voulait Pascale par-dessus tout. Il se jura d'y arriver, quel que soit le prix à payer.

Enfin calmé, il exécuta un demi-tour impeccable et mit le cap sur l'aéroclub.

10

Samuel quitta la banque avec le sentiment pénible de n'avoir rien résolu. L'argent ne pouvait ni consoler ni réparer, cependant il ne voyait pas d'autre moyen pour aider Marianne. Elle ne touchait pas un salaire mirobolant et l'accident n'avait pas dû arranger ses finances. Chaque fois qu'il franchissait la porte de son minuscule studio, il se sentait écrasé de culpabilité. Elle était restée coincée là durant des semaines, avec ses cannes anglaises qui l'empêchaient de sortir, et l'une de ses rares distractions avait été le lecteur DVD qu'il lui avait offert. Bien sûr, sa mère passait la voir, peut-être des amis, mais c'était tout de même à cause de lui qu'elle se morfondait depuis Noël, et elle n'avait pas les moyens de s'amuser ni de partir en convalescence dans un endroit agréable. Comme elle avait maigri, elle devrait sûrement regarnir sa garde-robe, et sans doute aspirait-elle à quelques fantaisies qu'elle ne parviendrait jamais à s'offrir. À défaut de l'aimer, puisqu'il en était incapable, il pouvait au moins la soulager de ses soucis matériels. Mais comment lui présenter les choses ? Comment ne pas la blesser ou l'humilier ? Un chèque n'était certainement pas ce qu'elle espérait de lui !

En passant voir son banquier, ce matin, il s'était

creusé la tête sans trouver de solution acceptable. Néanmoins, il avait viré une somme importante sur son compte courant afin d'être prêt à la lui donner. Peut-être serait-il plus élégant d'en parler d'abord aux parents de Marianne ? Non, elle risquerait de se sentir infantilisée ou manipulée, c'était avec elle qu'il devait avoir une conversation.

Samuel n'avait aucun problème d'argent, cependant il comprenait ceux des autres. L'important héritage laissé par la famille Hoffmann l'avait mis très tôt à l'abri du besoin, trop tôt car il venait juste d'atteindre sa majorité, ce qui l'avait poussé à se montrer prudent. Diversifiant ses avoirs, investissant judicieusement, il avait fait prospérer son capital, et parfois il se disait qu'il aurait aimé les affaires s'il n'avait pas été médecin. Par bonheur, son métier d'anesthésiste le passionnait davantage que les cours de la Bourse. D'ailleurs, il ne se sentait pas le droit de dilapider un argent gagné par d'autres, d'autant moins qu'il vivait très bien avec son salaire.

Arrivé devant sa voiture, il hésita. Aller maintenant chez Marianne ne le réjouissait guère, pourtant il souhaitait régler cette histoire le plus vite possible. Il y pensait depuis plusieurs jours et, la veille, lorsqu'il avait aperçu chez elle une petite pile de factures en attente, il avait pris sa décision. Même si elle l'envoyait au diable, il devait aborder le sujet.

Il se faufila dans la circulation dense du centre et prit la direction du studio. Le temps consacré à Marianne l'avait empêché de se rendre à l'aéroclub aussi souvent qu'il l'aurait voulu, il avait même dû confier certains de ses élèves à un autre instructeur. Arrêté à un feu rouge, il se pencha en avant pour scruter le ciel à travers son pare-brise. L'horizon était bleu azur, sans le moindre nuage.

La météo prévoyait une semaine magnifique, apparemment le printemps était bien là. Une irrésistible envie de voler lui arracha un soupir. Il aurait donné n'importe quoi pour être aux commandes d'un hélico, avec les cimes des arbres défilant sous ses pieds et peut-être Pascale assise à côté de lui, gigotant sur son siège pour lui désigner tel ou tel détail du paysage, riant dans son micro et ne parvenant pas à dissimuler son envie de piloter elle-même…

Mais Pascale ne téléphonait pas, ne donnait pas de nouvelles, et il n'avait plus l'occasion de la croiser à Purpan. Son nouveau poste devait l'absorber ; perfectionniste comme elle l'était, elle n'aurait de cesse de s'intégrer à l'équipe albigeoise. Là-bas, d'après ce que Laurent avait expliqué, Pascale ne se trouvait pas confrontée à une Nadine Clément, ce qui lui changeait sûrement la vie.

Parvenu en bas de l'immeuble de Marianne, il fut obligé de faire trois fois le tour du pâté de maisons avant de dénicher une place. Habiter une grande ville n'était pas une sinécure mais, comparé à Paris, Toulouse le charmait toujours ; pas une seule fois il n'avait regretté son choix.

Alors qu'il sortait de sa voiture, il aperçut une silhouette claudiquant sur le trottoir, à cinquante mètres de là. Sa canne dans une main, un sac de supermarché dans l'autre, Marianne revenait de ses courses. Une bouffée de compassion et de tendresse serra la gorge de Sam. Le soleil jouait dans les boucles blondes de la jeune femme tandis qu'elle progressait d'une démarche mal assurée, la tête penchée pour regarder où elle mettait les pieds. Elle ne découvrit Samuel que lorsqu'elle fut à quelques pas de lui, et son expression morose se transforma d'un coup en un sourire radieux.

Adrien jouait avec les pièces de l'échiquier offert par Pascale à Noël. Il poussa le cavalier vers la tour, qui s'effondra. Durant quelques instants, il contempla les pions noirs et blancs délicatement ciselés, puis il haussa les épaules. Excellent joueur d'échecs, il ne trouvait plus d'adversaire à sa taille et n'avait pas perdu une seule partie depuis des années. Il releva la tour, remit le cavalier à côté du fou, puis il alluma une cigarette dont il tira une profonde bouffée. Son père n'avait pas réussi à le dissuader de fumer, il en avait besoin pour calmer ses angoisses.

Sorti tard de la clinique, il s'était cassé le nez devant le rideau de fer de son épicerie habituelle, qui fermait à sept heures, et il n'avait pas grand-chose dans son réfrigérateur. Trop de travail, pas assez de temps, des habitudes navrantes de célibataire : quand adopterait-il enfin une vie réglée ? Pascale y était bien arrivée, elle, malgré son divorce, malgré son idée saugrenue d'aller s'établir à Peyrolles, cette grande baraque isolée dont les fantômes ne l'empêchaient même pas de dormir !

Il eut un sourire triste à l'idée de fantômes hantant les couloirs de Peyrolles pour faire hurler Pascale et son amie Aurore. Non, bien entendu, pas de spectres en draps blancs secouant leurs chaînes, mais une foule de souvenirs pénibles et confus, qu'il valait mieux tenir à distance.

Adrien se souvenait précisément de l'époque où la famille avait quitté Peyrolles. Pour sa part, le déménagement l'enchantait, il était ravi d'intégrer une faculté parisienne et partait sans regrets. Durant plusieurs jours, Camille lui avait fait monter toutes sortes de choses au grenier, des meubles et des objets qu'elle ne voulait ni vendre ni emporter à Saint-Germain, puis elle avait condamné la porte et fait préciser sur le bail de location que le dernier étage de la maison serait inaccessible. À ce moment-là, imaginait-elle que son vieux livret de famille, soigneusement conservé dans le tiroir d'une coiffeuse, serait découvert par sa fille vingt ans plus tard ? Sans doute pas. Mais dans ce cas, pourquoi l'avait-elle mis là ? Parce qu'elle n'avait pas pu se résigner à le détruire ? Parce qu'il était le dernier – le seul – vestige attestant de l'existence de Julia ?

À lui, Henry n'avait presque rien caché, il connaissait cet épisode de la vie de Camille, ses tristes débuts dans la vie et son enfant handicapée. Il n'en avait que plus d'affection pour celle qu'il appelait « maman ». De son autre mère, la vraie, cette belle femme du nom d'Alexandra, ne subsistaient que quelques photos que son père lui avait solennellement remises le jour de ses dix ans.

Camille avait été merveilleuse avec lui. Douce, tendre, maternelle, elle l'avait entouré – saturé ? – d'amour. Il était le plus beau petit garçon du monde, le plus intelligent, tout ce qu'il faisait méritait des applaudissements. Par chance, alors qu'il commençait à se sentir étouffé, Pascale était née et Camille l'avait enfin laissé respirer sans pour autant se désintéresser de lui. En somme, tout avait été pour le mieux.

Malheureusement, en souvenir de son enfance, Adrien recherchait l'amour absolu. Témoin de l'amour fou de son père pour Camille, bénéficiaire de l'amour immense de Camille pour lui, il n'arrivait pas à se sentir heureux dans sa vie d'adulte. Et toutes ses joyeuses virées d'étudiant, puis de célibataire endurci, n'y avaient rien changé. À quarante ans, il savait que sa quête n'aurait pas de fin.

Chaque début d'histoire se déroulait de la même manière : il voulait être regardé comme le plus beau, le plus intelligent, avec les applaudissements en prime. Il exigeait trop et trop vite des femmes qui auraient pu l'aimer, et se détachait aussitôt d'elles en constatant qu'il n'était pas l'objet de leur adoration. En secret, il avait entamé une analyse, qu'il abandonna après les premiers rendez-vous.

Mal dans sa peau, il donnait pourtant le change, tenant le rôle du boute-en-train partout où il se trouvait. À son père comme à sa sœur, il offrait un visage serein, celui du dragueur heureux de ses bonnes fortunes, alors qu'il était désespérément frustré.

Debout devant son frigo vide, il soupira. Tant pis, il se ferait cuire des pâtes, il en avait toujours plusieurs paquets en réserve avec des pots de sauce bolognaise. Il pouvait aussi appeler son père pour lui proposer de dîner dans une brasserie, mais il n'avait pas très envie de ressortir. Ni de voir son père ce soir, car il se sentait la tête pleine de questions. Le genre de questions qu'il valait mieux ne pas poser sans y avoir réfléchi d'abord.

À cause de Pascale, de ce passé familial qu'elle remuait sans cesse, des choses qu'il croyait avoir oubliées lui revenaient. Par exemple, comment et pourquoi Camille avait-elle été là tout de suite, juste après le décès de sa mère dans l'incendie ? Installée à Peyrolles avant d'être mariée, au risque de choquer tout le voisinage… Parce qu'elle n'était pas encore divorcée de Coste ? Sans doute, mais quand et où son père, à peine veuf, l'avait-il rencontrée ? Elle venait d'abandonner son enfant, Henry Fontanel lui en offrait un autre, tout fait, tout prêt, et la voilà qui prenait sans attendre la place de la morte. Des gens avaient fait des réflexions insidieuses, qu'Adrien avait dû enregistrer malgré son jeune âge.

Et puis, plus troublant encore, pourquoi Henry

avait-il répandu le bruit que la petite Julia était décédée ? Pour épargner à Camille les questions ? Enfin, la totale rupture avec la famille Montague semblait un peu étrange, ainsi que la manière dont Camille avait renoncé à sa part d'héritage rien que pour ne pas rencontrer ceux parmi lesquels elle avait grandi.

Pascale pointait du doigt tous ces mensonges, ces non-dits, n'hésitant pas à mettre leur père en accusation, et aujourd'hui Adrien ne lui donnait pas tort. S'il existait réellement un abcès, il fallait le crever. Après, tout le monde se sentirait peut-être mieux. Lui le premier !

Il goûta une pâte, se brûla et jura. De toute façon, il n'avait plus faim.

— Je ne sais même plus comment on faisait avant vous ! lança le Dr Lebel de sa voix de stentor.

Petit, rondouillard, chauve et jovial, il avait assuré à lui seul l'essentiel des consultations de pneumologie jusqu'à l'arrivée de Pascale.

— Vous êtes un cadeau de la providence, ma petite Pascale ! Et comme en plus vous êtes douée, je vais pouvoir me remettre au golf…

Son sourire démentait ses paroles, c'était un bourreau de travail et il n'avait jamais foulé un green de sa vie. Pascale lui adressa un regard complice et lui tendit un dossier.

— Un patient me pose problème, j'aimerais votre avis à son sujet.

Sans cesser de marcher, il s'absorba dans les résultats d'examens et le compte rendu clinique qu'elle lui soumettait. Au bout d'un moment, il marmonna quelque chose d'incompréhensible en hochant la tête.

— Je vous donne mon avis à une condition : on se tutoie. Qu'en pensez-vous ?

Amusée, elle accepta d'emblée tandis qu'il lui rendait le dossier.

— Je suis d'accord avec ton diagnostic. Tu devrais l'hospitaliser. Un café ?

Tout en parlant, ils étaient arrivés devant le distributeur et Lebel fouilla ses poches.

— Tu ne regrettes toujours pas Purpan ?

— Oh, non ! s'exclama-t-elle avec un rire insouciant. Et surtout pas le Pr Clément, qui me regardait avec autant de bienveillance que si j'avais été un scorpion égaré dans son service. Cela dit, elle est très compétente, on ne peut pas lui enlever ça.

— J'ai été interne sous ses ordres quand elle n'était pas encore grand patron. Mais elle avait déjà l'intention de devenir calife à la place du calife et on savait qu'elle y arriverait. Son ambition est à la mesure de son talent, en la nommant ils ont fait le bon choix. Sauf pour ses collaborateurs, bien entendu… Tu as demandé ta mutation à cause de son foutu caractère ?

— Non, pas vraiment. C'était plutôt une question de convenance personnelle, j'habite près d'Albi…

— Le foutu caractère de qui ? demanda l'homme qui venait de s'arrêter près d'eux.

— Un café, Jacques ? proposa Lebel. On parlait de Nadine Clément.

Jacques Médéric, le chef du service, esquissa un petit salut à l'adresse de Pascale.

— Je suis sûr que vous êtes beaucoup mieux parmi nous, Dr Fontanel… Et je vois notre ami Lebel tellement soulagé ! Nous manquions furieusement d'un praticien d'expérience, c'est vrai…

Nonchalant, comme à son habitude, Jacques Médéric

s'exprimait lentement, laissant toutes ses fins de phrase en suspens. C'était un homme réfléchi, très humain, qui n'avait jamais cherché à faire carrière et consacrait tout son temps à ses malades. Il arrivait tôt, partait tard, prenait la peine d'écouter chacun à longueur de journée, qu'il s'agisse de ses collaborateurs ou de ses patients. Sa seule angoisse semblait être son départ à la retraite, qu'il différait chaque année.

— Ah ! Nadine…, soupira-t-il en prenant le gobelet de café que lui tendait Lebel. Figurez-vous que nous avons été étudiants ensemble. Cela ne date pas d'hier… Elle n'était ni jolie ni souriante, le genre de fille qui passe totalement inaperçue, sauf les jours où on publiait les résultats des examens ! Une vraie bête à concours, avec une capacité de travail qu'elle a conservée depuis… Je lis volontiers ce qu'elle publie, c'est toujours remarquable. Vraiment, on peut dire qu'elle a fait un sacré bout de chemin, la petite Montague…

Après un instant de stupeur, Pascale répéta lentement, persuadée d'avoir mal compris :

— Montague ?

— Oui, Nadine Montague, devenue Mme Clément. J'étais d'ailleurs à son mariage. Mon Dieu, c'est loin tout ça ! Allez, je vous laisse, nous avons tous du travail… Et merci pour le café.

Il s'éloigna de sa démarche mesurée, qui lui donnait toujours l'air d'être plongé dans une profonde réflexion. Pascale le suivit des yeux, sous le choc.

— Quelque chose ne va pas ? s'enquit Lebel avec sollicitude.

— Ce n'est rien, bredouilla Pascale. Une coïncidence… Montague, c'est le nom de jeune fille de ma mère.

Lebel éclata de rire et se mit à tapoter gentiment l'épaule de Pascale.

— Ne t'inquiète pas, tu ne peux pas appartenir à la même famille que Nadine Clément, c'est tout bonnement impossible !

L'idée semblait beaucoup l'amuser, mais Pascale ne parvint même pas à sourire.

Assis côte à côte sur les hauts tabourets du bar, Laurent et Samuel ne savaient plus quoi se dire. Entre eux, l'amitié complice avait cédé la place à une animosité mal dissimulée, dont Samuel se savait responsable. Chaque fois qu'il se trouvait avec Laurent à l'aéroclub, il se montrait agressif malgré lui et ne pouvait s'empêcher de poser des questions indiscrètes. Laurent y répondait avec réticence, tout en affichant un air d'homme comblé qui exaspérait Sam.

Le barman posa les cafés devant eux sur le comptoir de cuivre, puis battit en retraite au lieu de se livrer à ses plaisanteries habituelles. Sam en déduisit qu'ils devaient avoir triste mine tous les deux, pourtant ils étaient en général les gais lurons du club.

— Le plus raisonnable serait de ne plus en parler, suggéra Laurent.

— Pourquoi ?

— Parce que tu ne le supportes pas, Sam. Tu me demandes où j'en suis avec elle, comment elle va, et puis ça dégénère… Je ne suis que ton successeur, mon vieux, pas ton rival. Ou alors, il fallait me prévenir !

Le regard bleu acier de Laurent ne cillait pas, planté dans celui de Samuel, qui bougonna :

— Il y a des milliers d'autres femmes et tu peux

toutes les avoir si tu veux. Tu n'étais pas obligé de choisir celle-là.

— Tu préférerais qu'elle reste seule ?

Sam haussa les épaules, comme s'il venait d'entendre une énormité, néanmoins la réflexion de Laurent était juste. L'épanouissement de Pascale passerait forcément par un autre chemin que la solitude. Elle allait avoir trente-trois ans, et son désir d'enfants avait dû s'aiguiser. De là à pouvoir imaginer Pascale dans le lit de Laurent, se remariant avec Laurent, s'installant avec lui… Mais non, elle ne quitterait pas Peyrolles après s'être donné tant de mal pour l'obtenir ! Sauf si elle était vraiment très amoureuse ?

— En tout cas, rassure-toi, Pascale n'est pas qu'une aventure pour moi, j'y tiens énormément.

— Et elle ? demanda Sam d'un ton abrupt.

Laurent prit le temps de déplier un sucre, de remuer son café.

— Je ne sais pas, avoua-t-il enfin. Je ne suis pas dans sa tête mais je crois qu'elle a envie de construire, de fonder une famille.

— Avec toi ?

— Je ne serais pas le pire des candidats, fit Laurent avec un faible sourire.

Sans doute était-il embarrassé par cette discussion, pourtant Sam crut déceler une autre faille. Si Laurent avait l'attitude d'un amant heureux, en revanche il ne possédait manifestement aucune certitude quant à l'avenir. Aujourd'hui, Pascale devait être plus prudente qu'elle ne l'avait été dix ans auparavant. Dès le début, entre elle et Sam, la perspective du mariage s'était imposée d'elle-même, avec la notion d'amour-toujours et des serments d'éternité auxquels ils avaient cru tous les deux.

— Sam ? Tourne la page, laisse-la vivre et oublie-la.

— Rien que ça ! Et si je te conseillais d'en faire autant ?

— De quel droit ?

En effet, il n'en avait plus aucun, ce qui rendait inepte son envie de frapper Laurent. Il prit une grande inspiration, essayant désespérément de rester calme.

— Vous avez divorcé, Samuel, votre histoire est terminée. Tu es mon ami et tu prétends être aussi le sien… Tu n'as pas envie de la voir heureuse ?

— Pas sous mon nez, pas avec toi ! C'est égoïste et infantile, je sais, mais c'est comme ça.

Le ton violent de Samuel avait fait se redresser Laurent. Ils se dévisagèrent un moment en silence. Pour la première fois depuis qu'il le connaissait, Sam vit que Laurent pouvait se transformer en ennemi et ferait un adversaire redoutable.

— Bon, prends un autre instructeur pour ta leçon d'hélico, je ne suis pas en état de te donner un cours cet après-midi, déclara-t-il en jetant de la monnaie sur le comptoir.

— Sam…

— Je ne tiens pas à ce qu'on finisse accrochés par une ligne à haute tension, et c'est ce qui nous arrivera si on s'engueule en pilotant !

Sa première élève, un quart d'heure plus tard, était heureusement une gentille jeune femme qui ne lui posait aucun problème relationnel. Il traversa le bar sans se retourner et décida d'aller se promener dans les hangars, la vue des avions et des hélicos le mettant toujours de bonne humeur. Là où Laurent n'avait pas tort, c'est qu'il devait vraiment prendre de la distance vis-à-vis de Pascale. La laisser vivre à sa guise, se réjouir pour elle, se comporter en ami.

« Je n'y arriverai jamais, je suis le dernier des cons, et en plus je me couvre de ridicule, c'est complet ! »

Se fâcher avec Laurent n'était pas dramatique, mais continuer à se miner de la sorte finirait par le rendre aigri, infréquentable.

Figé devant le Hugues 300 avec lequel il comptait voler, il enfouit ses mains dans les poches de son blouson. Bon sang, qu'est-ce qui lui arrivait à la fin ? Durant plusieurs minutes il resta planté là, occupé à s'apitoyer sur le sort du pauvre Samuel Hoffmann qui avait tout dans la vie, vraiment tout, sauf la femme qu'il aimait.

Après avoir donné son cours à son élève, il s'aperçut qu'il avait une heure à tuer et il regagna le bar pour y prendre un autre café. Il espérait vaguement trouver Laurent, lui demander de l'excuser, mais celui-ci avait quitté le club sans se donner la peine de chercher un autre instructeur. Déçu, il commanda un express et grimpa sur un tabouret tandis que le barman lui lançait, d'un air goguenard :

— Ne t'assieds pas ici, il y a une dame qui t'attend à une table, là-bas…

En se retournant, Sam découvrit avec stupeur Marianne, installée près d'une baie vitrée. Elle était de dos, absorbée par le spectacle des pistes, une drôle de casquette posée de travers sur ses boucles blondes. Un peu anxieux, il prit sa tasse et la rejoignit.

— Salut, Marianne ! Tu viens nous rendre une petite visite ?

Il s'installa en face d'elle, s'obligeant à sourire.

— C'est toi que je voulais voir, commença-t-elle d'un ton grave. Pour ma première sortie en voiture, ton club fait un bon but de balade.

— En voiture ?

— J'ai acheté une petite japonaise automatique.

— Ah…

— Avec ton argent. Pour ma jambe, une automatique, c'est plus facile.

— Tu as bien fait. Et il ne s'agit pas de mon argent, Marianne.

— Si, si. Sans toi, je n'aurais pas pu me permettre ce luxe. J'ai aussi loué un emplacement de parking dans mon immeuble. Et puis j'ai réglé mes factures en retard, je me suis payé des fringues, et malgré ça mon compte est toujours créditeur ! Je tenais à te remercier, Samuel.

Manifestement, elle se forçait à prononcer chaque phrase comme une leçon bien apprise.

— Tu ne me dois rien, surtout pas des remerciements, assura-t-il fermement. T'aider était le moins que je pouvais faire, je te l'ai expliqué.

Il avait eu un mal fou à lui faire accepter son chèque, qu'elle avait fini par prendre à contrecœur, les lèvres pincées, les larmes aux yeux, et ils ne s'étaient pas revus depuis.

— Marrante, ta casquette, dit-il pour parler d'autre chose.

Fuyant son regard, Marianne fit semblant d'observer le décollage d'un ULM.

— J'aurais peur, là-dedans, murmura-t-elle.

Jamais il ne l'avait emmenée avec lui, même pas pour un baptême de l'air, et il regretta de s'être montré aussi indifférent. Désireux de conserver l'aéroclub comme son territoire, il l'en avait exclue sans s'apercevoir qu'elle souffrait de cette mise à l'écart.

— On peut aller les voir de plus près ?

— Bien sûr ! Si ça t'amuse, je vais demander quel appareil serait libre pour faire un petit tour en fin d'après-midi, ça devrait te plaire.

— Non, Sam, tu es gentil, je n'y tiens pas. J'ai beau

avoir confiance en toi, ces trucs vont beaucoup trop vite pour moi ! Tu sais, je ne suis pas très casse-cou, je ne monte même pas sur les manèges…

La connaissait-il si peu ? Au cours de leur liaison, il ne s'était pas beaucoup intéressé à elle, toujours occupé à chercher le moyen de rompre sans trop la blesser car il ne parvenait pas à l'aimer pour de bon.

Il la précéda vers une porte qui donnait directement sur les pistes. Une fois dehors, il la prit par le bras et commença à lui expliquer l'organisation des taxiways, la manière dont les pilotes se positionnaient aux points d'attente, l'importance du vent, de la température et de la pression atmosphérique au décollage.

— Tiens, regarde, un avion est en approche, il va se poser…

Les mains en visière, ils contemplèrent la descente puis l'atterrissage impeccable d'un Cesna.

— Tu en parles bien, ça te passionne vraiment, remarqua-t-elle d'un air émerveillé.

Elle semblait découvrir quelque chose et devait regretter qu'il ne se soit jamais adressé à elle avec autant de ferveur. Mal à l'aise, Sam estima que le moment était venu d'être tout à fait franc.

— Marianne, écoute… J'ai été lamentable avec toi. J'en suis conscient et j'en ai honte.

— Non, Sam, tu as essayé mille fois de me dire que tu ne m'aimais pas, seulement je ne voulais pas t'entendre. Je m'accrochais, tu cédais, et on remettait ça. Pourquoi n'as-tu pas rompu plus tôt ?

— Par lâcheté et par égoïsme, ce qui n'est pas très glorieux. Tu es jolie, Marianne, j'en ai profité et je m'en veux énormément. Tu mérites autre chose.

Elle ne répondit rien mais se remit en marche, vers le

parking cette fois. Il la laissa prendre un peu d'avance, constatant qu'elle ne boitait plus, puis il la rattrapa.

— Tu t'en vas ?

— Oui, je ne suis venue que pour te promettre de te laisser tranquille maintenant.

D'un geste fier, elle désigna une petite Nissan verte aux chromes étincelants.

— Voilà la merveille !

Ses clefs de voiture à la main, elle fit face à Samuel, qu'elle enveloppa d'un long regard triste.

— Cet argent que tu m'as donné… C'est la pire chose que tu pouvais me faire, Sam.

— Pourquoi ? Je voulais seulement te débarrasser de tes soucis matériels. Je t'ai envoyée à l'hôpital, Marianne !

— Il s'agit d'un accident, nous le savons tous les deux. D'ailleurs tu as limité les dégâts, on aurait pu mourir sous ce camion.

— Tu étais ma passagère, c'est moi qui tenais le volant.

— Heureusement pour nous deux !

Elle essayait de plaisanter, pourtant le cœur n'y était pas.

— Marianne, l'argent n'est pas une injure. Mon intention n'avait rien de méprisant.

— Eh bien, moi, j'ai pris ton chèque pour solde de tout compte. En me l'offrant, tu m'as fait comprendre que c'était fini. Je l'aurais volontiers déchiré, mais qu'est-ce que ça aurait changé ? Tu as acheté ta tranquillité, c'était plus explicite qu'un long discours de rupture.

— Tu as tort, protesta-t-il d'une voix sourde.

Cependant, il n'en était pas certain. Il avait voulu l'aider, mais aussi se déculpabiliser.

— Tu dis que l'argent n'a rien d'injurieux, pourtant quand Pascale en a eu besoin, tu le lui as prêté, tu te serais bien gardé de lui en faire cadeau parce qu'elle te l'aurait jeté à la tête. Elle, tu l'estimes, tu la respectes. Parce que tu l'aimes… Et à mon avis tu l'aimeras toute ta vie, il n'y a aucune place dans ton cœur pour quelqu'un d'autre. Tu devrais la redemander en mariage, Sam, je ne plaisante pas.

Elle n'en avait pas l'air, au contraire, elle paraissait bouleversée, épuisée. Au prix d'un effort visible, elle se détourna et monta dans sa voiture. Avant de démarrer, elle baissa sa vitre.

— J'abandonne la partie, Samuel, ça devrait te soulager. Bonne chance à toi.

Tandis que la Nissan s'éloignait, il se sentit absolument misérable. En dessous de tout mais, oui, soulagé. Toutes les dernières tentatives de séduction de Marianne l'avaient embarrassé et contrarié, au moins il n'aurait plus à faire celui qui ne voulait pas comprendre. L'unique sentiment qu'il éprouvait pour elle était un mélange de compassion et d'affection propre à la révolter, il l'avait dissimulé tant bien que mal, ne sachant plus quel comportement adopter. À présent, Marianne était sortie de sa vie, elle l'avait enfin libéré.

Il regagna l'aéroclub à pas lents, méditant les dernières phrases échangées.

— C'était dans son dossier, dit Laurent d'un ton navré.

La colère secouait Pascale, lui donnait envie de hurler, cependant elle resta muette, les yeux rivés à la fiche qu'il venait de lui remettre, preuve indiscutable que Nadine Clément était bien la fille d'Abel Montague, militaire de carrière.

— Ma mère et Nadine Clément avaient le même

père, articula-t-elle enfin d'une voix sifflante. Elles étaient demi-sœurs, Nadine est donc ma tante. C'est… insensé ! Nous sommes du même sang, elle et moi ? De la même origine ?

Benjamin Montague, lorsqu'elle l'avait rencontré, s'était bien gardée de le lui apprendre, elle s'en souvint avec amertume.

— Quelle famille abjecte ! Ma mère avait raison, ce sont des monstres…

Elle se mit à marcher de long en large, agitant la fiche qu'elle tenait toujours. Au bout d'un moment, Laurent murmura :

— Tu es très belle en colère, on dirait une panthère noire.

Interrompant ses allées et venues, Pascale le regarda sans le voir.

— Tu te rends compte ? Elle a travaillé avec moi, m'a parlé tous les jours pendant des mois en sachant très bien qui j'étais !

— En es-tu certaine ?

— Évidemment ! Même si Fontanel est un nom répandu, j'ai tout de même une grande ressemblance physique avec ma mère. Et ça devait la rendre folle de rage, ce qui explique son antipathie envers moi. Quelle vipère ! Mon Dieu, Laurent, je ne te remercierai jamais assez pour cette mutation à Albi ! Travailler avec Jacques Médéric est une bénédiction.

Pourtant, c'était son patron qui avait semé le doute lorsqu'il avait appelé Nadine « la petite Montague ». L'état civil de cette dernière, en tant qu'employée de l'hôpital Purpan, était forcément dans les dossiers, et Laurent n'avait eu aucun mal à l'obtenir.

— Je te jure, reprit Pascale, j'ai l'impression que je n'en finirai jamais de découvrir des choses, toutes plus horribles les unes que les autres. En m'installant à Peyrolles, je ne savais pas dans quel cauchemar j'allais entrer, sinon…

— Tu serais restée à Paris ?

Avant de répondre, Pascale prit le temps de réfléchir à la question.

— Non, je serais venue malgré tout. Je suis née ici, j'ai le droit d'y vivre. Mais ce ne sont pas mes racines que je retrouve, en fait je déterre tout un écheveau diabolique ! Moi qui me croyais en terrain familier, je suis servie. On imagine connaître les siens, on se voit raconter un jour à ses enfants l'histoire de la famille, et tout ce qu'on sait n'est qu'un tissu de secrets, de non-dits, de mensonges !

Un peu calmée, elle revint s'asseoir près de Laurent, qui continuait à lui sourire gentiment. Avec l'arrivée du printemps, le jardin d'hiver était redevenu sa pièce favorite, d'autant plus qu'Aurore, quelques jours plus tôt, avait déniché dans une braderie de gros coussins rouge et jaune qui rendaient bien plus confortables les fauteuils de rotin. Au-delà des vitres qui les entouraient, les tulipes et les narcisses commençaient à éclore dans les plates-bandes, semant des taches de couleurs vives.

— Je dois t'ennuyer avec toutes mes obsessions, soupira-t-elle.

— Pas du tout. C'est un vrai feuilleton, ça m'intéresse énormément. Et puis, du moment que ça te touche…

Il prit sa main, la caressa du bout des doigts, remonta sur le poignet, l'avant-bras, jusqu'à ce qu'elle tressaille.

— Avec cette véranda, dit-il à voix basse, on a l'impression d'être au milieu du parc, et moi je te ferais volontiers l'amour dans la nature.

Elle se laissa embrasser mais, lorsqu'il souleva son pull, elle l'arrêta.

— Non, Laurent, pas maintenant.

Sans manifester de contrariété, il s'écarta un peu d'elle.

— Désolée… Je n'arrive pas à penser à autre chose qu'à Nadine, à ma mère, à Julia.

— Tu la rencontres samedi ?

— Oui, et franchement, ça me rend malade d'avance

L'avis favorable de l'équipe médicale et du conseil administratif qui s'occupaient de Julia était enfin arrivé, prenant Pascale de court. Autant elle avait désiré faire la connaissance de sa demi-sœur, autant l'imminence de l'échéance la paniquait. Ce rendez-vous, fixé dans l'établissement où résidait Julia, lui semblait soudain presque au-dessus de ses forces.

— Veux-tu que je t'accompagne ?

Pascale secoua la tête en signe de refus. Elle n'avait aucune idée de l'état dans lequel elle serait en sortant et ne tenait pas à faire une crise de larmes sur l'épaule de Laurent. Il était pourtant gentil, très gentil, *trop* gentil. Trop présent, aussi, trop concerné par tout ce qu'elle faisait. Parfois elle se croyait amoureuse de lui – surtout quand ils étaient au lit, car leur entente physique avait quelque chose d'exceptionnel –, et à d'autres moments elle pensait le contraire, ce qui la mettait très mal à l'aise. Bien sûr, elle se réjouissait dès qu'ils devaient passer une soirée ensemble, appréciait beaucoup sa manière attentive d'écouter, mais il manquait quelque chose à cet homme et elle ne savait pas quoi.

— Je t'appellerai pour te raconter, promis.

— En attendant, proposa-t-il, on va sortir dîner. J'ai réservé à L'Esprit du vin, il semblerait que ce soit l'une des meilleures adresses d'Albi.

Elle acquiesça en souriant alors que l'idée ne la

réjouissait qu'à moitié. Ses préoccupations l'empêchaient-elles de profiter des bons moments ? Laurent était amateur de grands restaurants, et depuis que Pascale avait quitté Purpan il n'hésitait pas à se montrer partout avec elle, heureux de lui faire découvrir ses tables favorites.

— C'est juste en contrebas de la cathédrale, dans une ancienne dépendance du palais de la Berbie, avec une salle à manger voûtée… Tu as faim ?

— Pas vraiment, avoua-t-elle.

— D'accord, mais l'appétit vient en mangeant et ça te fera oublier tes soucis.

Sans doute voulait-il la distraire, et elle n'avait aucune raison de gâcher leur soirée, néanmoins l'insistance de Laurent l'agaça.

— Je vais me changer, décida-t-elle, je reviens tout de suite. Sers-toi quelque chose à boire si tu veux !

Elle avait envie d'être seule cinq minutes pour mettre de l'ordre dans ses idées. Que lui arrivait-il donc ? Était-ce uniquement la perspective de sa rencontre avec Julia qui la perturbait ? Ou bien devinait-elle que Laurent n'allait plus tarder à lui parler d'avenir ? Lorsqu'il restait à Peyrolles pour la nuit, au moment de s'endormir il prononçait souvent des serments d'amour définitifs. Le genre de déclarations qu'elle ne voulait pas entendre, pas encore en tout cas, ou peut-être pas de lui, et qui la faisaient fuir à l'autre bout du lit au lieu de rester dans ses bras.

Nerveuse, elle grimpa jusqu'à sa salle de bains, où elle s'enferma. Devant la glace, elle se détailla sans indulgence. Trente-trois ans bientôt, déjà des rides au coin des yeux. Machinalement, elle se remaquilla en posant un nuage de poudre, un peu de blush sur les pommettes, une touche de mascara sur les cils.

— Tu fais tout pour lui plaire, ma vieille…

Lui plaire, oui, le séduire, voir s'allumer un désir qu'elle partageait, mais pas se l'attacher pour la vie !

— Pourtant, ce serait le moment, n'attends pas la quarantaine.

De là à s'imaginer mariée avec Laurent, il existait cependant un gouffre.

— Il va te le demander, j'en suis sûre. Bien beau s'il ne te fait pas le coup de la bague surprise, il en serait capable. Et tu lui diras quoi ? Que tu as besoin de temps pour y réfléchir ? Ah, c'est flatteur…

Elle déposa une goutte de parfum derrière chaque oreille tout en se taxant d'incohérence. Désirait-elle maintenir Laurent dans le rôle de l'amant épisodique avec qui prendre du bon temps et rien de plus ?

— C'est l'homme idéal, pourquoi refuserais-tu de t'engager ?

Sur le point de sortir, la main sur la poignée de la porte, elle se figea, frappée par une évidence qui venait de s'abattre sur elle avec la violence d'une gifle. Quelle étrange découverte… La raison de ses réticences et de ses doutes s'appelait Samuel. Car épouser Laurent reviendrait à perdre Sam pour toujours, sa tendresse comme sa complicité, et ça, elle n'y était pas prête.

Elle se retourna vers la glace, contempla son reflet. Samuel, vraiment ? Non, impossible, c'était une fausse impression, probablement due au désarroi. Elle était très vulnérable ces jours-ci et le resterait tant qu'elle n'aurait pas vu Julia. Sam était son rempart, il l'avait toujours été, mais elle devait s'en affranchir ou bien elle allait tout gâcher.

D'un geste résolu, elle ouvrit la porte, soudain pressée de rejoindre Laurent.

11

Ce samedi-là, le temps était radieux, avec juste une pointe de vent d'autan pour réchauffer la température. Samuel filait sur la nationale 112 en direction de Castres, respectant le silence farouche de Pascale, qui ne desserrait pas les dents. De temps à autre, il se contentait de lui jeter un coup d'œil, inquiet de la voir si tendue.

— Nous allons bientôt arriver, annonça-t-il.

Il prit une feuille posée sur le tableau de bord pour vérifier l'itinéraire. La veille, juste après l'appel de Pascale, il avait établi un plan d'accès destiné à leur éviter de se tromper dix fois de route, l'établissement étant situé en dehors de la ville, dans un endroit retiré sur une des berges de l'Agout.

— Tout ira bien, répéta-t-il d'une voix apaisante.

C'était peu probable, mais à quoi bon l'angoisser davantage ? Au téléphone, elle lui avait semblé si anxieuse, si perdue, qu'il avait pris la décision de l'accompagner alors qu'elle ne le lui demandait pas. Impossible de la laisser aller seule là-bas, il était manifeste qu'elle en ressortirait le cœur en mille morceaux. Sur le coup, il ne s'était pas demandé pourquoi Laurent ne lui servait pas d'ange gardien, et en y réfléchissant il avait conclu qu'elle serait mieux avec lui, de toute façon. Une déduction qui l'arrangeait, certes, seulement même si Laurent était adorable avec elle – ce qu'il devait être –, même si elle était folle de lui – ce qu'à Dieu ne plaise ! –, ils ne se connaissaient pas depuis assez longtemps pour qu'elle lui fasse une confiance aveugle.

L'institut médicalisé où avait été placée Julia n'était pas référencé comme asilaire, mais il ne s'agissait pas non plus d'un atelier professionnel, ni médico-professionnel, ce qui signifiait que Julia n'était pas en état d'avoir une quelconque activité.

Sur la petite départementale qu'ils suivaient apparut soudain un panneau discret signalant l'entrée de l'établissement. Samuel s'engagea dans l'allée tandis qu'à ses côtés Pascale se raidissait davantage. Au bout d'un parc assez bien entretenu, ils trouvèrent le parking des visiteurs, qui ne comportait qu'une douzaine de places, toutes libres.

— Je t'attendrai ici, déclara Samuel. Prends ton temps…

Pascale hocha la tête, esquissant un sourire pitoyable. Elle portait un tee-shirt noir et un blouson en jean, avait attaché ses longs cheveux en queue-de-cheval. Sam la trouvait superbe mais il s'abstint de le lui dire, ce n'était ni le moment ni l'endroit.

— Courage, chérie.

Il la prit dans ses bras et la serra très fort puis, se penchant au-dessus d'elle, il ouvrit sa portière.

— À tout à l'heure, dit-elle d'une voix sans timbre.

Elle descendit de voiture, les yeux fixés sur la façade d'une grande bâtisse ocre aux volets blancs construite en U autour d'une cour fleurie. Levant la tête, elle compta une quinzaine de fenêtres, sans doute les chambres des pensionnaires.

Alors qu'elle se dirigeait vers l'entrée, la porte vitrée

coulissa et une femme sortit, venant à sa rencontre. Petite, rondelette et souriante, elle s'avançait la main tendue.

— Vous êtes le Dr Fontanel ? Je suis Violaine Carroix, la responsable de l'institut. Nous nous sommes parlé au téléphone…

— Oui, absolument. Enchantée de vous rencontrer.

— Si vous voulez bien, nous allons d'abord passer par mon bureau.

Elle précéda Pascale dans un hall ensoleillé et moderne, puis le long d'un couloir qui ressemblait à ceux des hôpitaux, couvert de linoléum et assez large pour laisser circuler des brancards ou des fauteuils roulants.

— Notre établissement a été construit après guerre, mais il a été modernisé à plusieurs reprises et, dans l'ensemble, nos installations sont satisfaisantes. Entrez, je vous en prie.

Elles prirent place de part et d'autre d'un grand bureau en bois clair sur lequel était posé un bouquet de fleurs.

— Dr Fontanel, j'ai ici votre dossier, qui a suscité un certain émoi parmi le personnel, vous vous en doutez.

Violaine Carroix lui souriait chaleureusement, pourtant Pascale se sentait figée, glacée, et elle ne répondit rien.

— Votre demande a été une vraie surprise pour nous tous, reprit Violaine. Une bonne surprise ! Julia est ici depuis bientôt dix ans et jamais je n'aurais pu imaginer qu'un membre de sa famille la rechercherait un jour…

— Je n'ai appris son existence que l'hiver dernier.

— Oui, c'est ce que j'ai compris. Votre démarche est très louable… En tant que médecin, vous savez à quel point les gens atteints du syndrome de Down sont doux et affectueux. Les visites, les attentions, les petits cadeaux leur causent toujours beaucoup de plaisir.

Pascale remarqua avec soulagement que Violaine n'avait pas utilisé les termes « trisomique » ni « mongolien », aux connotations trop négatives.

— Nous essayons d'entourer chacun de nos pensionnaires, mais Julia est particulièrement appréciée du personnel, même si sa faculté de communication est très… réduite. Elle est comme une enfant en bas âge, avec des difficultés de coordination qui vont s'aggravant.

Violaine laissa passer un petit silence, que Pascale finit par interrompre.

— Quel est son QI ?

— Trente.

La moyenne des malades atteints de trisomie 21 se situait autour de cinquante, la normale se trouvant entre quatre-vingt-cinq et cent vingt. Pascale hocha la tête sans pouvoir parler. Son émotion devait être visible car Violaine lui laissa le temps de se reprendre en baissant les yeux vers le dossier ouvert devant elle.

— Julia a toujours été dans des établissements très spécialisés car elle a besoin d'assistance pour un certain nombre de gestes quotidiens. Son espérance de vie était en principe d'une vingtaine d'années, mais la nature en a décidé autrement. Pour l'instant, son état de santé est stable, et bien entendu vous aurez accès à l'intégralité de son dossier médical. Avez-vous des questions à me poser ?

Un nouveau silence les sépara. Pascale avait envie de fuir, elle dut serrer très fort ses mains autour des accoudoirs du fauteuil pour ne pas bouger.

— Non, pas maintenant, dit-elle dans un souffle. Je crois que j'aimerais voir Julia d'abord.

— Vous ne souhaitez pas, au préalable, vous entretenir avec le pédopsychiatre qui la suit ?

— Non…

Retarder encore l'échéance devenait une torture, et Violaine Carroix parut le comprendre.

— Venez, fit-elle en se levant.

De nouveau, elles empruntèrent le couloir, cette fois dans la direction opposée à la sortie. Pascale avait l'impression d'avoir des semelles de plomb. Désespérément, elle essayait de se préparer au pire tout en regrettant amèrement de s'être crue assez forte. Jamais Samuel ne lui avait autant manqué qu'à cette minute. Pas son père ni son frère, non, juste Sam, qui heureusement l'attendait dehors.

Violaine s'arrêta à l'entrée d'une salle de jeux dont la porte était grande ouverte. Vaste et bien éclairée par de larges baies vitrées, la pièce comportait une télévision, d'épais tapis de caoutchouc sur lesquels s'entassaient des jouets, des fauteuils en mousse aux couleurs vives, des tables et des chaises en plastique. Il n'y avait que deux personnes, assises près de la télévision et qui leur tournaient le dos. Comme l'une d'elles portait une blouse blanche, le regard de Pascale se posa sur l'autre.

— À cette heure-ci, expliqua Violaine, tout le monde est en train de goûter au réfectoire, mais nous avons fait manger Julia avant. Allez-y…

Clouée sur place, Pascale prit une profonde inspiration. Elle se jura une dernière fois de ne chercher aucune ressemblance, de ne surtout pas penser à sa mère, et elle avança. L'aide-soignante se leva à son approche, sourire aux lèvres, tout en éteignant la télévision.

— Voilà la dame que nous attendions, Julia !

De la même manière qu'elle se serait jetée à l'eau,

Pascale franchit la distance qui la séparait encore de sa demi-sœur, contourna le fauteuil et s'assit face à elle.

— Bonjour, Julia, dit-elle doucement.

Elle vit exactement ce qu'elle s'attendait à voir, enregistrant le moindre détail de façon clinique. L'aspect aplati et pseudo-asiatique du visage, caractéristique de l'anomalie chromosomique, était accentué par les origines vietnamiennes de Julia. Un nez placé haut, aucune ride, des lèvres épaisses et un abdomen volumineux, comme prévu. Et puis des cheveux noirs, coupés trop court pour des raisons pratiques.

— Je m'appelle Pascale.

Les yeux sombres étaient doux comme du velours. Pascale s'accrocha à ce regard en ignorant le reste.

— Je suis contente de te voir, Julia.

Un son inarticulé lui répondit d'abord, mais quelques instants plus tard, un mot se forma, compréhensible.

— Pa… cal.

— Pascale, c'est ça. Toi, tu es Julia.

— Chulia Nannn.

Tout ce que Pascale avait réussi à refouler jusque-là la prit brutalement à la gorge quand celle qui lui faisait face, avachie dans son fauteuil à cause de l'hypotonie musculaire, esquissa un sourire hésitant.

— Julia Nhàn, oui, tu as raison. Julia Sans soucis. Ma sœur. On va bien s'aimer, toutes les deux. Tu veux ?

Elle ne s'aperçut pas tout de suite qu'elle pleurait, tandis que le sourire de Julia s'épanouissait béatement.

Sam avait fini par descendre de voiture. Il devinait que Pascale ne serait pas très longue à revenir. D'abord parce qu'elle n'avait pas grand-chose à apprendre de l'équipe médicale, s'étant énormément documentée depuis des semaines sur le syndrome de Down, ensuite parce que, au bout de quelques minutes d'entretien, Julia Coste se désintéresserait probablement d'elle. Cette rencontre ne pouvait pas se dérouler comme des retrouvailles entre sœurs, ni même comme une découverte au sens propre du terme. Pas de souvenirs à échanger, pas d'histoires à raconter ni d'émotions à partager. La seule question, cruciale, concernait l'avenir. Pascale allait-elle décider de venir régulièrement ? Voudrait-elle gagner l'affection de Julia et lui en prodiguer ? La connaissant, Sam en était convaincu. L'une des qualités de Pascale était sa ténacité, parfois poussée jusqu'à l'obstination ; elle s'entêterait sûrement à compenser le manque d'amour dont Julia avait été victime.

Samuel se souvenait très bien de Camille. Une belle-mère charmante, pas bavarde et très douce, devenue peu à peu neurasthénique. En la voyant si maternelle, personne n'aurait pu supposer qu'elle avait été capable d'abandonner une de ses enfants, handicapée de surcroît. Henry s'acharnait à protéger sa femme, qu'il savait fragile d'un point de vue émotionnel, et il avait parfaitement gardé le secret de son passé. Un secret qui avait dû peser très lourd sur la pauvre Camille.

Les Fontanel comptaient encore beaucoup pour Sam, malgré son divorce il ne s'était pas détaché d'eux, peut-être parce qu'il avait besoin d'une famille, n'ayant plus aucun parent, ou bien parce que Henry et Adrien le reliaient à Pascale. Comme l'avait constaté Marianne avec aigreur : il n'avait toujours pas tourné la page.

Après avoir fait deux fois le tour du parc, il revint s'asseoir sur le capot de sa voiture et observa discrètement certains des pensionnaires qui venaient de sortir pour une promenade. Encadrés par les éducateurs, ceux qui étaient valides essayaient de se passer un ballon, les autres suivaient dans des fauteuils roulants, une couverture sur les genoux. Un spectacle attendrissant et pathétique. Dans quel état Pascale allait-elle sortir de là ?

Il la vit enfin émerger du bâtiment, seule. Elle marchait la tête basse, les mains enfoncées dans les poches de son blouson. Ses cheveux étaient détachés et tombaient à présent sur ses épaules. Elle vint droit sur lui, sans regarder personne.

— On peut y aller, lâcha-t-elle d'une voix atone.

Sam tendit la main et elle s'abattit contre lui, éclatant en sanglots convulsifs.

— Je suis là, ma Pascale, calme-toi…

Tout en la tenant bien serrée, il l'entraîna vers une allée déserte, l'obligeant à marcher jusqu'à ce qu'ils soient hors de vue.

— Tu as des Kleenex dans ton sac ?

Elle sortit une pochette, en prit un pour se moucher, puis un autre pour essuyer ses joues.

— Donne-moi ça, ton mascara a coulé.

Pendant qu'il tentait de réparer les dégâts, elle refit sa queue-de-cheval.

— Elle… Julia voulait toucher mes cheveux, expliqua-t-elle.

La tête levée vers lui, elle semblait si effroyablement triste qu'il en fut bouleversé.

— Comment est-elle ?

— Comme tu l'imagines.

— Vous avez pu… parler ?

— Oui. Quelques mots. Elle ne communique pas vraiment mais elle comprend très bien. Je pense que je pourrai devenir une sorte d'amie pour elle, à condition que mes visites ne la perturbent pas. Les gens qui s'occupent d'elle ont l'air d'être gentils, compétents. Il n'y a rien de tragique, ici…

Des cris leur parvenaient, semblables au chahut d'une cour d'école. Sam reprit Pascale dans ses bras, la serra de nouveau contre lui.

— Tu feras ce que tu voudras, mais attends d'y voir clair, pour l'instant tu es sous le choc.

Il sentit qu'elle se détendait un peu, qu'elle reprenait son souffle. La tête dans son cou, elle murmura :

— Bon sang, c'était difficile ! J'ai failli caler, m'arrêter au bureau de la directrice et ne pas aller plus loin. J'aurais aimé que tu sois là pour me pousser dans le dos.

— Tu y es arrivée toute seule.

Elle étouffa un petit rire sans joie, toujours collée à lui. Pour rien au monde il n'aurait desserré son étreinte et il se mit à lui caresser les cheveux, d'un geste apaisant. Durant combien de nuits avait-il rêvé de pouvoir la tenir de cette façon ? Il respirait son parfum, percevait même ses battements de cœur. Beaucoup plus troublé qu'il ne l'aurait voulu, il glissa une main sur sa nuque, toucha sa peau.

— Sam ?

Elle renversa la tête en arrière pour pouvoir le regarder, sans chercher à se dégager. Durant quelques instants elle le considéra, sourcils froncés, puis son visage s'éclaira, ses yeux s'étirèrent vers les tempes.

— Sam, comment peux-tu… ?

Cette fois elle eut un vrai rire, très gai, qui le fit se sentir ridicule.

— Excuse-moi, dit-il en la lâchant. C'est très malvenu, j'ai honte, mais tu m'as toujours fait cet effet-là !

Contre toute attente, elle se mit sur la pointe des pieds et lui déposa un baiser léger sur les lèvres.

— Tu me ramènes ?

Le prenant par la main, elle l'entraîna vers le parking.

Aurore venait de terminer son service et était en train de se changer dans le vestiaire des infirmières. Un peu inquiète, elle se demandait si Pascale allait mettre sa menace à exécution. Avec son caractère inflexible, c'était probable, d'autant plus que sa rencontre avec Julia l'avait vraiment secouée. Tout le dimanche, elles étaient restées entre filles, déclinant les invitations respectives de Georges et de Laurent. Pascale avait besoin de s'épancher et Aurore l'avait laissée parler. Longtemps, elles s'étaient promenées dans le parc de Peyrolles, désherbant distraitement les plates-bandes au passage, profitant du soleil printanier et ressassant l'histoire de Julia.

La pendule du vestiaire indiquait dix-neuf heures. C'était en principe le moment où Nadine Clément quittait l'hôpital. Si elle avait pu deviner ce qui l'attendait, peut-être aurait-elle été moins désagréable avec tout le monde ! Aurore enfila son manteau et sortit. Son amitié pour Pascale ne l'avait évidemment pas rendue sympathique à Nadine, qui ne lui facilitait pas la vie dans le service, et à compter de ce soir, ce serait sans doute pire. Au cas où l'atmosphère deviendrait irrespirable, Aurore pourrait demander sa mutation elle aussi. Retrouver Pascale à Albi était une idée séduisante, qui la rapprocherait de Peyrolles… mais l'éloignerait de Georges. Or celui-ci posait de plus en plus souvent la question de cette distance qui les séparait, évoquant une éventuelle vie commune.

Que faire ? Aurore était amoureuse de lui, néanmoins elle n'envisageait toujours pas de changer d'existence. Pourquoi faudrait-il qu'elle quitte cette envoûtante propriété de Peyrolles où elle se sentait si bien ?

Abandonner ses fous rires complices et ses conversations débridées avec Pascale, renoncer aux feux de cheminée de l'hiver ou au farniente sur la pelouse l'été, ne plus être réveillée par le chant des oiseaux ? Non, elle voulait rester indépendante, libre de décider chaque matin de ce que serait sa journée, sa soirée, et pouvoir continuer à avoir rendez-vous avec l'homme de son cœur plutôt que sombrer dans le quotidien. Seulement voilà, combien de temps Georges allait-il supporter ses dérobades ?

Préoccupée, elle se dirigea vers les ascenseurs et vit trop tard Nadine Clément qui attendait devant les portes métalliques, appuyant nerveusement sur le bouton d'appel.

— Il est en panne ou quoi ? lança-t-elle rageusement à Aurore.

Au même instant, la cabine arriva enfin et Nadine s'y engouffra.

— Vous venez, ma petite ?

Une appellation détestable, infligée à toutes les infirmières. Aurore la rejoignit à contrecœur, peu décidée à être le témoin de ce qui allait suivre. Au rez-de-chaussée, dès que les portes s'ouvrirent, elle chercha Pascale du regard et l'aperçut qui faisait nerveusement les cent pas.

— J'ai oublié quelque chose là-haut, bredouilla-t-elle en reculant.

Nadine leva les yeux au ciel et sortit de l'ascenseur sans lui adresser un regard. Il y avait beaucoup de monde dans le hall, à cette heure-ci les équipes de nuit prenaient la relève tandis que les médecins de jour et les visiteurs quittaient l'hôpital. Nadine aussi avait hâte de rentrer chez elle pour souffler un peu. L'âge venant, elle supportait moins bien l'infernale cadence de travail qu'elle s'imposait – et qu'elle exigeait des autres. Elle aurait déjà dû être à la retraite mais elle ne voulait même pas y penser.

— Madame Clément !

Plantée devant elle, Pascale Fontanel lui barrait la route.

— Il faut que je vous parle…

Nadine toisa Pascale des pieds à la tête, surprise et contrariée. Qu'est-ce que cette peste fabriquait à Purpan ? Elle venait chercher son amie Aurore ? Ah non, bien sûr, elle était là pour Villeneuve ! Le bruit avait fait le tour de l'hôpital, de la ville tout entière : la petite Fontanel était la maîtresse de Laurent Villeneuve.

— À quel sujet ? Je suis pressée !

— C'est important, mais nous ne devrions pas rester ici.

— Et où voulez-vous donc aller, Dr Fontanel ? railla Nadine.

— Sortons, on trouvera bien un coin tranquille.

Le ton était glacial, avec une pointe d'agressivité qui intrigua Nadine sans vraiment l'inquiéter. Dans *son* hôpital, personne ne lui montait jamais sur les pieds.

— Allons-y, à condition de faire vite ! concéda-t-elle en se dirigeant à grands pas vers la sortie.

De manière incongrue, une ancienne réflexion de son père lui traversa soudain l'esprit : « Ne marche pas comme un hussard. » Elle réprima un sourire en songeant que, petite fille, elle fonçait déjà dans la vie. Et ça lui avait réussi !

— Ici, ce sera très bien, dit Pascale derrière elle. C'est pour vous que je cherche la discrétion, pas pour moi.

Nadine s'arrêta et fit volte-face. La moutarde commençait à lui monter au nez, toutefois quelque chose dans l'attitude de Pascale l'empêcha de s'insurger. Elles s'étaient un peu éloignées et se trouvaient devant l'un des bâtiments administratifs, à l'écart du passage.

— J'ai une histoire à vous raconter, Nadine, une histoire dont vous ne connaissez pas la fin. Je vous appelle par votre prénom puisque nous sommes de proches parentes…

Nadine resta muette, interloquée. Qui avait mis cette pimbêche au courant ? Comment avait-elle fait le rapprochement ? Des idées se bousculaient dans sa tête tandis qu'elle fixait Pascale en silence.

— J'ai rencontré votre frère Benjamin il y a quelques mois, vous devez le savoir… Il y a tant de choses que vous saviez, contrairement à moi !

— Je ne tiens pas à entrer dans ces considérations, réussit à dire Nadine avec fermeté.

— Considérations ? Voyons, Nadine, je suis votre nièce, votre père était mon grand-père, ça me donne le droit d'évoquer la famille.

— Vous n'avez aucun droit ! Et j'en ai assez entendu…

Nadine esquissa un pas de côté, mais la main de Pascale se referma sur son bras.

— Vous allez m'écouter, ne faisons pas de scandale.

La détermination et le calme de la jeune femme commençaient à alarmer Nadine. Relevant le menton, elle hésita puis lui fit signe de poursuivre.

— C'était un véritable puzzle pour moi, reprit Pascale, que j'ai été obligée de reconstituer toute seule car chez moi on ne parlait pas volontiers des Montague. Vous avez passé une grande partie de votre enfance avec ma mère, jusqu'à ce qu'elle soit envoyée en pension. À en juger par ce qui est arrivé ensuite, vous deviez la détester. Benjamin se contentait de ne pas la voir, je suppose que votre autre frère aussi, mais vous et votre mère l'avez sûrement haïe pour la traiter aussi mal.

— Des mauvais traitements ? Allons donc ! Ne dites pas de sottises, Camille n'a jamais été…

— Brutalisée ? Encore heureux ! Elle a juste été délaissée, ignorée, mise à l'écart.

— Bon, trancha Nadine nerveusement, c'était il y a cinquante ans, je ne m'en souviens plus.

— Je vais vous rafraîchir la mémoire. Ma mère a été émancipée parce que les Montague voulaient se débarrasser d'elle. Livrée à elle-même, seule à Paris et sans un sou, elle a rencontré un homme du nom de Raoul Coste. Enceinte de lui, elle l'a épousé et a accouché d'une petite fille atteinte du syndrome de Down. Coste en a profité pour la quitter. Elle n'avait aucune ressource, même pas de métier, votre mère ne lui ayant pas permis de faire des études. Alors elle est revenue, sûrement la mort dans l'âme, mais elle n'avait que vous. Elle a dû croire que vous ne seriez pas assez monstrueux pour la rejeter une fois de plus, pourtant vous l'avez fait. Vous, vos frères, votre mère… Aucun de vous quatre ne lui a tendu la main. Elle n'avait même pas de quoi nourrir son bébé, elle était aux abois.

Nadine haussa les épaules, retenant de justesse une réflexion cynique sur cette histoire de Cendrillon, malheureusement Pascale n'inventait rien. Décidée à la moucher et à la faire taire, elle riposta :

— À qui la faute ? Camille s'était fait faire un enfant par le premier venu, vous le dites vous-même, nous n'étions pas responsables de ses frasques !

— Oh, si ! C'était à cause de vous, de votre égoïsme et de votre méchanceté qu'elle se trouvait déracinée et sans recours. À ce moment-là, elle avait vingt et un ans et vous n'étiez pas loin de la trentaine, Nadine… Déjà médecin ? Vous aviez prononcé le serment d'Hippocrate mais vous n'avez pas eu une once de compassion pour votre sœur en perdition, ni pour son enfant qui avait besoin de soins.

Nadine se serait volontiers bouché les oreilles, elle aurait donné n'importe quoi pour arrêter ce flot de paroles. Elle ne voulait pas se souvenir de cette époque, ni de cette horrible Camille qui avait tout gâché.

— Le petit trisomique est mort en bas âge, protesta-t-elle, et que je sache, ce n'est pas nous qui l'avons tué !

— Morte ? Oh, non ! La petite fille a survécu et vit encore. Ma mère a été obligée de l'abandonner à la DDASS, elle n'avait pas d'autre solution. À cause de vous, toujours !

Ébranlée, Nadine recula d'un pas et s'appuya au mur derrière elle. L'enfant de Camille, vivante ? Elle l'avait aperçue une seule fois, le jour où Camille était venue sonner chez les Montague. Un curieux bébé, sur le sort duquel on n'avait pas envie de s'apitoyer. Camille demandait de l'aide, oui, mais tout le monde considérait qu'elle avait eu ce qu'elle méritait. Le mari en fuite, un gosse handicapé sur les bras, et elle espérait que les Montague allaient payer les pots cassés ? La mère de Nadine avait flanqué Camille et son enfant dehors.

— Si vous voulez aller la voir, Nadine, ce n'est pas loin d'ici, l'établissement se trouve à la sortie de Castres.

— Pourquoi irais-je ? s'écria-t-elle d'une voix trop aiguë.

Le regard sombre de Pascale la vrillait. Exactement les yeux de Camille, même forme, même couleur.

— Ce n'est pas à moi qu'elle s'est adressée, je n'ai rien à me reprocher, affirma-t-elle plus bas.

— Pourtant, vous deviez vous sentir assez coupable pour ne pas oser me révéler qui vous êtes. Vous vous en êtes bien gardée.

— Pour ne pas faire d'histoires. Ne pas provoquer ce déballage inutile que vous m'imposez ce soir.

— Si c'est du linge sale, on peut le laver ensemble, je vous rappelle que nous sommes de la même famille, que ça vous plaise ou non !

Nadine essayait de résister encore, mais elle commençait à éprouver un véritable malaise. Tout ce récit sordide la ramenait trop loin en arrière, elle ne voulait pas se souvenir.

— Il n'y a qu'un point sur lequel nous sommes sûrement d'accord, poursuivit impitoyablement Pascale. Mon grand-père, le fameux Abel Montague, l'officier pénétré d'un si grand sens du devoir, n'aurait jamais dû ramener ma mère en France ! Même la plus misérable des existences au Viêtnam aurait été moins dure pour elle que ce que vous lui avez fait subir. S'appeler Montague, vous avoir pour famille était bien le pire qui pouvait lui arriver. Au bout du compte, vous l'avez détruite, elle est morte neurasthénique. Voilà ce que je tenais à vous dire, réjouissez-vous si vous voulez... Bonsoir, Nadine.

Pascale se détourna brusquement et s'éloigna de sa démarche décidée. Quelle violence sous-jacente chez cette femme ! Et ses propos vindicatifs, chargés de haine... Nadine laissa échapper un long soupir. Avait-elle retenu son souffle ? Elle éprouvait un peu de difficulté à respirer. Lentement, elle desserra ses doigts moites cramponnés à la bandoulière de son sac. Elle ne devait pas rester là, plantée toute seule devant ce mur, n'importe qui pouvait la voir et se poser des questions.

Telle une somnambule, elle marcha jusqu'à

l'emplacement où était garée sa voiture. Une fois affalée sur le siège conducteur, elle ne mit pas tout de suite le contact, profondément perturbée par la scène qu'elle venait de subir. Durant de nombreuses années, elle avait réussi à occulter tout ce qui concernait Camille, en particulier l'épisode de son retour à Toulouse, et cette punaise de Pascale l'obligeait soudain à s'en souvenir les moindres détails. C'était arrivé un jour gris de novembre et il n'y avait eu que quelques minutes d'entretien, sur le pas de la porte, entre la mère de Nadine et Camille. Une fin de non-recevoir prononcée sans états d'âme, ratifiée par Nadine elle-même, qui, oui, était tout jeune médecin à l'époque. Pourquoi aurait-elle dû secourir Camille, qu'elle détestait ? Camille qui lui avait volé l'affection de son père, qui avait fait de sa mère une femme aigrie, Camille l'usurpatrice, la *face de citron*…

Un hoquet secoua Nadine. Malgré sa dureté de caractère, le contact permanent avec des malades l'avait humanisée au fil du temps, elle n'était plus la même qu'à trente ans. Aujourd'hui, si Camille sonnait de nouveau, un bébé handicapé dans les bras, sans doute piquerait-elle une de ses colères légendaires, mais elle ne lui fermerait pas la porte au nez. Malheureusement, elle ne pouvait pas revenir en arrière pour récrire l'histoire. Elle avait cru, en toute bonne foi, l'enfant décédée peu après. Ensuite, elle avait appris le second mariage de Camille avec Henry Fontanel, un médecin d'Albi, ce qui réglait la situation et effaçait d'éventuels remords. Remords dont la dernière trace avait disparu avec le camouflet infligé par Camille lors de la succession. L'imbécile renonçait à sa part d'héritage uniquement pour ne pas rencontrer Nadine et ses frères !

La nausée s'intensifiait et Nadine fouilla dans son sac

en quête d'un comprimé de Primpéran. Bon sang, elle n'allait tout de même pas être malade dans la cour de l'hôpital ? Et pourquoi se torturait-elle de la sorte ? Elle ne devait plus penser à tout ça. Jamais. Pascale avait craché son venin, elle ne reviendrait pas, on n'en parlerait plus.

Au moment où elle se décidait enfin à tendre la main vers la clef de contact, elle suspendit son geste. *À la sortie de Castres*... Qu'existait-il comme établissements spécialisés du côté de Castres ? Ce serait facile à savoir, et peut-être le meilleur moyen de se débarrasser de toute cette vilaine histoire était-il d'aller voir sur place.

« Tu es folle, ma parole ! Voir quoi ? »

Personne n'y pouvait rien, la petite était née trisomique, il n'y avait pas d'autre responsable que le destin. Sauf que les enfants atteints du syndrome de Down avaient besoin de beaucoup d'affection, et ce n'était pas en devenant pupille de la nation… Comment Camille avait-elle pu s'y résoudre ? Elle était démunie à ce point-là ? Elle, oui, mais pas les Montague, Abel ayant laissé une coquette fortune derrière lui. À l'évidence, ils auraient pu faire quelque chose.

« C'est terrible… »

Nadine ne savait plus exactement où se situait le pire entre la visite de Pascale, les souvenirs indésirables et sa propre culpabilité qui la prenait soudain à la gorge. Elle démarra sur les chapeaux de roues, comme si elle avait le diable à ses trousses.

La semaine avait été interminable, le planning du bloc devenait dément et Samuel n'en pouvait plus. Si la pénurie d'anesthésistes devait durer, ceux qui exerçaient allaient finir par travailler vingt heures par jour. Pourquoi cette spécialité ne tentait-elle plus personne ? À cause de la menace des procès qui commençaient à être intentés ici ou là, suivant le mauvais exemple des États-Unis ? Quoi qu'il en soit, l'avenir s'annonçait difficile et Samuel était vraiment fatigué. D'autant plus que les chirurgiens l'appréciaient particulièrement et se le disputaient. Il aurait pu se sentir flatté de leur préférence, mais il était trop préoccupé par sa vie privée pour y songer.

Le temps était venu de faire table rase. Soit il renonçait à Pascale, soit il deviendrait fou. Depuis le samedi précédent, il n'avait pensé qu'à elle. Au désir lancinant qu'elle lui inspirait, au besoin impérieux de la protéger et de la consoler, à l'insupportable douleur éprouvée en la laissant devant les grilles de Peyrolles. En revenant de Castres, il l'avait déposée là ainsi qu'elle l'avait souhaité, et il était rentré chez lui. Chez lui où il n'y avait rien à faire, personne à aimer.

Presque chaque soir, il était sorti. Les copains devant qui il faisait bonne figure, les bars enfumés où des tas de jolies filles lui souriaient : rien ne parvenait à le distraire. Et tout ça pour quoi ? Parce qu'il avait tenu Pascale dans ses bras et senti battre son cœur. Un instant qui l'avait déchiré, lui remettant en mémoire leurs années de bonheur.

Elle lui avait téléphoné le mardi pour lui raconter d'une voix encore vibrante de rage son entrevue avec Nadine Clément, mais lorsqu'il avait voulu la joindre deux jours plus tard pour prendre de ses nouvelles il était tombé sur sa messagerie et elle n'avait pas rappelé depuis, sans doute trop accaparée par Laurent.

Heureusement, le week-end était enfin là, Sam allait pouvoir voler, peut-être même prendrait-il un avion pour faire un peu de voltige si ses élèves lui en laissaient le temps. Comme la plupart des pilotes, une fois dans le ciel, il oubliait tout.

Alors qu'il pénétrait dans l'un des gigantesques hangars abritant les appareils, il tomba nez à nez avec Laurent, qui s'exclama, d'un air faussement désinvolte :

— Ah, c'est toi que je cherchais ! Écoute Sam, je ne m'entends pas du tout avec Daniel, je le trouve nul comme instructeur, je voudrais finir ma formation avec toi.

— Daniel n'est pas nul.

— Avec *toi*, Sam. S'il te plaît. Nous sommes fâchés ?

— Non…

— Alors, qu'est-ce qui s'y oppose ? De toute façon, je n'ai plus que trois heures à faire avant de me présenter au test, je suis quasiment prêt.

— Même pour les autorotations ?

— C'est ma bête noire, mais c'est avec toi que je compte la dompter.

Samuel aimait bien Laurent, ils avaient sympathisé d'emblée lorsqu'ils s'étaient rencontrés à l'aéroclub, trois ans plus tôt, et ils étaient devenus de véritables amis. Leur brouille ne rimait à rien, ils avaient passé l'âge de s'affronter tels deux coqs de village.

— Très bien, céda-t-il, vois le planning et inscris-toi. Mais je te préviens que…

— Je ne t'en parlerai pas, promis, sauf si tu m'interroges.

Ils se comprenaient à demi-mot et n'avaient pas eu besoin de nommer Pascale.

— Au fait, ajouta Laurent dont le regard bleu pétillait, j'ai déjà regardé le planning, tu as une défection à dix heures et je prends la place, d'accord ?

Sam hésita une seconde, toisant Laurent, puis il décida de faire abstraction de sa jalousie.

— Tu vas souffrir, prédit-il en désignant le Hugues 300.

Pascale freina brutalement en apercevant Léonie Bertin au beau milieu de la route. Elle baissa sa vitre et s'arrêta à sa hauteur.

— Vous allez vous faire écraser…

— Mon chaton est dans cet arbre, là, regardez ! Il n'arrive plus à descendre, il est coincé et il a peur, je ne peux tout de même pas le laisser dehors !

Levant les yeux, Pascale vit une petite boule de poils roux en équilibre instable au bout d'une branche, à environ trois mètres du sol.

— Je file chercher mon échelle, décréta la vieille dame.

— Madame Bertin ! Vous n'y pensez pas ? Attendez une seconde, je me gare.

Pascale se rangea sur le bas-côté et descendit de voiture tout en se demandant pourquoi ni elle ni Aurore n'avaient jamais pensé à adopter un chat ou un chien.

— Dépêchons-nous, ce couillon va tomber ! enjoignit Léonie.

Elle précéda Pascale jusqu'à la remise où se trouvait l'échelle puis elles revinrent sur la route.

— Restez devant votre portail, je m'en occupe. Comment s'appelle-t-il, le petit fugueur ?

— Caramel.

Pascale déplia l'échelle, qu'elle cala avec soin contre une branche maîtresse avant de gravir lentement les barreaux, murmurant une litanie de mots doux destinés à apaiser l'animal.

— Ne bouge pas, joli Caramel, ou bien tu vas dégringoler et moi avec…

Arrivée à la bonne hauteur, elle n'eut qu'à tendre la main pour que le chaton en perdition s'y accroche, plantant ses griffes minuscules dans sa paume.

— Bravo, mon mignon ! Mais rentre tes petites aiguilles, je suis ton sauveur, pas la fourrière… Allez, on regagne la terre ferme.

— Oh, merci, merci ! s'écria Léonie, qui était de nouveau plantée au milieu de la route.

Débarrassant Pascale du chaton, elle le fit glisser dans l'une des profondes poches de sa blouse.

— J'aime beaucoup les chats, dit-elle comme si cette affirmation justifiait tout.

— Ce n'est pas une raison pour ne pas prendre garde aux voitures et aux camions. Les gens roulent comme des fous.

Avec un rire éraillé, Léonie haussa les épaules.

— Il ne passe pas grand monde, vous savez bien !

Pascale rapporta l'échelle dans la remise et accepta le café que Léonie lui proposait de bon cœur.

— D'accord, je vous rejoins, je récupère mon sac d'abord.

Avant de verrouiller sa voiture, elle eut l'idée de prendre le bouquet de fleurs qu'elle rapportait du marché d'Albi. Ces jacinthes feraient davantage plaisir à Léonie qu'à elle-même, d'ailleurs le parc de Peyrolles regorgeait de fleurs de toutes les couleurs, en acheter était vraiment une ridicule idée de Parisienne.

— Je ne reste pas longtemps, mon coffre est plein de provisions à mettre au frais, annonça-t-elle en entrant dans la cuisine. J'ai dévalisé le marché de la place Sainte-Cécile, comme tous les samedis !

Elle tendit les jacinthes à Léonie, qui la dévisagea d'un air étonné.

— Pour moi ? C'est très gentil… Et puis c'est drôle, votre maman s'arrêtait parfois ici pour m'offrir un bouquet, elle aussi ! Elle en rapportait d'Albi par pleines brassées, vous vous rendez compte ?

La dernière phrase, prononcée très lentement, contenait une sorte d'avertissement qui éveilla la curiosité de Pascale. Léonie continuait de la scruter, attendant une réaction, aussi répondit-elle à tout hasard :

— Ma mère adorait les fleurs.

— Oh, que oui ! Le petit Lestrade m'en parlait quand il venait tailler mes haies. Il me racontait toutes les merveilles du jardin de Peyrolles… Et pourtant, tous les samedis, comme vous, elle allait au marché et elle achetait des fleurs coupées. Des tas de fleurs coupées…

Effectivement, Pascale se le rappelait bien, il y avait en permanence de gros bouquets à la maison, mais elle avait toujours cru qu'ils provenaient du parc. Sinon, à quoi bon se donner autant de mal pour les plantations ? Fronçant les sourcils, elle se souvint du panier d'osier sempiternellement accroché au bras de sa mère. Ne contenait-il que des roses fanées ?

— Essayez-vous de me faire comprendre quelque chose, madame Bertin ? demanda-t-elle doucement.

Léonie hésita et, sans la lâcher du regard, parut la jauger.

— Non… rien d'autre que ce que j'ai dit. Pourtant ça m'intriguait, alors un jour je lui ai posé la question, à votre maman… Sa réponse a été bizarre, tout embrouillée, comme quoi elle ne voulait pas toucher aux siennes, de fleurs, à cause du message.

— Du message ?

— Oui. Allez, buvez votre café, Dr Fontanel ! À mon

âge, la mémoire n'est plus si bonne, peut-être que je mélange, hein ?

Mais elle avait toute sa tête, Pascale en était persuadée. Après avoir vidé sa tasse, elle remercia Léonie et caressa les oreilles du chaton qui dépassaient de la poche.

— Ne le laissez plus sortir, recommanda-t-elle en partant.

Que pouvait bien signifier cette histoire de message ? Sur quoi la vieille dame avait-elle voulu attirer son attention ? Perplexe, elle remonta dans sa voiture et gagna Peyrolles, dont les grilles étaient ouvertes. Elle remonta l'allée puis vint se ranger le plus près possible de la porte de la cuisine.

— Tu en as mis, un temps ! s'exclama Aurore, qui avait dû la guetter.

— Je me suis arrêtée chez Mme Bertin.

— Je m'occupe de vider le coffre. Toi, va voir Lestrade, il est là depuis une heure, à mon avis il fait une tournée d'inspection. J'ai même eu droit à des félicitations, il paraît que nous avons bien désherbé !

Aurore se mit à rire, empoignant deux gros sacs.

— Débarrasse-toi vite de lui, j'ai préparé un cake aux olives pour le déjeuner et j'ai mis du gaillac au frais. Je me demandais même si on ne pourrait pas s'installer dehors, il fait si beau…

Toujours songeuse, Pascale acquiesça distraitement avant de partir à la recherche de Lestrade. Elle traversa la pelouse, s'arrêta, se retourna. Partout, des fleurs s'épanouissaient dans les massifs et les plates-bandes, formant une explosion de couleurs vives. Des renoncules, crocus, tulipes, campanules ou freesias, des iris et des anémones, des narcisses, sans compter une profusion de roses…

— C'est beau, non ? lança Lucien Lestrade en émergeant d'un bosquet.

Il portait un gros pulvérisateur, qu'il posa à ses pieds.

— Saloperies de parasites ! Il faut y veiller, sinon...

— Est-ce qu'elles tiennent longtemps, ces fleurs ? s'enquit Pascale de façon abrupte.

— Quand celles-ci faneront, il y aura des lis et des glaïeuls, des tubéreuses et des reines-marguerites, et puis des œillets, des asters...

— Vous plantez toujours la même chose chaque année ?

— Oui, et dans le même ordre.

— Pourquoi ?

— Parce que j'ai promis.

— À qui ?

— À votre avis ?

Pascale ouvrit la bouche, la referma sans avoir proféré un son. Lucien Lestrade la regardait avec une satisfaction manifeste, comme s'il était fier de son élève. Elle observa de nouveau le parc autour d'elle et soudain ce fut si simple, si évident !

— Refermez les grilles en partant, voulez-vous ?

Sans plus s'occuper de lui, elle se mit à courir vers la maison. Puisqu'elle possédait le moyen de vérifier son intuition, elle n'attendrait pas une minute de plus pour le faire. À bout de souffle, elle s'engouffra dans la cuisine, où Aurore était en train de ranger les dernières provisions.

— Viens avec moi, on file à Toulouse !

D'abord médusée, Aurore voulut protester, mais Pascale avait déjà ramassé son sac et ses clefs de voiture.

Il avait fallu toute la diplomatie de Samuel pour convaincre Pascale. Louer un hélico coûtait très cher, même le petit Hugues 300, alors que Sam, en tant qu'instructeur, pouvait se servir de n'importe quelle machine disponible. Par ailleurs, il avait refusé tout net de la laisser partir seule.

— Tu n'as pas piloté en solo depuis presque un an, pas question de t'en aller avec Aurore comme passager dans l'état d'énervement où tu te trouves ! Je serai libre à trois heures et demie, allez manger quelque chose au bar en m'attendant…

Pascale s'était finalement résignée, surmontant son impatience. Bien qu'ayant fait revalider sa licence pour l'année en cours, elle manquait de pratique, Sam avait raison, et autant elle pouvait prendre les commandes lorsqu'elle volait avec lui, autant Aurore ne lui serait d'aucun secours en cas de problème.

Tandis qu'elles avalaient un club-sandwich arrosé d'un thé, Aurore en profita pour bombarder Pascale de questions, sans obtenir d'autre réponse que :

— C'est peut-être une idée idiote, je préfère ne pas en parler avant d'avoir vu. De toute façon, je te promets une belle balade, il n'y a pas un seul nuage à l'horizon !

Quand Samuel vint enfin les chercher, Pascale ne tenait plus en place. Elles le suivirent jusqu'au Jet Ranger où Sam fit monter Aurore à l'arrière, lui attacha sa ceinture, la munit d'un casque et verrouilla sa portière. Ensuite, il s'installa à l'avant avec Pascale.

— Tu as ta carte de la région, ma belle ? J'assure le décollage et, à condition que tu te calmes, je te laisserai piloter jusqu'à Gaillac.

Pascale hocha docilement la tête et vérifia son micro pendant qu'il entamait la check-list. Il vérifia les équipements et contrôla les paramètres avant d'embrayer le rotor.

— Bon, vous êtes prêtes, les filles ? On va y aller…

Après un ultime coup d'œil à ses cadrans, il mit la

puissance tout en recherchant le point d'équilibre des commandes. La machine s'éleva lentement, sans à-coups, et il la maintint immobile jusqu'à ce qu'elle soit parfaitement stable. Puis il la fit imperceptiblement basculer vers l'avant tout en la soutenant, attendit l'accrochage et accéléra pour monter.

— J'adore ! s'exclama Aurore, dont la voix résonna dans les casques.

— On t'entend, ne crie pas, lui dit Pascale en riant.

Les toits des installations de l'aéroclub s'éloignaient sous leurs pieds, ils mirent le cap au nord-est. Dix minutes plus tard, lorsqu'ils arrivèrent en vue des rives du Tarn, Sam proposa à Pascale de piloter.

— Tu peux te caler sur le fleuve et me montrer ce que tu sais faire !

Ravie, elle posa ses pieds sur les pédales et sa main droite sur le manche.

— À toi les commandes, dit Sam.

— J'ai les commandes, répondit-elle d'une voix ferme, selon la procédure.

— C'est toi qui conduis ? s'inquiéta Aurore.

— Je la surveille, ne t'en fais pas, affirma Sam avec un large sourire. Elle a été mon élève, elle devrait s'en sortir…

Ils survolaient la vallée du Tarn, remontant vers Albi, et Pascale gardait un œil sur la carte posée en travers de ses genoux. Piloter lui aurait procuré une immense joie si elle n'avait pas été si préoccupée par ce qu'elle pensait avoir découvert.

— Surveille ton altitude, chérie…

Elle se remit à mille pieds et essaya de se concentrer, sachant que Sam ne supportait pas la moindre distraction. Il la laissa passer Gaillac et suivre les boucles du fleuve puis, lorsque Peyrolles ne fut plus qu'à une ou deux minutes de vol, elle lui rendit d'elle-même les commandes sans qu'il ait besoin de les demander.

— Une fois arrivé au-dessus de chez toi, ma belle, que dois-je faire exactement ?

— Rien de spécial. Juste plusieurs passages pour repérer les axes d'approche.

— Tu veux que je me pose ?

— Non, pas question, tu abîmerais toutes les fleurs !

Il lui jeta un coup d'œil intrigué mais ne fit aucun commentaire. Progressivement, il descendit à six cents pieds, puis à cinq cents dès qu'ils furent en vue de la propriété.

— Ne va pas trop vite, demanda-t-elle.

Mais c'était une recommandation inutile, à cent cinquante mètres au-dessus du sol ils étaient en train de découvrir le spectacle inouï qu'offrait le parc de Peyrolles. Ainsi que Pascale l'avait supposé, les massifs et les plates-bandes formaient un dessin géant, celui du message composé par Camille et destiné à être vu uniquement du ciel.

— Incroyable…, souffla Samuel dans son micro.

Il vira, perdit encore un peu d'altitude et revint face aux grilles pour un nouveau passage à vitesse réduite. Aurore en restait sans voix ; quant à Pascale, elle ne put que murmurer :

— Mon Dieu, comment a-t-elle fait ça ?

Chacune des lettres du prénom de Julia, disposées en arc de cercle, se distinguait très nettement. Comme pour les arabesques d'un jardin à la française ou le tracé d'un labyrinthe, Camille aurait pu former un mot avec des arbustes à feuillage persistant, mais elle avait préféré les fleurs. Une composition compliquée, qui avait dû lui demander beaucoup d'imagination et qui était absolument indiscernable à hauteur du sol. Lucien Lestrade savait-il ce qu'il accomplissait ou se contentait-il de reproduire l'ordonnancement établi par Camille à l'époque ?

Samuel remonta un peu afin que le courant d'air provoqué par le rotor ne souffle pas les pétales, puis il se maintint en vol stationnaire.

— Elles doivent faner assez vite, non ? fit-il remarquer.

— Elles sont remplacées par d'autres. Du printemps à l'automne, le prénom refleurit sous différentes couleurs.

D'où l'importance de se débarrasser des fleurs fanées pour laisser éclore les suivantes. Un travail immense pour ce résultat superbe mais dérisoire, ce signe pathétique adressé à Dieu et aux nuages.

— Ta mère ne voulait pas oublier, dit lentement Aurore.

— Elle ne *pouvait* pas. C'était sûrement une obsession, une plaie ouverte…

Combien d'années consécutives avait-elle cultivé ce mystérieux schéma qu'elle n'avait même pas le moyen de contempler ? Pourtant, elle devait être sûre du résultat pour s'être donné autant de mal. C'était son œuvre éphémère, peut-être sa punition.

— Va-t'en d'ici, Sam, chuchota Pascale.

Si bas qu'elle ait parlé dans son micro, il avait dû l'entendre car il remit de la puissance et s'éleva. Pascale ferma les yeux tandis qu'il faisait demi-tour. Elle se demanda si elle n'allait pas arracher les bulbes, retourner la terre, semer de l'herbe et planter des arbres pour tout effacer. Elle en avait le droit, elle avait retrouvé Julia.

La main de Sam vint effleurer doucement sa joue, essuyant une larme.

— Ne pleure pas, ma chérie…

Ne lui avait-il pas dit la même chose, juste après l'enterrement de sa mère ? Elle éprouvait une aussi grande douleur que ce jour-là, comme si Camille venait de mourir une seconde fois.

12

La tête dans les mains, Henry se tenait assis au bord de son lit. Il se sentait amer, usé, vieux. Que sa fille ait fini par découvrir la clé de tout ne l'étonnait pas vraiment. Pour les fleurs, il s'était douté de l'importance cruciale que Camille y attachait, seulement il n'avait pas cherché à comprendre, n'avait pas deviné qu'elle écrivait quelque chose, et il s'était contenté de payer Lestrade afin que le parc demeure en l'état. À présent, peu importait.

— Rase donc tout ça, avait-il suggéré à Pascale avant de raccrocher.

Elle voulait absolument qu'il descende à Peyrolles, mais à quoi bon ? De toute façon, elle se trompait encore sur quelques détails.

« Détails » n'était pas le mot exact. Pouvait-il décemment appeler son rôle dans cette histoire un détail ? Ah, quelle formidable indulgence pour lui-même ! Cependant, il en avait assez de se fustiger, il s'était culpabilisé jusqu'à l'écœurement, il n'en pouvait plus.

Relevant la tête, il considéra le décor de sa chambre. Pourquoi vivait-il encore dans le souvenir de Camille ? Il aurait dû depuis longtemps essayer d'aménager autrement sa fin de vie. Il n'était pas malade, il risquait de durer, il allait faire un beau vieillard vert traînant ses fantômes avec lui…

Dans les profondeurs de l'appartement, il entendit le bruit de la porte d'entrée. Adrien allait et venait à sa guise, Henry lui ayant confié un trousseau, mais pourquoi débarquait-il à cette heure tardive ?

— Papa ? C'est moi !

Évidemment. Personne d'autre n'entrait ici comme dans un moulin.

— Tu as dîné ?

Sur le seuil de la chambre, son fils le considérait d'un air inquiet.

— Non, soupira Henry.

— Moi non plus. Tu veux sortir ?

— Inutile, mon frigo est plein.

— Alors, je me mets aux fourneaux !

Bon sang, c'était à la fois réconfortant et injurieux d'être pris en charge de cette manière ! Adrien le croyait-il gâteux, incapable de se nourrir ? Résigné, Henry se leva pour le suivre jusqu'à la cuisine.

— Ta sœur t'a appelé ? s'enquit-il d'un ton désabusé.

— Bien entendu. L'histoire des fleurs m'a fait froid dans le dos.

— Pourquoi ?

Une poêle à la main, son fils se retourna pour le dévisager, stupéfait.

— Comment ça, pourquoi ? Mais parce que… imaginer maman en train de… Quand je la voyais s'échiner sur les massifs, je croyais que ça lui plaisait ! Tiens, j'en étais même venu à penser que toutes les femmes sont passionnées de jardinage. Alors que pour maman, c'était juste une manière de… de faire son deuil, je suppose. Bien qu'on ne puisse pas faire son deuil d'une personne toujours en vie, n'est-ce pas ?

Henry se dispensa de répondre et prit deux assiettes dans un placard tandis qu'Adrien battait des œufs.

— Franchement, papa, je trouve Pascale un peu folle d'avoir remué tout ça, mais c'est elle qui vit à Peyrolles, elle avait sans doute besoin de savoir.

À cause de ce foutu livret de famille, oui, Pascale s'était mise en quête de la vérité, et une fois la boîte de Pandore ouverte, plus moyen de la refermer.

— Tu ne dis rien ? remarqua Adrien.

— Je suis fatigué de toujours penser au passé.

Adrien hocha la tête, perplexe, en esquissant un sourire à tout hasard. C'était vraiment un gentil garçon, un fils attentionné, et même un bon médecin, pourtant il devait avoir plein de problèmes, lui aussi, Henry en avait la certitude sans jamais avoir osé lui poser la question.

— Ta sœur m'a demandé si je voulais rencontrer Julia Coste, annonça-t-il. C'est évidemment hors de question. Même pour la mémoire de Camille, je n'arriverai pas à m'y résoudre.

Comment parvenait-il à dire ça aussi posément ? Certes, Julia n'était rien pour lui, néanmoins l'idée de voir ce qu'elle était devenue le glaçait, l'horrifiait.

— Ce serait de la… curiosité malsaine ! s'indigna Adrien. Pascale a toujours des idées aberrantes, elle ne…

— C'est sa demi-sœur, Ad.

Dans tout ce chaos, Pascale avait raison. Comment aurait-elle pu agir autrement ? Au téléphone, Henry avait entendu la voix de sa fille trembler puis se briser tandis qu'elle décrivait Julia. Unique consolation, la malheureuse se trouvait dans un établissement correct, elle avait été bien traitée depuis quarante ans, les institutions avaient parfois du bon.

Adrien versa les œufs battus et le jambon coupé en lamelles dans l'huile chaude, puis il alluma une cigarette.

— Tu fumes trop, dit machinalement Henry.

Du coin de l'œil, il observait son fils avec intérêt. Ressemblait-il à Alexandra ? Dans les vagues souvenirs que Henry conservait de sa première femme, elle était assez belle, et Adrien était beau aussi. Alors pourquoi était-il toujours seul ? Pourquoi était-il en train de préparer le dîner de son vieux père au lieu de sortir avec l'une de ses nombreuses petites amies ? Trop nombreuses, en réalité, c'était bien le signe que quelque chose n'allait pas dans la vie de son fils.

L'odeur de l'omelette réveilla l'appétit de Henry. Il se leva pour prendre une bouteille de chablis dans le réfrigérateur, la déboucha et emplit deux verres. Puis il coupa des tranches de pain qu'il jeta dans une corbeille. La femme de ménage lui faisait des courses presque chaque matin, il n'avait aucun souci d'intendance, mais pour rien au monde il n'aurait mangé seul dans cette cuisine. Peut-être devrait-il songer à vendre l'appartement, devenu trop grand, et à s'installer ailleurs ? L'empreinte de Camille n'était pas vraiment ici, où elle ne s'était pas beaucoup investie, mais à Peyrolles. Une empreinte dont Pascale avait entièrement retracé les contours. Pascale si opiniâtre, si perspicace... Sa merveilleuse fille !

— Tout à l'heure, si tu veux, on fera une partie d'échecs, proposa Adrien en tassant l'omelette sur un grand plat.

— J'ai perdu d'avance mais je suis d'accord, répondit Henry.

Le choc du coup de téléphone de Pascale commençait à s'atténuer. Avec un peu de chance – et de volonté –, il réussirait une fois encore à tout reléguer au fond de sa mémoire. Il y était bien arrivé jusque-là, il n'avait qu'à continuer. Mettre un pied devant l'autre, voir un matin se lever après l'autre, c'était ce qu'il parvenait à faire depuis la mort de Camille. Il prenait même, parfois, un certain plaisir à se sentir exister, comme à cet instant où Adrien lui souriait si gentiment. Mais qu'en serait-il du sourire de son fils – et, bien pire, de sa fille – si Henry se décidait à leur livrer les derniers « détails » de l'histoire des Fontanel ?

Il reposa sa fourchette, l'appétit coupé.

L'idée venait d'Aurore mais avait séduit Pascale, et le dîner à quatre, improvisé dans le jardin d'hiver de Peyrolles, était d'une folle gaieté.

Alors qu'elle se croyait incapable de s'amuser, encore traumatisée par la vue aérienne du parc, Pascale avait fini par céder à l'humour de Georges et au rire communicatif de Sam.

Les innombrables bougies, installées par Aurore dans tous les chandeliers disponibles, créaient une atmosphère de fête, tout comme le champagne apporté par Georges. Et même s'ils ne savaient pas exactement pourquoi ils s'étaient réunis, ils étaient heureux de se retrouver ensemble tous les quatre autour du confit de canard accompagné de pommes de terre à l'ail.

Après avoir épuisé leurs plaisanteries habituelles de carabins et les dernières anecdotes du service de Nadine Clément, ils en revinrent tout naturellement au parc de Peyrolles.

— Au moins, maintenant, nous sommes fixées,

déclara joyeusement Aurore. Lestrade n'est pas un dangereux psychopathe, on a enfin compris pourquoi il s'incrustait comme ça !

— Il vous faisait vraiment peur ? s'inquiéta Georges.

— C'était un peu effrayant de le voir surgir n'importe quand. Il n'a jamais voulu rendre la clef de la petite porte et il pouvait surgir à tout moment de derrière un massif.

— Un outil tranchant à la main, renchérit Pascale en riant. Un soir, il m'a flanqué une trouille bleue !

— Deux femmes seules dans une grande maison isolée..., fit remarquer Georges d'un ton ironique.

— Rassure-toi, répliqua Aurore, nous ne sommes pas impressionnables et nous n'avons pas besoin de gardes du corps !

Elle lui adressa un sourire éblouissant avant de proposer du café.

— Je m'en occupe, décida Pascale, qui était déjà debout.

Samuel la suivit jusqu'à la cuisine, portant une pile d'assiettes sales.

— Tu as l'air d'aller mieux, constata-t-il. Tu as ri de bon cœur, ce soir, et j'en suis ravi.

Il remarquait toujours ses changements d'humeur, peut-être parce qu'il la connaissait mieux que personne. Attendrie, elle le considéra quelques instants en silence.

— J'ai l'impression d'être soulagée, admit-elle enfin, sans trop savoir de quoi.

— D'avoir percé le mystère qui entourait Julia.

— Oui... Et maintenant je me demande ce que je vais faire avec le jardin. Papa me conseille de tout chambouler, mais je ne suis pas sûre de vouloir détruire cet immense travail. Ce serait presque... sacrilège.

— Pourquoi ? Ces fleurs sont un vestige, Pascale. Elles ne servent à rien ni à personne.

— Et nous serons les seuls à avoir vu ce qu'elles disent ?

— Pas tout à fait.

Elle le vit marquer une légère hésitation puis il enchaîna :

— Je suis revenu au-dessus de Peyrolles aujourd'hui avec un élève et j'ai pris des photos.

Ébahie, elle resta une ou deux secondes sans réaction. Comment pouvait-il si bien la deviner ? Même si elle se décidait à transformer le parc, elle voudrait conserver une trace de ce qui avait perduré si longtemps en secret, un souvenir de l'œuvre éphémère et invisible qui exprimait toute la souffrance muette de sa mère.

— Je t'ai apporté le négatif et les tirages, ils sont dans ma voiture.

— Merci, Sam…

Elle le regardait toujours, avec une certaine mélancolie à présent. « Son » Samuel, familier, indispensable. À quel moment s'étaient-ils perdus définitivement, tous les deux ?

— Que devient Marianne ? se força-t-elle à demander.

— Aucune idée. Je crois qu'elle a repris son travail, mais on ne se voit plus.

Hochant la tête, Pascale avala sa salive avant de pouvoir murmurer :

— Tu trouveras une autre femme, Sam. J'aimerais tellement que tu sois heureux !

— Oui, ça viendra sûrement, tout arrive… Et toi ? Tu files le parfait amour avec Laurent ?

Il n'avait pas vraiment envie de le savoir, c'était l'évidence même.

— Vous le buvez sans nous, ce café ? s'exclama Georges.

Dispensée de répondre à la question de Sam, Pascale mit des tasses et le sucrier sur un plateau, que Georges lui prit des mains. Ils regagnèrent ensemble le jardin d'hiver, dont Aurore venait d'ouvrir l'une des fenêtres.

— Le temps est d'une douceur exceptionnelle, on aurait presque pu dîner dehors…

La jeune femme se tourna vers Pascale et ajouta, enthousiaste :

— J'ai repéré des torches formidables chez le quincaillier, le genre de trucs qu'on plante où on veut dans la pelouse et qui brûlent toute la nuit. La prochaine fois qu'on fait une soirée dehors, j'en achèterai, parce que les lampions c'est bien joli mais ça n'éclaire pas grand-chose !

Du coin de l'œil, Pascale vit Georges se rembrunir. S'il espérait encore convaincre Aurore de venir vivre dans son appartement, la partie allait être rude pour lui.

— Le problème de Peyrolles, murmura Sam à son oreille, c'est qu'une fois qu'on y a goûté…

Il était juste derrière elle et elle en profita pour s'appuyer une seconde contre lui, les yeux fermés.

— Je vais rentrer, ma belle, il est tard et je dois être au bloc à huit heures demain matin. Ton paradis est un peu loin de la civilisation ! Je te ramène, Georges ?

— Euh… non, je…

— Je le garde pour cette nuit ! précisa Aurore en riant.

— Alors, bonsoir.

Il récupéra son blouson sur le dossier d'une chaise.

— Viens avec moi jusqu'à la voiture, que je te donne tes photos.

Un peu mal à l'aise, Pascale l'accompagna dehors. Il

retournait seul à Toulouse, c'était logique, chacun chez soi comme des amis de longue date se quittant après une bonne soirée, ravis les uns des autres, et à la prochaine.

— Tiens…

Il lui tendait une pochette qu'elle prit machinalement.

— Dors bien, ma belle, fit-il en se penchant vers elle.

Au lieu de l'embrasser, il se contenta d'effleurer sa joue, de serrer son épaule, puis il monta dans sa voiture. Immobile, elle regarda s'éloigner les feux arrière qui disparurent au tournant de l'allée. La nuit était effectivement très douce, et Pascale leva la tête pour contempler les étoiles. Sans raison, un vers de *Cyrano* lui revint en mémoire : « Tant de choses qui sont mortes, qui sont nées… » La sœur qu'elle s'était découverte, la douleur muette de sa mère, cette grande maison derrière elle, et Samuel qu'elle avait perdu. Pourquoi l'existence lui semblait-elle soudain si compliquée ?

Le vendredi, en fin de journée, Laurent quitta Purpan un peu plus tôt que de coutume. Rentré chez lui, il prit sune douche, enfila une chemise bleu pâle et un costume léger puis hésita un moment avant de renoncer à la cravate. Depuis la veille, il avait réservé une table aux Jardins de l'Opéra, où il avait donné rendez-vous à Pascale. Il adorait la regarder dévorer d'un air gourmand, c'était exactement le genre de femme capable d'apprécier la cuisine d'un grand chef.

De toute façon, il ne lui trouvait que des qualités, il était éperdument amoureux d'elle et très content de l'être. Il décida de gagner la place du Capitole à pied, afin de ne pas se retrouver avec deux voitures en sortant du restaurant. Remontant d'abord vers le musée des Augustins, il coupa par la rue de la Pomme et celle du

Poids-de-l'Huile. Parvenu sur la place, il s'arrêta un instant, séduit comme chaque fois par l'architecture du lieu avec toutes les façades de brique du XIXe s'élevant au-dessus des arcades de la Galerue, au beau milieu l'impressionnante croix du Languedoc aux rubans de bronze, et puis les colonnes et pilastres ioniques de l'hôtel de ville, plus ancien, abritant le célèbre théâtre dans son aile droite.

Il baissa les yeux vers sa montre, qui indiquait vingt heures trente. Pascale n'était jamais en retard, aussi se dépêcha-t-il de gagner le porche des Jardins de l'Opéra. Une fois sous la grande verrière de la salle, il se laissa guider par un maître d'hôtel jusqu'à sa table où Pascale était déjà installée.

— Je t'ai fait attendre ? s'inquiéta-t-il, navré.

— Non, je viens d'arriver. Quel endroit magnifique ! On m'a donné la carte pour me distraire, mais je me sens perdue, tu vas devoir m'aider.

Elle souriait, la tête levée vers lui, et il la trouva tellement belle qu'il en fut tout ému. Ses longs cheveux étaient relevés en chignon, elle portait un petit spencer blanc à col officier, ouvert sur un bustier noir, avec pour unique bijou un pendentif en or représentant un croissant de lune. Depuis quelques semaines, il était très attentif à ce genre de détail et avait remarqué qu'elle préférait l'or jaune. La bague qui se trouvait dans un écrin, au fond de sa poche, avait été choisie en conséquence. Il faillit la lui donner sur-le-champ mais n'en eut pas le courage. Mieux valait patienter et guetter le bon moment, d'autant qu'il n'avait aucune idée des mots qu'il lui dirait en la lui offrant. Qu'il voulait l'épouser ? Elle risquait de se mettre à rire ou de le juger maladroit, trop pressé, ridiculement conventionnel.

— Tu me recommanderais le ravioli de foie gras au

jus de truffes ? demanda-t-elle, les yeux rivés sur la carte.

— Ici, tout est absolument délicieux. En particulier la trilogie de lapereau et le suprême de pigeonneau au parfum d'épices. Veux-tu un peu de champagne, le temps de te décider ?

— On fête quelque chose de spécial ?

De nouveau, il fut tenté de sortir l'écrin, mais l'arrivée du maître d'hôtel l'en empêcha. Peut-être devrait-il attendre la fin de la soirée, lorsqu'ils auraient regagné l'hôtel particulier ; chez lui il se sentirait sûrement plus à l'aise pour une déclaration. Soulagé par ce délai qu'il s'accordait, il se détendit enfin.

— Tu es superbe, dit-il à mi-voix, tous les hommes doivent m'envier.

— À condition d'aimer les brunes ! répliqua-t-elle en éclatant de rire.

Sa gaieté était l'une des choses qu'il appréciait. Malgré ses soucis ou ses angoisses, elle était capable de s'amuser telle une gamine sans jamais se prendre au sérieux. Même dans leurs conversations les plus graves, elle trouvait moyen de glisser une pointe d'humour comme si, en tant que médecin, elle préférait toujours dédramatiser. Comparée à ses précédentes liaisons, Pascale lui semblait tellement idéale qu'elle en devenait presque une gageure, et il se mettait à douter de lui. N'était-elle pas la seule femme qui ait réussi à le faire rougir ? La seule aussi, ironie du sort, dont il ne pouvait parler à son meilleur ami.

Comme prévu, elle fit honneur au dîner, allant même jusqu'à goûter dans son assiette à lui les plats qu'elle n'avait pas choisis, et n'hésitant pas à prendre des figues pochées au banyuls pour finir. Pendant tout ce temps-là, il continua à tripoter l'écrin au fond de sa poche, quasiment sans la quitter des yeux.

Lorsqu'ils quittèrent les Jardins de l'Opéra, il était presque minuit. Ils récupérèrent la voiture de Pascale au parking de la place et trouvèrent à se garer juste à l'entrée de la rue Ninau.

— Je vais nous faire du café ou du thé, comme tu préfères, proposa-t-il en la laissant entrer la première dans l'hôtel particulier.

Elle l'accompagna jusqu'à la cuisine et s'installa devant le comptoir de drapier tandis qu'il mettait de l'eau à chauffer.

— C'était une merveilleuse soirée, Laurent, nous avons divinement mangé.

Un peu nerveux, il faillit renverser la théière, conscient que le moment de parler était venu.

— J'ai quelque chose à te dire, réussit-il à articuler.

— Tu as l'air terriblement sérieux…

— Je le suis.

— Non, s'il te plaît.

Elle quitta son tabouret, contourna le comptoir et vint lui passer les bras autour du cou.

— Rien de sérieux, murmura-t-elle.

Sur la pointe des pieds, elle l'embrassa pour le faire taire.

— Pascale, écoute-moi, dit-il en se dégageant.

Soudain, il eut peur d'être en train de commettre une erreur, mais il ne pouvait plus reculer.

— Je vais te faire une déclaration d'amour et une demande en mariage. C'est si terrible ?

Elle s'écarta d'un pas, laissa retomber ses bras.

— Laurent, souffla-t-elle.

Immédiatement, il sut qu'elle ne voulait pas, qu'il s'était trompé. Et parce que aucun mot ne pouvait exprimer ce qu'il ressentait, il la prit par les épaules et l'attira contre lui afin qu'elle cesse de le regarder. Ils restèrent enlacés un moment, silencieux l'un et l'autre.

— J'ai été trop vite ? chuchota-t-il. Je suis désolé…

Elle ne bougeait pas, crispée, agrippée à lui. En lui parlant, il l'avait mise dans l'obligation de répondre, seulement il n'avait plus aucune envie d'entendre ce qu'elle allait lui annoncer, inéluctablement.

— Je ne peux pas, Laurent…, commença-t-elle d'une voix mal assurée. Je ne peux pas te laisser croire que…

— D'accord, n'ajoute rien. Tu ne m'aimes pas, c'est ça ?

Il n'espérait plus grand-chose, surtout pas des mots de compassion, pourtant il quémanda malgré lui.

— Reste au moins avec moi cette nuit.

— Laurent, répéta-t-elle seulement.

À l'idée de la perdre, la souffrance le submergea. À deux reprises par le passé il avait voulu construire avec une femme, et à chaque échec il s'était juré que ce serait la dernière fois, qu'il n'y croirait plus jamais. Mais pour Pascale, c'était différent, elle représentait un idéal auquel il n'avait même pas aspiré, dont il n'aurait pas osé rêver, et qui était arrivé dans sa vie comme un cadeau à point nommé.

— Tu n'es pas prête à refaire ta vie ou c'est de moi que tu ne veux pas ?

Pourquoi insistait-il malgré lui ? Sa seule certitude était de lui avoir inspiré du désir, ce qui ne lui donnait aucun droit, peut-être même aucun espoir. Il sentit qu'elle cherchait à lui échapper et, stupidement, il la serra plus fort.

— S'il te plaît, reste, laisse-moi te faire l'amour.

Il le voulait, irrépressiblement, pour conjurer la

condamnation qu'elle risquait de prononcer. Leur entente physique était parfaite, en quelques instants ils pouvaient se retrouver éperdus l'un et l'autre, submergés par l'envie de se rejoindre dans le plaisir.

— Lâche-moi, Laurent, il faut que je te parle.

Sa voix calme, déterminée, sa voix de « médecin » lui fit l'effet d'une douche froide. Il se mordit les lèvres en la laissant reculer, furieux contre lui-même. Lorsqu'elle leva la main, il s'attendait presque à un geste agressif mais elle fit glisser ses doigts sur sa tempe, sa pommette, sa joue, avec une sorte de douceur triste.

— Tu as été parfait, ne regrette rien. C'est moi qui ne suis pas en mesure de… J'ai cru que j'allais t'aimer, je me suis trompée, pardon. Être bien avec toi ne peut pas te suffire, je sais, alors je voulais te le dire ce soir, seulement… nous avons passé une si bonne soirée… Et c'est toujours comme ça quand nous sommes ensemble ! Depuis que je te connais, tu fais tout pour m'aider, pour me faciliter la vie, en plus tu es un homme tellement séduisant et un si merveilleux amant que… Je suis très malheureuse de ce qui arrive, Laurent.

Il ne pouvait pas douter de sa sincérité parce qu'elle avait soudain les larmes aux yeux, néanmoins il eut l'impression qu'elle venait de l'exécuter à bout portant.

— C'est à cause de Samuel ? demanda-t-il d'une voix rauque.

Elle le considéra d'abord avec étonnement, puis elle se troubla peu à peu, perdant contenance.

— Sam ? Non… Quel rapport ?

D'un seul coup, il lâcha prise, pressé qu'elle s'en aille.

— Bien. On s'est tout dit, je crois.

La bague était toujours dans sa poche, Dieu merci, il avait évité l'humiliation suprême ce soir. Il la vit prendre son manteau et, par réflexe, il l'aida à l'enfiler. Est-ce qu'elle allait vraiment partir pour toujours, disparaître de sa vie ? À nouveau, il eut envie de transiger, de se raccrocher à n'importe quel espoir, mais il lui restait assez d'orgueil pour se taire. Il la raccompagna jusque dans la rue, la suivit des yeux tandis qu'elle gagnait sa voiture. Existait-il une seule autre femme possédant sa démarche ? Il entendit la portière claquer, le moteur démarrer, et il tâta, à travers sa veste, l'écrin dérisoire.

Henry n'aurait cédé à aucun autre argument, toutefois la photo envoyée par Pascale l'avait totalement bouleversé. Durant de longues minutes, il était resté figé devant le cliché, un grand format en couleurs qui ne laissait ignorer aucun détail.

JULIA. Chacune des lettres semblait en relief grâce à la hauteur des tiges et à une bordure de tons plus sombres, y compris le point sur le i. Des roses blanches entourées de roses rouges, des tulipes jaunes cernées de tulipes noires : un résultat hallucinant. À l'aide d'une loupe, Henry avait étudié la composition florale, saluant mentalement le travail de Lestrade.

L'immense JULIA en arc de cercle faisait même paraître la maison, à l'arrière-plan, toute petite. Seigneur ! Pascale ne pouvait pas vivre dans cette évocation permanente de la douleur, elle n'avait pas à reprendre à son compte les péchés de ses parents ni leurs remords, ce serait très malsain. En conséquence, il fallait que Henry descende à Peyrolles, il n'avait plus le choix, il n'était pas malhonnête à ce point-là.

Après s'être torturé avec la question de savoir si Adrien devait l'accompagner ou non, il avait décidé de s'y rendre seul. Pascale était finalement la seule concernée, c'était elle qui habitait là-bas, elle qui avait retrouvé Julia.

Pour la photo, il hésita beaucoup, mais finalement il la déchira d'une main qui ne trembla pas. Pascale possédait les négatifs, elle pourrait les ranger avec le vieux livret de famille, bientôt la boucle serait bouclée. À condition que lui, Henry Fontanel, ait le courage d'accomplir avec sa fille les derniers pas, et ceux-là allaient beaucoup lui coûter.

Il prit un avion le samedi matin, après avoir appelé Samuel pour lui demander de venir le rejoindre à l'aéroport de Blagnac, le temps d'un petit déjeuner. Il aimait bien Sam et regrettait qu'il ne fasse plus partie de la famille, même s'il n'avait pas apprécié son intervention lorsque Pascale s'était mis en tête d'acheter Peyrolles. À vrai dire, sans l'argent de Samuel, Peyrolles aurait été vendu à un parfait étranger et tout le monde aurait pu continuer à dormir tranquille !

Après avoir récupéré les clefs et les papiers de la voiture de location, Henry retrouva Sam au bar.

— J'espère que je ne te gâche pas la matinée ? J'avais envie de te voir cinq minutes, pour une fois que je suis dans la région…

Son explication ne parut pas convaincre Sam, qui le gratifia d'un sourire ironique.

— Besoin d'un petit sas de décompression, Henry ?

— Oui, je suppose qu'on peut appeler ça comme ça… Je n'aime pas être ici, je le fais uniquement pour Pascale.

— Pourtant, vous devez avoir de bons souvenirs à Albi et à Peyrolles ?

— À mon âge, les souvenirs ont quelque chose d'encombrant, tu le constateras quand tu seras vieux.

Henry vit que Sam se troublait, détournait le regard. Avait-il, lui aussi, des souvenirs indésirables ?

— Parle-moi de ma fille, enchaîna-t-il. Elle va bien ?

— Je crois. Mais vous devez l'avoir plus souvent que moi au téléphone !

— Vous êtes restés bons amis tous les deux, non ? Et puis tu la connais mieux que personne ! En fait, j'aimerais savoir si elle n'a pas été trop… traumatisée par sa visite à… Julia.

Depuis l'époque lointaine où Samuel était anesthésiste dans sa clinique de Saint-Germain, Henry avait toujours pu discuter très librement avec lui. Un homme posé, intelligent et intuitif, capable de comprendre les choses à demi-mot, voilà exactement l'interlocuteur dont Henry avait besoin avant d'affronter sa fille.

— Sincèrement, ça l'a secouée. Pourtant, elle y retournera, elle a obtenu le feu vert de l'équipe médicale.

— C'est morbide ! protesta Henry.

— Pourquoi ? Personne n'est mort.

Sam avait raison, Julia existait toujours, si incroyable que ce soit. Un remords vivant.

— Vois-tu, reprit Henry d'un ton las, après le décès de sa mère, Pascale est devenue ma principale préoccupation. Je n'étais pas d'accord pour qu'elle s'en aille à l'autre bout de la France, toute seule, car j'étais sûr qu'à Peyrolles elle…

S'interrompant, il secoua la tête et Sam acheva pour lui :

— … découvrirait des choses que vous lui aviez cachées ? Les secrets de famille sont de véritables poisons, Henry.

Brusquement, Samuel se pencha au-dessus de la table et planta son regard dans celui de Henry.

— Dites-moi pourquoi vous lui avez vendu cette maison au lieu de la lui donner ?

— Je ne pouvais pas, je suis un peu coincé financièrement, et surtout… Disons que je ne *voulais* pas qu'elle habite là. C'est une longue histoire, Sam, et je vais devoir la lui raconter en entier.

En affirmant cela, il s'engageait à le faire, s'ôtait toute possibilité de reculer.

— J'ai l'impression qu'il va vous falloir du courage, dit Sam avec une sorte de compassion.

— Oui. C'est pour ça que je tenais à te voir avant. Si elle réagit mal, je compte sur toi pour recoller les morceaux après mon départ.

— Elle n'a plus besoin de moi, elle a un homme dans sa vie, il sera là pour la consoler.

— Tu parles de Laurent Villeneuve ? s'étonna Henry. Le choix n'est pas mauvais, pourtant j'aurais juré que…

À voir l'expression de Samuel, il préféra ne pas achever sa phrase. De quoi se mêlait-il ? En face de lui, Sam semblait soudain hostile, nerveux, peut-être tout simplement malheureux ?

— Bien, je vais y aller. Merci de m'avoir accordé un peu de ton temps.

Il voulut sortir son portefeuille, mais son ex-gendre ne lui en laissa pas le temps, déposant un billet sur la table.

— Je vous aime beaucoup, Henry. Tenez-moi au courant.

Une formule toute faite, qui dissimulait mal l'intérêt de Samuel pour Pascale. Quoi qu'il en dise, et même quoi qu'il en pense, ce garçon serait toujours là pour elle, ça crevait les yeux.

Henry récupéra sa voiture de location sur le parking et prit la route d'Albi.

Assise dans l'herbe, Pascale avait passé un long moment à méditer. Aurore était partie rejoindre Georges à Toulouse, préférant ne pas être là au moment où Henry arriverait. « Je vais voir un match de rugby ! avait-elle précisé avec son rire communicatif. Pas que j'en raffole, mais c'est mieux si tu restes seule avec ton père, et puis Georges sera tellement content que je l'accompagne, pour une fois ! »

Aurore, sa gaieté, sa présence chaleureuse, ses idées parfois loufoques… Quel bon génie l'avait remise sur la route de Pascale ? Grâce à elle – mais aussi *à cause* d'elle et de sa manie de fureter dans ce fichu grenier –, Pascale avait parcouru un si étrange chemin ! Au lieu de sa propre enfance, c'était le passé de sa mère qu'elle avait retrouvé à Peyrolles et, désormais, elle devait en assumer les conséquences. Un héritage inattendu, empoisonné.

D'où elle était, elle voyait une partie du parc, la maison dans le fond, la serre, et elle se souvenait du jour où un taxi l'avait déposée devant les grilles fermées sur lesquelles était accroché le panneau « À louer ». Poussée par une force qui la dépassait, elle s'était endettée pour acquérir la propriété, persuadée qu'elle accomplissait l'un des actes les plus importants de son existence. Aujourd'hui, avait-elle envie de continuer à vivre ici ?

Le bruit d'un moteur la fit se lever. Gamine, elle se précipitait toujours à la rencontre de son père lorsqu'il rentrait d'Albi en fin de journée. Elle faillit courir vers lui, heureuse qu'il soit venu, mais quelque chose l'en empêcha. Il était en train de sortir de la voiture et sa silhouette un peu voûtée n'était plus celle d'un homme jeune. Il changeait, il vieillissait, ce genre de déplacement devait le fatiguer. Ne parlait-il pas de prendre sa retraite et de laisser Adrien diriger la clinique à sa place ?

Alors qu'elle traversait la pelouse à sa rencontre, il l'aperçut, leva la main et la laissa retomber, puis attendit qu'elle arrive jusqu'à lui.

— Ma petite fille…, dit-il en la prenant dans ses bras.

Pendant une minute, ils restèrent enlacés sans parler.

— Tu es de plus en plus belle, murmura-t-il enfin.

Mais il ne la regardait pas, il contemplait les fleurs autour d'eux.

— C'est drôle, d'ici on ne devine vraiment rien… Mon Dieu, c'est si loin l'époque où ta mère arpentait les allées d'un massif à l'autre !

— N'y pense plus, papa. Je crois que je vais suivre ton conseil et tout changer, ce sanctuaire ne sert à rien.

Voyant à quel point il était triste, elle regretta d'avoir insisté pour qu'il descende à Peyrolles. Déjà, elle n'aurait pas dû lui envoyer cette photo, qui ne pouvait que le replonger dans son deuil et ses regrets.

— Tu n'es pas responsable, affirma-t-elle. J'ai appris beaucoup de choses ces temps-ci, entre autres le rôle des Montague, qui ont été ignobles avec maman. Et je ne me suis pas privée d'assener ses quatre vérités à Nadine Clément !

Ouvrant de grands yeux stupéfaits, il la dévisagea avec inquiétude.

— Que lui as-tu dit ?

— Que c'était sa faute !

— À elle ? Mais non, ma chérie, non…

À présent, il secouait la tête et semblait chercher sa

respiration. Une fois encore, son regard courut le long des plates-bandes.

— Bon sang, Pascale, tu finiras par me rendre fou à force de frapper au hasard. J'aurais dû te parler plus tôt, je sais bien, seulement… En famille, il y a des sujets tabous, des choses auxquelles on ne fait jamais allusion, et au bout d'un certain temps il devient tout à fait impossible de les évoquer, encore moins de les expliquer.

Un peu désemparée par ses phrases sibyllines et par son agitation, elle lui prit gentiment la main pour l'entraîner vers la maison, mais il refusa de bouger.

— Papa ? Est-ce que ça va ?

— Comment voudrais-tu que ça aille ! explosa-t-il. Écoute, allons marcher un peu, je dois tout te raconter depuis le début…

Le temps était couvert, toutefois il faisait doux et une promenade dans le parc permettrait sans doute à son père de se calmer, aussi le suivit-elle sans protester le long d'une allée. Lorsqu'ils passèrent devant la rangée d'hibiscus, il les désigna d'un geste fataliste.

— C'est ma seule initiative botanique ! Comme tu le sais, je les ai fait planter pour oublier cet horrible incendie, mais ce que tu ne sais pas, c'est que la mort d'Alexandra, si atroce fût-elle, ne m'a pas causé un immense chagrin.

— Papa…

— S'il te plaît, ne m'interromps pas, sinon je n'y arriverai jamais !

Il se perdit quelques instants dans la contemplation des arbustes, indifférent à l'angoisse qui gagnait Pascale.

— À mon époque, tu ne peux pas imaginer comme on se mariait aisément sans passion ! Il suffisait de trouver une jeune fille de son milieu pour fonder une famille. Moi, en plus, j'éprouvais du dépit, parce que j'étais tombé amoureux de ta mère à l'âge du lycée, un vrai coup de foudre, malheureusement elle avait disparu de la région et la rumeur disait qu'elle s'était mariée à Paris. Je me suis choisi une épouse très différente de cet amour d'adolescence, j'ai pris une blonde bien charpentée alors que Camille était un vrai tanagra.

Tombant des nues, Pascale faillit poser une question, s'en abstint. Son père avançait lentement, perdu dans ses souvenirs, et mieux valait ne pas couper son récit.

— Tout le monde a manifesté de la compassion pour moi quand je me suis retrouvé veuf, pourtant je peux te dire aujourd'hui que ça… Oh, c'est abominable à dire, mais ça tombait bien, voilà ! Parce que Camille venait de refaire surface, et je ne pouvais penser à rien d'autre.

Horrifiée, elle s'arrêta net. Son père prit un peu d'avance puis, constatant qu'elle ne le suivait plus, il s'arrêta, se retourna.

— Sans ce drame, j'aurais divorcé, évidemment. Tu découvriras un jour, du moins je l'espère pour toi, qu'on ne peut aimer – vraiment aimer – qu'une seule fois. Moi, c'était ta mère… Tu viens, oui ou non ?

Pascale le rejoignit, le cœur battant, les idées en désordre. Elle ne devait surtout pas se méprendre, pour l'instant il ne faisait pas d'aveux, il se contentait de raconter. Non, il n'avait pas mis le feu à l'atelier où Alexandra exerçait ses talents de peintre amateur, il n'était pas un assassin et n'avait aucun crime à confesser, elle se traita mentalement de folle pour avoir pu y penser ne serait-ce qu'une seconde.

— Camille était la femme de ma vie, elle réapparaissait et j'étais libre, tout semblait idéal. Un peu précipité mais magnifique, un vrai cadeau du destin ! Je ne voyais qu'elle, le bonheur était enfin à ma portée… Sauf qu'elle n'était pas seule, elle avait Julia. Sa famille lui ayant refusé l'hospitalité, elle habitait une chambre de bonne dans la banlieue de Toulouse, où elle faisait des ménages. Tu imagines ? Ma pauvre Camille…

— Tu vois bien que les Montague ont été ignobles ! souligna Pascale, dont le malaise grandissait.

— Pas que les Montague, ma chérie, pas qu'eux, hélas… Pour tout te dire, je n'ai pas été plus charitable.

La voix de son père avait tremblé sur les derniers mots, à peine audibles. Il s'arrêta, reprit son souffle en gardant les yeux rivés au sol, puis se remit en marche. Avec un temps de décalage, Pascale le suivit.

— Je l'avais retrouvée, j'étais fou d'elle, mais pas fou tout court. Je voyais bien qu'elle pouvait faire une mère parfaite pour Adrien, seulement elle était obnubilée par Julia. Elle n'arrivait même pas à en parler sans pleurer, c'était son boulet, sa croix… Que payait-elle, la pauvre ? Sa vie avait été une succession de catastrophes, personne ne l'avait jamais aimée, elle se raccrochait à cette enfant handicapée pour laquelle elle ne pouvait rien. Bien sûr, elle m'a vu comme son sauveur, tu penses, en plus j'étais devenu médecin, elle me faisait confiance ! Et moi… moi, j'ai… Oh, mon Dieu, comment ai-je pu ?

Il bifurqua vers un platane tout proche, donna un violent coup de poing dans le tronc avant d'y appuyer son front. Derrière lui, Pascale resta figée, incrédule, commençant à comprendre et refusant de l'admettre.

— Je voulais Camille toute à moi, avoua-t-il, très bas.

Dans le silence qui suivit, Pascale perçut des chants d'oiseaux, le chuintement léger du vent dans les feuilles, le cliquetis des graviers que son père faisait obstinément rouler sous une de ses chaussures. Contre cet arbre, il était comme un gosse qui aurait fait un caprice ou pleuré un gros chagrin.

— Me charger d'une enfant aussi lourdement handicapée était au-dessus de mes forces. Je ne sais plus comment j'ai réussi à convaincre ta mère. Tout y est passé. J'utilisais du jargon médical destiné à l'effrayer, je lui ai brossé une peinture apocalyptique de notre avenir avec Julia entre nous… La pauvre gosse était si peu avenante, si pitoyable ! Comment aurait-elle pu devenir la sœur d'Adrien ? Et il aurait fallu les élever ensemble ? Je ne pouvais même pas l'envisager ; d'ailleurs, l'espérance de vie de Julia n'était pas considérable.

Il se retourna d'un bloc, faisant sursauter Pascale qui recula de deux pas.

— Camille a passé des nuits entières à pleurer, et moi à la persuader. Je me disais qu'après, nous en aurions fini avec les larmes. Si seulement j'avais su ! Je n'étais pas de mauvaise foi, Pascale, je finissais par croire à ce que je lui racontais. Une vie meilleure pour elle, pour moi, pour Adrien… Bien sûr, je sacrifiais Julia, mais de toute façon ta mère n'était pas en état de s'en occuper.

— Pas toute seule, non, souffla Pascale.

— En effet, il lui aurait fallu mon aide, or c'était la seule chose que je ne voulais pas lui donner. J'aurais fait n'importe quoi pour ta mère, je te jure, je lui aurais même décroché la lune au besoin, mais Julia, non, je ne me sentais pas de taille. Je n'éprouvais rien pour elle, tu comprends ? Ni compassion, ni émotion, rien. À cause de son handicap, cette enfant n'était qu'un obstacle entre Camille et moi. Je ne voulais pas la prendre en charge, je ne voulais pas qu'elle soit toujours là, pour toute notre vie.

Il eut une sorte de sanglot sans larmes, un hoquet pathétique.

— Un dimanche, j'ai amené ta mère ici. Je lui ai présenté Adrien, je lui ai fait visiter Peyrolles. Et crois-moi, je savais parfaitement ce que je faisais en lui montrant le paradis, avec ce petit garçon au visage d'ange qui ne demandait qu'à retrouver une maman, cette belle maison où se mettre à l'abri du monde... J'avais déjà pris en main son divorce d'avec Coste, pour accélérer la procédure afin qu'elle soit vite libre de m'épouser, et je lui offrais une nouvelle vie sur un plateau d'argent. Je voulais d'autres enfants, elle aussi, nous nous aimions et nous étions d'accord sur tout, hormis Julia.

— C'était un chantage ignoble !

Soudain révoltée, Pascale considérait son père avec horreur. Sa répulsion dut lui être pénible car il ferma les yeux, s'adossa au tronc derrière lui et se laissa glisser jusqu'au sol, où il s'assit lourdement.

— Ignoble, oui, c'est bien ce que j'ai été...

Un très long silence les sépara, jusqu'à ce que Henry trouve le courage de demander :

— Pourquoi as-tu voulu déterrer tout ça ?

— Parce que c'est ma mère, ma sœur, mon histoire !

— Non, cette histoire est la mienne. J'en ai honte et je ne peux pas la récrire, mais elle n'appartient qu'à moi, tu n'aurais pas dû t'en mêler.

Pascale se détourna pour ne plus le voir. Elle l'avait toujours adoré, admiré, faisant de lui sa référence absolue, et elle avait l'impression que tout son système de valeurs venait de s'effondrer. À qui pourrait-elle se fier, dorénavant ? Parcourue d'un frisson, elle leva les yeux, découvrit les nuages noirs qui s'étaient amoncelés au-dessus de Peyrolles sans qu'elle en ait conscience.

Un orage se préparait et le vent était en train de se lever, agitant les fleurs.

— Continue, articula-t-elle d'une voix sourde.

— Je n'ai plus grand-chose à ajouter. Au bout de quelques mois, ta mère a fini par céder à mes arguments. Julia avait besoin d'être constamment entourée, la DDASS était la seule solution.

— Oh, que non ! Même à l'époque, tu ne me feras pas croire que vous n'auriez pas pu vous en charger, ou trouver une formule qui ne soit pas un abandon définitif !

— Je le voulais, Pascale. C'est ce que je suis en train de t'expliquer : je le voulais, je *l'exigeais.*

Elle s'approcha de lui, s'agenouilla pour être à sa hauteur.

— Tu n'as pas pu faire une chose pareille… Tu inventes ça pour défendre maman ? Tu t'imagines que je la juge, que je la méprise ?

— Tu en serais capable, or ça me ferait beaucoup de mal que tu t'en prennes à la mémoire de ta mère car elle est innocente. Sa seule faute est d'avoir eu confiance en moi, de m'avoir écouté. Elle était si jeune, si perdue, elle avait tant besoin d'espoir ! Comme pour son divorce, j'ai pris les choses en main, j'ai fait les démarches nécessaires. C'est moi qui lui ai tendu le stylo pour qu'elle signe les papiers de renoncement à ses droits, et j'étais là le jour où elle a dit adieu à Julia, parce que je voulais être certain qu'elle ne flancherait pas. C'était un véritable adieu, pas un au revoir, elle ne l'a jamais revue.

— Pas toi, papa, je t'en prie…, lâcha Pascale dans un murmure.

Mais son refus d'y croire ne servait à rien, il se brisait sur l'évidence de cette vérité hideuse que son père lui livrait sans aucune concession.

— Si, moi. Je l'ai fait, j'ai été cet homme-là…

Un constat révoltant, dont il ne pouvait plus supporter le souvenir, à en croire son expression hagarde.

— Après, j'ai répandu le bruit que la petite fille était décédée. C'était un bon moyen pour empêcher les gens de poser des questions. Au moins, personne n'a plus parlé de cette enfant à ta mère.

Il dut s'y reprendre à trois fois avant de parvenir à se relever. Son manteau, qu'il avait gardé, était froissé, un peu sali. Quand il se pencha au-dessus de Pascale, elle baissa la tête, recroquevillée sur elle-même, et il s'abstint de la toucher.

— La pluie arrive, viens, dit-il tout bas.

— Je m'en fous ! explosa-t-elle. Je vais rester là pour entendre la suite, parce qu'il y a bien une suite, non ? Vous étiez obligés de vivre avec ça sur la conscience, l'un comme l'autre, et je ne peux pas croire que vous dormiez tranquilles. Surtout toi ! Et si ce que tu as fait faire à maman s'appelle aimer, alors j'espère ne jamais aimer personne parce que c'est à vomir !

Livide, il recula de quelques pas en trébuchant tandis que Pascale cherchait son souffle. Dans sa colère, elle venait de l'insulter, de le blesser, elle était même prête à le renier, pourtant quelque chose céda en elle, lui mettant soudain une boule dans la gorge et les larmes aux yeux. Elle ne put que chuchoter :

— Explique-moi ce qui s'est passé, après…

— Après ? Eh bien, j'ai vite compris que j'avais commis la plus grave erreur de ma vie. Certes, Camille s'est attachée à Adrien presque immédiatement, comme je l'espérais, mais la plaie de Julia ne s'est pas refermée. Elle n'y faisait jamais allusion, pourtant elle y pensait jour et nuit, je la voyais s'étioler. Nous nous sommes mariés dès que ç'a été possible et nous avons essayé de vivre normalement. Pour lui faire plaisir, j'ai commencé à envoyer des dons aux associations vouées à l'enfance. Ta mère devait y trouver un peu de soulagement car elle aurait voulu que tout notre argent y passe… Quand elle a été enceinte de toi, les choses se sont un peu arrangées, cependant je savais que ce ne serait que momentané, le désespoir était toujours là, aigu, incurable. Camille, *ma* Camille bien-aimée, au lieu de la sauver je l'avais cassée pour de bon, son cœur était en miettes, et de ça on ne guérit pas.

Incapable de prononcer un seul mot, Pascale appuya le bout de ses doigts sur ses yeux brûlants, puis elle se mit lentement debout, toujours muette. Henry enchaîna, la voix rauque :

— Voilà, ma petite fille, maintenant tu sais tout et tu comprends sans doute mieux pourquoi je refuse de voir Julia. La rédemption m'est interdite, il n'y a pas de pardon possible. Vis-à-vis d'elle, j'ai été un monstre d'égoïsme, de lâcheté, un être abject. Je me suis servi de mon statut de médecin et de l'amour que ta mère me portait pour condamner la malheureuse. Je n'étais ni altruiste ni même honnête, je ne pensais qu'à moi, j'ai sacrifié la petite sans états d'âme, sans imaginer que ce crime allait me poursuivre durant toute mon existence ! Car chaque jour de ma vie, j'ai payé, crois-moi, et aujourd'hui mon passé m'a rattrapé, je me fais horreur. Quant aux fleurs plantées par ta mère, c'est vraiment le dernier coup de poignard, sincèrement, je n'en peux plus.

D'un geste las, il désigna les parterres et les massifs, laissant errer son regard sur tout le parc.

— Comment n'ai-je pas compris qu'elle poursuivait une idée fixe ? Cet amour maternel que j'avais assassiné, il fallait bien qu'elle l'exprime ! Mais je ne voulais pas voir, pas comprendre.

Sa détresse effraya Pascale, la sortant de l'hébétude où l'avaient plongée ses confidences.

— Pourtant, tu as payé Lestrade pour qu'il continue, bredouilla-t-elle.

— Oui, j'avais une vague intuition, noyée dans tous mes remords. Ta mère disait que les locataires massacreraient *son* jardin, et comme cette idée la rendait folle, on a gardé Lestrade. Après, quand tu es venue t'installer ici, j'aurais dû me débarrasser de lui, d'ailleurs je voulais le faire, mais je me suis aperçu que c'était devenu une sorte de superstition pour moi et je n'ai pas pu m'y résoudre. Ou alors peut-être que je savais, inconsciemment, que j'avais toujours su ? Ah, mon Dieu, ta mère, courbée en deux au-dessus de la terre ! Comment ai-je pu me persuader qu'elle *s'amusait* ? Comment peut-on se mentir à ce point ? Elle traçait avec obstination les lettres de ce cri de douleur dans sa tête, de ce prénom qu'elle ne prononçait pas devant moi… Je n'arrivais plus à l'atteindre, elle se croyait seule coupable, je voyais qu'elle sombrait peu à peu dans la démence, et je ne pouvais pas la sauver puisque j'avais été son bourreau ! En toute franchise, je hais Peyrolles, ce paradis que j'ai délibérément interdit à Julia et qui a finalement été notre enfer. J'aurais donné n'importe quoi pour que tu n'y ailles pas… Mais je n'ai plus rien à donner parce que je ne m'aime pas, et c'est très dur de se considérer soi-même avec dégoût, de vivre au quotidien en se souvenant qu'on a été capable du pire.

— Papa…

— Si, le pire ! Te rends-tu compte que Julia ne peut même pas m'en vouloir ni me maudire ? Elle ne sait pas qui je suis, c'est l'impunité totale !

Sans doute aurait-il préféré n'importe quel châtiment à cet acide qui le rongeait depuis quarante ans. Il était responsable de tout, mais personne ne l'ayant jamais accusé de rien, il ne pouvait pas expier, il ne faisait que souffrir. Pascale entrevit ce qu'avait dû être son calvaire. Il avait aimé Camille à la folie et il l'avait perdue, à présent en livrant la vérité à Pascale il prenait le risque de la perdre à son tour. Et ce n'étaient pas de tardifs remords qu'il exprimait, c'était la douleur lancinante avec laquelle il avait vécu. Chaque soir, en rentrant chez lui, il avait vu sa femme un peu plus mal, un peu plus inaccessible, et le grand bonheur dont il avait rêvé ne lui avait jamais été accordé. N'était-ce pas une punition suffisante ?

— Papa, écoute-moi…

— Oh, si tu pouvais ne rien dire, j'aimerais autant ! Avec ton fichu caractère, tes mots risquent de dépasser ta pensée, et je me suis fait plus de reproches que tu ne m'en feras jamais. Ne nous disputons pas, restons-en là, je m'en vais.

Après un dernier regard furtif vers les massifs de roses, il contourna Pascale et s'éloigna. Où allait-il ? Reprendre sa voiture pour quitter définitivement Peyrolles ? S'imaginait-il avoir rompu les ponts avec sa fille ?

— Attends-moi ! cria-t-elle, de nouveau furieuse.

Comme il ne se donnait même pas la peine de s'arrêter, elle le rattrapa en courant, se planta devant lui.

— Ton histoire me fait l'effet d'une bassine d'eau froide reçue en pleine figure ! Pourquoi ne m'as-tu pas révélé la vérité au fur et à mesure, quand j'ai commencé à te parler du livret de famille ?

— Pour m'épargner le genre de regard que tu me lances là.

— Mais non, protesta-t-elle d'une voix radoucie.

Ce qu'elle éprouvait pour lui à cet instant ressemblait à de la compassion. À l'évidence, son père n'avait plus rien à voir avec le jeune Henry Fontanel, celui qui avait eu le cœur assez sec pour écarter Julia de sa route.

— La chute est dure, souffla-t-elle. Vous m'aviez fait croire aux contes de fées, maman et toi, j'étais persuadée que vous étiez des parents parfaits, des gens hors du commun.

— Et tu viens de t'apercevoir que je suis un monstre.

Elle prit le temps d'y réfléchir pour de bon avant de murmurer :

— Non… Un humain, pas une icône.

De tous les patients qu'elle avait soignés, veillés, parfois accompagnés jusqu'à la fin, elle avait entendu des confidences incroyables. L'existence la plus simple en apparence cachait souvent un passé compliqué ou douloureux, et découvrir qu'il en allait de même pour sa propre famille, contrairement à tout ce qu'elle avait pu croire, ne suffirait pas à la dresser contre les siens.

— Tu as raconté tout ça à Adrien ?

— Pas tout, non. Je ne veux pas qu'il pense être à l'origine de mon rejet de Julia, même si c'était un peu pour le préserver. Un peu seulement, car de toute façon je n'aurais pas voulu d'elle.

Il ne cherchait décidément pas à se disculper, il n'avait pas la lâcheté de se donner des excuses, il assumait ses actes.

— Tu sais, papa, je compte retourner la voir…

— C'est bien. Mais je n'irai pas avec toi, Pascale.

Avoir avoué la vérité ne le soulageait en rien, le poids de sa faute ne s'était pas allégé pour autant, il avait toujours l'air vieux et accablé. Par quel effort de volonté avait-il réussi à donner le change jusque-là ? Un élan de tendresse incontrôlable poussa Pascale vers lui. Elle comprit qu'elle ne serait pas son juge, elle n'en éprouvait pas le besoin et ne s'en arrogeait pas le droit. La pire des colères ne pouvait pas détruire d'un coup trente-deux années d'amour. Tous ces câlins, ces mots doux, ces chagrins consolés, ces enthousiasmes partagés, tout ce qu'il lui avait donné sans compter. Elle se revit enfant, dans ce même parc, courant à sa rencontre. Grâce à lui, elle avait été une petite fille heureuse, et elle avait pu devenir la femme qu'elle était aujourd'hui.

— Il faut que tu te reposes, décida-t-elle. Quelle chambre veux-tu ?

Exactement de la même manière qu'une heure plus tôt, elle le prit par la main pour l'entraîner vers la maison, et cette fois il se laissa faire.

Comme chaque soir, il y avait beaucoup d'animation dans les rues d'Albi. Assise dans le salon de thé La Berbie, Pascale s'offrait une pause après sa journée d'hôpital, observant les badauds de la place Sainte-Cécile.

Son père était parti deux jours plus tôt, mais elle savait qu'il reviendrait à Peyrolles pour la voir puisqu'il ne subsistait plus aucune ombre entre eux. Durant presque tout le week-end, ils avaient parlé, arpenté le parc, médité ensemble. Le dimanche, Henry avait appelé lui-même Lestrade, qui était passé en fin de matinée. Non sans mal, ils étaient parvenus tous trois à un accord qui prévoyait la suppression des plates-bandes, remplacées par du gazon, et la plantation d'arbustes variés à la place des massifs. Seuls les somptueux rosiers seraient épargnés en raison de leur facilité d'entretien. D'abord éberlué, le jardinier avait finalement paru soulagé. Si toutefois il avait su ce qu'il faisait exactement avec les fleurs, il s'était abstenu de le dire, se bornant à des questions techniques. Henry lui avait alors signé un chèque conséquent, précisant que ce serait son dernier travail à Peyrolles. Bien entendu, Lestrade n'avait pas pu s'empêcher de déclarer qu'il viendrait donner *gracieusement* un coup de main pour la taille des rosiers !

À présent, Pascale se sentait mieux. En l'espace d'une année, elle avait l'impression d'avoir effectué un véritable parcours initiatique dont elle sortait un peu différente, en tout cas mûrie, et surtout apaisée. Elle avait fait ce qu'elle croyait devoir faire, ce qu'elle estimait juste, elle était d'accord avec elle-même.

Devant la cathédrale, des touristes prenaient des photos, consultaient des guides, renversaient la tête en arrière pour admirer le baldaquin, au-dessus du porche. Avec un petit effort de mémoire, Pascale pouvait se revoir enfant sur cette même place, ou bien le long des ruelles de la vieille ville en train de suivre sa mère d'un magasin à l'autre. Elle aimait Albi, était heureuse d'y travailler, d'y projeter son avenir, et Laurent lui avait offert un immense cadeau en facilitant sa mutation.

Laurent… Quand elle pensait à lui, elle éprouvait une tristesse diffuse, un sentiment pénible de regret, mais elle ne pouvait rien changer, ni effacer leur rencontre, ni oublier tout ce qu'il avait fait pour elle.

Sa tasse était vide, la théière aussi, dans l'assiette de fine porcelaine ne subsistait que quelques miettes de la succulente pâtisserie qu'elle venait de dévorer. Accaparée par ses malades, elle n'avait pas pris le temps de déjeuner et elle hésita à commander autre chose.

« Arrête de te donner un délai, prends ton courage à deux mains et vas-y. »

La décision n'avait pas été facile, pourtant ce matin, en se réveillant, son choix lui avait semblé non seulement évident mais urgent. Elle posa un billet sur la table, quitta La Berbie et alla récupérer sa voiture. De son portable, elle appela Aurore pour la prévenir qu'elle rentrerait sans doute très tard, peut-être pas du tout, puis elle prit la route de Toulouse. Annoncer sa visite lui paraissait trop compliqué, elle préférait s'expliquer de vive voix, à condition de ne pas trouver porte close. Si c'était le cas, elle attendrait. Mais elle pouvait aussi très mal tomber, une éventualité à laquelle elle n'avait pas encore songé, et qui faillit lui faire faire demi-tour.

« Pourquoi crois-tu qu'il sera ravi ? Que tu seras forcément la bienvenue ? Il pourrait très bien t'en vouloir, ou avoir tourné la page, ou n'importe quoi d'autre ! »

La nuit vint tandis qu'elle filait sur l'autoroute, et il était presque neuf heures lorsqu'elle atteignit les faubourgs de Toulouse. De plus en plus impatiente, elle mit encore un certain temps à se rendre à destination, puis perdit un bon quart d'heure à chercher une place. Enfin garée, elle voulut réfléchir une dernière fois, constata finalement qu'elle n'était pas en état de le faire et sortit de sa voiture.

Une minute plus tard, elle se retrouvait devant une maison inconnue. C'était la bonne adresse, il y avait de la lumière aux fenêtres, elle appuya d'un geste résolu sur le bouton de la sonnette.

« Ne te comporte pas comme une enfant, parle-lui calmement, essaie de t'expliquer en reprenant les choses du début, et surtout ne… »

— Pascale ! s'exclama Samuel en ouvrant la porte. Qu'est-ce qui t'arrive ?

Il la considérait avec stupeur mais ne semblait pas contrarié de la découvrir sur le seuil.

— Entre et ne fais pas attention au désordre. Tu n'es jamais venue chez moi, je crois ? Tu vas voir, c'est sans prétention…

Avec une curiosité qui l'étonna elle-même, Pascale détailla la grande pièce à vivre qui occupait tout le rez-de-chaussée de la maison. Dans la cheminée moderne au foyer fermé par une vitre, un feu était allumé, inutile à cette saison donc sans doute destiné à mettre un peu de gaieté, car tout était d'une déconcertante froideur : murs blancs, baies vitrées, carrelage gris clair, comptoir de cuivre pour séparer la cuisine du séjour.

— Tu te plais, ici ?

Elle se mordit les lèvres, navrée d'avoir posé une question qui pouvait passer pour très ironique.

— Non, mais j'y suis si peu ! Entre l'hôpital et l'aéroclub, je ne reste jamais chez moi. Et puis tout le monde ne peut pas avoir un Peyrolles ! Ou même l'hôtel particulier de Laurent… Tu es en visite chez un simple mortel, ma chérie.

— Je trouve ça bien, protesta-t-elle. Très fonctionnel, sûrement. Mais je ne me souvenais pas que tu…

— Il ne s'agit pas de mes goûts. Quand je suis arrivé à Toulouse, il fallait que je me loge vite et j'ai acheté cette maison parce qu'elle ne risquait pas de me rappeler notre appartement de la rue de Vaugirard.

— On ne l'aimait pas, ni l'un ni l'autre !

— Nous y avions été heureux, moi en tout cas, et je ne voulais même pas m'en souvenir. Bon, si tu me disais ce qui t'amène ?

Désemparée, elle chercha par où commencer tandis qu'il l'observait en silence.

— C'est la visite de ton père ? s'enquit-il enfin. Tu as

envie d'en parler ? Je l'ai vu à Blagnac l'autre jour, on a pris un café ensemble et il m'a laissé entendre qu'il avait des confidences à te faire, pas forcément agréables...

Comme toujours, il essayait de l'aider, de lui faciliter la tâche, même si, pour une fois, il se trompait. Néanmoins, elle se sentit obligée de lui répondre.

— Papa t'adore, mais il n'aurait pas dû te demander de veiller sur moi. Il avait des choses à m'avouer, oui, et il l'a fait sans ménagement. Pour te résumer l'histoire, c'est lui qui a contraint maman à abandonner Julia.

— Henry ? Non !

— Il ne voulait pas se charger d'une enfant handicapée.

Elle lui faisait cette confidence uniquement parce qu'elle était certaine de l'affection qui liait Sam et son père.

— J'ai du mal à le croire, insista-t-il.

— Je te raconterai tout en détail et je pense que tu comprendras. En ce qui me concerne, je lui pardonne.

— Toi ? L'intransigeante Pascale ?

— C'est mon père, Sam, je l'aime.

Il la dévisagea, esquissa un sourire.

— De toute façon, quoi qu'il ait pu faire, Henry est un type bien.

Attendrie par cette solidarité masculine, elle lui rendit son sourire au lieu de protester. Puis elle prit une grande inspiration et lâcha :

— Mais je ne suis pas venue pour ça, Sam. Il y a autre chose.

— Quand tu fais cette tête-là, je m'inquiète ! plaisanta-t-il. Allons nous asseoir, on va boire un verre.

Sans la laisser parler, il la précéda au comptoir, lui désigna un haut tabouret.

— Tu veux du champagne ? Ce sera ça ou de la bière.

— Champagne, alors.

Lui tournant le dos, il ouvrit son réfrigérateur.

— Tu as quelque chose à fêter, ma chérie ?

Il l'avait demandé d'une drôle de voix qui sonnait faux. Était-il embarrassé par sa présence ? Devinait-il ce qu'elle mourait d'envie de lui dire et refusait-il de l'entendre ? Ne sachant quelle attitude adopter, elle le regarda déboucher la bouteille de Roederer, emplir deux verres. Elle aimait ses mains puissantes, sa carrure massive, sa stature rassurante. Dans ses bras, elle s'était toujours sentie à sa place.

— Samuel..., souffla-t-elle.

— Oh, là là ! Mon prénom en entier ? Écoute, j'ignore ce que tu vas m'annoncer, mais attends cinq minutes, laisse-moi porter un toast d'abord.

Il se pencha par-dessus le comptoir pour trinquer avec elle, puis se recula aussitôt.

— À ton bonheur, dit-il gentiment.

— Eh bien, je...

— Tais-toi et bois.

En silence, ils sirotèrent quelques gorgées.

— Tiens, suis-moi, je te fais visiter le reste de la maison !

Avec un enthousiasme un peu artificiel, il la précéda dans l'escalier de bois clair. Au premier, le palier carré desservait deux chambres, une salle de bains et une petite pièce pleine de placards où trônait une table à repasser.

— Marianne avait la manie de se jeter sur mes chemises dès qu'elle mettait les pieds ici, ça m'exaspérait, fit-il en riant.

— C'était plutôt gentil.

— Non, elle voulait se rendre indispensable, or je sais très bien me servir d'un fer !

Il en parlait au passé, comme d'une affaire réglée, et Pascale en fut soulagée. Elle s'arrêta sur le seuil de la chambre de Sam pour y jeter un coup d'œil. Le lit était fait, avec une couette à motifs japonais ; quelques vêtements traînaient sur un fauteuil, des piles de livres et de magazines encombraient les tables de chevet. Un décor de célibataire, sans trace de présence féminine hormis une photo d'elle, en noir et blanc, qui datait de leur mariage et qu'il avait toujours adorée.

— Tu laisses ça dans ta chambre ? railla-t-elle. Pas très sympa pour tes conquêtes…

— Quand je ramène une femme chez moi, je te range dans un tiroir !

Traversant la pièce, il prit le cadre sur la commode et le retourna.

— Je suis très sentimental, comme tu sais. Bon, tu as tout vu, on descend, le champagne va tiédir.

— Attends, Sam, il faut que je te parle.

Son cœur se mit à battre plus vite et elle lança, d'une traite :

— Tu auras peut-être du mal à comprendre, mais j'ai beaucoup réfléchi et ma vie ne me satisfait pas telle qu'elle est. Je me suis aperçue qu'il me manque l'essentiel, c'est-à-dire…

— Tu vas te marier avec Laurent ? trancha-t-il. C'est ce que tu n'oses pas m'annoncer ?

Coupée dans son élan, elle resta une seconde sans réaction.

— Je ne peux pas te donner tort, chérie ! Même ton père doit approuver ce choix, non ? Laurent n'a pratiquement que des qualités et vous irez très bien ensemble. En fait, je ne sais pas ce qui m'est passé par la tête le jour où je te l'ai présenté, c'était plutôt suicidaire parce que je n'avais pas du tout envie de te voir tomber amoureuse d'un autre homme ! Bien entendu, il t'a plu, il a vraiment ce qu'il faut pour séduire, c'était couru d'avance. Et ne me demande pas ce qu'il en pense, lui, tu es assez grande pour te rendre compte qu'il est fou de toi, épouse-le les yeux fermés !

En parlant il s'était adossé au mur, à l'autre bout de la chambre, et regardait Pascale avec une expression indéchiffrable.

— Je ne veux pas épouser Laurent, Sam. La dernière fois que j'ai dîné avec lui, je suis rentrée à Peyrolles juste après et je ne l'ai pas revu depuis.

Fronçant les sourcils, il pencha la tête de côté, perplexe.

— Pourquoi ?

— À cause de toi.

— De moi ?

— Je… Je n'avais pas envie de rester, et il a dit : « C'est à cause de Samuel ? » Sur le coup j'ai trouvé ça idiot, mais après, en y repensant, j'ai su que c'était vrai, que… Tu me manques, Sam.

Ses joues étaient chaudes, elle avait dû rougir, cependant elle s'obligea à soutenir le regard de Samuel qui la vrillait.

— Je te manque ? répéta-t-il d'une voix incrédule.

Il ne souriait pas, n'approchait pas. Elle s'était imaginé qu'il suffirait d'avouer et il lui ouvrirait les bras, mais il restait figé contre son mur. De leur prétendue amitié ne subsistait apparemment rien tandis qu'ils continuaient à s'observer en silence, de part et d'autre du lit. Elle se souvint de leur première dispute, des années auparavant, de cette même attitude hostile mutuelle qui les avait conduits jusqu'au divorce.

— Je n'aurais jamais dû te quitter, Sam. J'ai mis longtemps à admettre que je m'étais trompée et que personne ne pourra te remplacer. C'est peut-être trop tard pour te le dire aujourd'hui, mais c'est toi que j'aime.

Cette fois, il bougea, la rejoignit en deux enjambées et la prit par les épaules un peu rudement.

— Tu m'aimes encore ? Tu prétendais le contraire, tu…

Pour le faire taire, elle l'embrassa, ce qui provoqua immédiatement une flambée de désir entre eux.

— Tu ne le regretteras pas, tu en es sûre ? chuchota-t-il en lui ôtant son pull.

Tandis qu'il dégrafait son soutien-gorge, elle en profita pour ouvrir les boutons de sa chemise et ils se retrouvèrent peau contre peau.

— J'ai envie de toi, Sam !

Une envie joyeuse, guerrière, qu'elle pouvait enfin exprimer sans retenue.

Grâce à l'arrosage régulier pratiqué tout au long du printemps, un gazon vert tendre avait poussé sur l'emplacement des anciennes plates-bandes. Avec les fusains, pêchers et lauriers-cerises fraîchement plantés, le parc de Peyrolles semblait revenu à un état plus sauvage et presque plus attrayant.

Allongées sur l'herbe, à l'ombre d'un cèdre bleu, Pascale et Aurore sirotaient du thé glacé contenu dans une Thermos.

— Adrien a promis de nous faire un feu d'artifice, rappela Pascale, je crois que ça l'amuse beaucoup.

Son frère et son père devaient arriver aux environs du 10 juillet et s'installer pour une semaine.

— On mettra des lampions partout, décida Aurore, il y a un modèle très facile à bricoler avec du papier crépon et du fil de fer.

Affichant un sourire réjoui, Pascale versa du thé dans leurs gobelets. L'été s'annonçait bien, avec cette fête du 14 juillet qui marquerait le début de leurs vacances.

— Je ne prends que quinze jours, il y a vraiment un travail fou à l'hôpital et Jacques Médéric va s'absenter tout un mois. Ça lui fend le cœur de s'éloigner aussi longtemps de son service, mais ses enfants et ses petits-enfants le réclament. De toute façon, il est fatigué en ce moment.

— Et il se repose de plus en plus sur toi !

— On s'entend bien, admit Pascale, on a la même conception de la pneumo.

— Peut-être finiras-tu patron un jour ? Tiens, comme Nadine Clément !

Elles se mirent à rire, égayées par la comparaison.

— Elle est un peu moins tyrannique, fit remarquer Aurore, je crois qu'elle vieillit.

Un mois plus tôt, Pascale avait eu la surprise de recevoir un coup de téléphone de Nadine. Sans préambule, celle-ci était entrée dans le vif du sujet en demandant si, *à tout hasard*, elle pouvait faire quelque chose pour Julia. Pascale avait décliné l'offre poliment mais fermement. Pour elle, il n'y avait pas de hasard, les Montague avaient fait leur choix quarante ans auparavant et elle ne laisserait aucun d'eux approcher sa demi-sœur. Elle-même se rendait à Castres un samedi sur deux, essayant patiemment de tisser un lien affectif entre elle et Julia. Lors de sa dernière visite, elle avait eu droit à des sourires bouleversants.

— S'il ne se passe toujours rien aujourd'hui, j'achèterai un test demain matin, lâcha-t-elle soudain.

Aurore se souleva sur un coude et la dévisagea.

— Tu as réussi à attendre jusque-là ? À ta place, je

n'aurais jamais eu la patience, j'aurais fait ce test la semaine dernière !

— Tu sais, à l'époque où je voulais désespérément un enfant, j'ai eu tant de désillusions que je préfère être prudente.

— Et Sam ? Tu ne lui as toujours pas annoncé que tu avais du retard ?

— Oh, non ! Quand ce sera sûr, pas avant.

— Je croise les doigts pour toi, murmura Aurore d'un air extasié. Si tu as un marmot, je me mets au tricot !

Un nouveau rire secoua Pascale, qui faillit s'étrangler avec une gorgée de thé. Aurore était la seule à connaître cet espoir d'enfant, elle ne voulait ni en faire état ni même y penser trop souvent, mais depuis quelques jours elle se sentait devenir fébrile.

— Quand on parle du loup… Regarde qui arrive !

L'Audi de Samuel venait de se ranger devant le perron et il en descendit, un petit paquet à la main. Aurore se mit debout pour le héler, puis elle se pencha vers Pascale.

— Je vous laisse en tête à tête, je vais faire ma tarte aux framboises.

Tandis que Sam traversait la pelouse, Pascale se redressa et s'assit en tailleur, heureuse de le regarder venir vers elle. Arrivé à deux pas d'elle, il s'arrêta et la considéra avec une gravité inattendue, tenant toujours délicatement son paquet blanc par la ficelle.

— Ma chérie, je me suis dit qu'un bouquet de fleurs, à Peyrolles, serait une très mauvaise idée. Alors j'en ai eu une autre, à mon avis pire, car ces chocolats doivent avoir fondu avec cette chaleur… N'ouvre pas la boîte, on la mettra au frigo pour voir si on peut sauver ces *péchés du diable*. Tiens, rien que ce nom, c'est bien mal choisi pour la circonstance !

— Je ne comprends rien à ce que tu racontes, dit-elle en lui adressant un sourire charmeur. Tu es resté trop longtemps au soleil ?

— Écoute, la moindre des corrections exige qu'on n'arrive pas les mains vides pour faire une demande en mariage…

Il s'agenouilla dans l'herbe et déposa le paquet aux pieds de Pascale.

— Je suis sérieux. Veux-tu m'épouser ? Je sais, ce sera le deuxième essai et on n'aura même pas droit à l'église parce qu'ils ne peuvent pas nous bénir tous les cinq ans, mais il y a sûrement moyen d'organiser une petite fête malgré tout ?

Le ton se voulait léger, néanmoins sa voix altérée l'avait trahi. Pascale ne s'attendait pas du tout à cette déclaration, même si elle y avait déjà songé. Depuis qu'elle s'était retrouvée dans les bras de Sam, à faire passionnément l'amour puis à s'endormir béatement blottie contre lui, ses doutes et ses peurs avaient été balayés. Cependant, fallait-il en revenir à un contrat de mariage, à une union légale ? Ce ne serait justifié qu'au cas où un enfant…

— Réponds-moi quelque chose, murmura-t-il, tu me mets à la torture.

— Tu ne veux pas me laisser quelques jours de réflexion ?

Le temps d'obtenir une certitude et d'avoir ainsi une vraie raison de lier son destin à celui de Samuel pour la seconde fois. Désemparé, il la scruta d'abord avec inquiétude, puis hocha la tête en signe de résignation.

— D'accord, soupira-t-il, il n'y a pas d'urgence.

Peut-être que si, toutefois elle s'accrocha à son idée

de délai. N'était-ce pas la leçon inculquée par ses parents pour contrer son caractère impulsif et obstiné ? « Prends toujours le temps de réfléchir avant de foncer tête baissée », lui rabâchait Henry dans son enfance. Un répit, un sursis, c'est ce qu'elle s'était donné avant d'acheter Peyrolles, avant d'interroger son père au sujet du livret de famille et de Julia, avant de reconnaître que Samuel était l'homme de sa vie.

Elle s'appuya sur son épaule pour le faire basculer dans l'herbe à côté d'elle. S'il était déçu, il le cachait bien, car son expression était à présent d'une infinie tendresse.

— J'aime ta maison, j'aime cet endroit, murmura-t-il en regardant le ciel.

La première fois qu'ils avaient survolé Peyrolles, c'était en plein hiver et ils n'avaient rien remarqué. Aujourd'hui, ils ne verraient qu'un parc comme un autre, avec de grands arbres et une pelouse vallonnée. Le message de Camille était effacé, mais Julia n'était plus cette ombre disparue dans un impossible oubli, elle avait désormais un visage, qui n'était pas seulement celui du malheur.

— Viens l'habiter avec moi si tu l'aimes.

Elle sentit la main de Samuel se refermer sur la sienne et un sentiment de paix l'envahit. Peyrolles avait livré ses secrets, la contraignant à remonter le cours du temps pour y apprendre la leçon du passé, mais à présent elle était libre. La prochaine fois qu'elle irait au marché d'Albi, elle achèterait des fleurs et les porterait sur la tombe de sa mère.